POESIA TOTAL

WWWWWWWWWWALYYYYYYYYYSALOMÃO

POESIA TOTAL

COMPANHIA DAS LETRAS

Grafia atualizada segundo o Acordo Ortográfico da Língua Portuguesa de 1990, que entrou em vigor no Brasil em 2009.

Capa e projeto gráfico
Elisa von Randow

Foto de capa
Marcia Ramalho

Preparação
Andressa Bezerra Corrêa

Revisão
Ana Maria Barbosa
Huendel Viana

Índice de títulos e primeiros versos
Probo Poletti

Dados Internacionais de Catalogação na Publicação (CIP)
(Câmara Brasileira do Livro, SP, Brasil)

Salomão, Waly, 1943-2003.
Poesia total / Waly Salomão — 1ª ed. — São Paulo : Companhia das Letras, 2014.

ISBN 978-85-359-2400-8

1. Poesia brasileira I. Título.

14-02272 CDD-869.91

Índice para catálogo sistemático:
1. Poesia : Literatura brasileira 869.91

3ª reimpressão

EDITORA SCHWARCZ S.A.
Rua Bandeira Paulista, 702, cj. 32
04532-002 — São Paulo — SP
Telefone: (11) 3707-3500
www.companhiadasletras.com.br
www.blogdacompanhia.com.br
facebook.com/companhiadasletras
instagram.com/companhiadasletras
twitter.com/cialetras

SUMÁRIO

UMA ORELHA*

... o poeta resta no mundo
com raros talismãs,
algumas malícias,
parcas mandingas.
Ele vai de peito aberto
para a clareira,
quase sem amuletos,
quase sem boias.
É se afogando,
se desafogando:
escrever assim,
viver assado...

... o autor, na verdade, é falível,
é vulnerável, e sobretudo, ele
não detém a última palavra, a
chave final sobre a propulsão
que um poema pode despertar
num eventual leitor...

... como se sabe,
o leitor é querido e livre:
pode ler assim ou assado...

W. S.

* Publicado na orelha da antologia *O mel do melhor* (Rio de Janeiro: Rocco, 2001).

ME SEGURA QU'EU VOU DAR UM
TROÇO ME SEGURA QU'EU VOU
DAR UM TROÇO ME SEGURA
QU'EU VOU DAR UM TROÇO ME
SEGURA QU'EU VOU DAR UM
TROÇO

ME SEGURA QU'EU VOU DAR UM TROÇO [1972]

ME
SEGURA QU'EU VOU DAR UM
TROÇO ME SEGURA QU'EU VOU
DAR UM TROÇO ME SEGURA
QU'EU VOU DAR UM TROÇO ME
SEGURA QU'EU VOU DAR UM
TROÇO ME SEGURA QU'EU VOU
DAR UM TROÇO ME SEGURA
QU'EU VOU DAR UM TROÇO ME
SEGURA QU'EU VOU DAR UM
TROÇO ME SEGURA QU'EU VOU
DAR UM TROÇO ME SEGURA

PROFECIA DO NOSSO DEMO

O céu retirado como livro que se enrola o céu retirado como livro que se enrola o céu retirado como livro que se enrola o céu retirado como livro que se enrola o céu retirado como livro que se enrola o céu retirado como livro que se enrola o céu retirado como livro que se enrola

Lino Franco

Um habitante deu por finda sua febre estéril e partiu para realizar a **OBRA** que lhe conferiria um segredo de **DEUS** se cumprindo nas trevas da sua cerração. Com muita dor desistiu de fotografar os assuntos com muita dor desistiu de escutar os sons do século com muita dor aceitou perder seu nome. Sem nome. **SEM NOME.** Pra se inscrever como escrivão copista da vontade divina. Lavro e dou fé. Lino Franco se dedicava inteiro à **OBRA** com vontade de perder os traços particulares do rosto pra que o outro aparecesse.

Anos e anos o império se anunciando e se deslocando se fundando e se desmanchando, Lino Franco nos volumes e volumes tinha dado língua à mesma febre estéril e diante da ampulheta quase vazia se revela que nenhum mago pode lhe sobrevir: — o império é o absoluto e a queda. E agora vazio e saciado que vou fazer de tudo que não me tornei?

Lino Franco continua falando só pra ouvir a vibração do seu som e também porque assim se joga mais livre e o logro é mais difícil. Lavro e dou fé.

JUÍZO FINAL

Loucura é criar altas medidas pra si no jogo na farsa na leviandade e depois levar a vida pra esta eternidade. E internamente não se poderia dizer disto: — É loucura — porque seria um comentário e o deus incarnado não se permite isto.

LAVRO E DOU FÉ.

APONTAMENTOS DO PAV DOIS

SIRIO desponta de dia

DILÚVIO

Confusão da aflição do momento com o **DILÚVIO**.
O DILÚVIO em cada enchente. reincarnação.
NOÉ = intérprete de sinais. O sacassinais. O mensageiro da advertência.
500 anos = **BR**.
500 000 anos = idade aproximada da espécie humana.

Memória popular de uma região perdida, onde uma humanidade sábia e progressista passou anos felizes em santa e sábia harmonia.

Terra das Hespérides
Terra das maçãs de ouro

Cinemex: um banquete fantástico de comidas baianas: tribex: regado com batidas: calor entorpecente: foquefoque como nas farras romanas de Holly: Morro de São Paulo: frutos tropicais, mil caranguejos: cachos de uva: mulheres levantando as saias: gente com a cara lambuzada de vatapá, gente dentro das panelas de barro: langor: as pessoas esparramadas como nas telas de Bruegel: Bahia, umbigo do mundo: Portas do Sol: cidade da colina: Luz Atlântica: Jardim da Felicidade.

Atlântida — o continente perdido pralém das colunas de Hércules e que unia a Europa com a América; onde já se observava os céus e se faziam cálculos astronômicos; adoradores do **SOL**; onde provavelmente foi falada a língua-mãe.

Olhadela por trás dos bastidores.

Atlântida submersa.

Só nos convencemos afinal de estar pisando solo firme quando tomamos por base, como verdadeiro original, a submersão da Atlântida dentro das ondas do oceano.

Cinemex: alguém fantasiado de javali feroz ataca uma pessoa diante do mar. como numa dança de Bumba.

OCEANO

Há muito sabemos que estes mistérios tomam grande liberdade com os tempos verbais e podem perfeitamente usar o passado apesar de se referirem ao futuro. Na cadeia tudo é proibido e tudo que é proibido tem. Criação = encaixar tudo e não se decidir por coisa alguma. E contudo não estou tão velho nem tão magnânimo que consiga aniquilar o eu. A vida abençoada em circunstâncias malditas. O cara estuprado por seis. O zinco. A cela forte que se enche d'água. Os que dormem como pedra mal entram no xadrez. Os bicheiros escondendo comidas cigarros. O filho do bicheiro que se entregou pra livrar o pai e estava morrendo de dor de garganta. O assaltante baleado que teve acessos violentos de dor. A descida ao inferno do poeta. Estou ouvindo Roberto Carlos, Ray Charles Georgia, Gil e Caet Charles anjo 45. O carioca legal que emprestou o carro pro amigo, preso na boca. O detento pequeno-burguês que manda cartas pra noiva como se estivesse acidentado num hospital da Argentina. A limpeza e os ideais do xadrez 506. O débil mental que perdeu calça prum passista de Escola de Samba. Os bunda mole. O que dedurou quem roubou sua camisa.

Os bunda mole fazendo faxina trazendo água tomando porrada. O tarado da menina de 9 anos esbofeteado pelos tiras e pelos marginais e torturado na delegacia. O traficante preso porque limpava o revólver que disparou e o caguete do andar de cima chamou a polícia. Os contadores de piadas. Ideia de gravar piadas e transcrevê-las na língua viva coloquial. O menino babaca de óculos meio viado baleado roubando pneu de carro esbofeteado jogado de um lado pra outro do xadrez por não soltar o rabo. O dono da tipografia: industrial. O assaltante que usou desodorante como arma unir com nota de Notícias Populares de que bandidos com máscaras de carnaval assaltaram um bar. Alguns deles têm até seis nomes falsos. Os 3 chefões. Os jovenzinhos querendo pesar a barra paquerando os chefões. O perigo total. O cu no ponto. Não abrir as pregas as coxas. O endurecimento da cara.

TOTE — o chefão fantástico — invertendo as tábuas da lei, contra os farisas e os bunda mole.

De um preso com ares de jurisconsulto: — O camarada para fazer um crime dá tiros facadas, para falar com a gente faz manha, fala para dentro.

Do preso jurisconsulto da judiciária central: — Casca de jaca escamoso? Eu não dou este epíteto a companheiros.

Judiciária do pavilhão dois: um escritório banal com as piadinhas dos empregadinhos.

Muito homem havia que chegava a escrever o nome de Deus sobre o seu órgão reprodutor ou o escrevia ali antes de possuir uma mulher.

Terebinto = árvore sagrada — revelação — ensinamentos — holocaustos.

Da detenção para a revista **FASCINAÇÃO** seção "Anúncio dos leitores".

Boca do boi = orifício sanitário. Aqui igualou todo mundo ao nível do merdame: do ordenamento jurídico à observância das leis sanitárias: para sua comodidade e higiene, conserve limpo este lugar. A mesma ordem exterior.

As pessoas ficam se lembrando da rigorosa ordem em que estão inscritas: — Isto aqui é uma prisão. A limpeza e os ideais do xadrez 506. Imagine alguém impensável como criminoso numa cadeia.

Não tenho por que chorar. Alguns detentos tomando banho de sol em cima dos sacos de aninhagem. a bunda na cuca de todo mundo. o fumo na moita.

O ventre amargo do profeta lendo as pedras antediluvianas. mundo subterrâneo. mundo inferior. reino dos mortos. quebrar o ferrolho do reino dos mortos, sons que ainda não estão no tempo, torre de fogo. água viva.

O profeta vivo dentro de uma cova e escorrendo em esferas alheias à sua própria individualidade tanto no espaço como no tempo, incorporando à sua experiência acontecimentos que, lembrados e relatados à luz clara do dia, deviam propriamente ser postos na 3ª pessoa. Mas, que queremos dizer com esse "propriamente"? Será o eu de uma pessoa uma coisa aprisionada dentro de si mesma, rigorosamente enclausurada dentro dos limites da carne e do tempo? Acaso muitos dos elementos que o constituem não pertencem a um mundo que está na sua frente e fora dele? A ideia de que cada pessoa é ela própria e não pode ser outra não será algo mais do que uma convenção que arbitrariamente deixa de levar em conta as transições que ligam a consciência individual à geral?

Individualidade aberta (imitação, sucessão).

Dans un réalisme de la rivage: Após cagar não limpe o cu com gazeta esportiva que Pelé entra com bola e tudo.

Um filme político — A grã-fina esquerdistex de Nelson Rodrigues.

**(PAPO TER
RÍVEL DA
MORTE)**

Deja levado pelo Esquadrão da Morte não dormiu a noite inteira e fez um estilete pra se defender. Caladão.

E já que não é bom ficar quieto quando a alma se aflige com a dúvida, ele resolvera simplesmente pôr-se a andar.

Pontas de terra   luzeiro   cidade do caminho.

Ele sofria e quando comparava a extensão da sua angústia interior com a da grande maioria, tirava a conclusão de que ela estava prenhe de futuro. Novas expansões de vida. Destino.

O jejum. O deserto. A abstinência sexual. Coalhada com mel e gafanhotos silvestres.

A guerra. A aventura. A caça. A dança. Os jogos e exercícios físicos.

... na sua qualidade de homens completos, vigorosos e necessariamente ativos, não acertavam separar a felicidade da ação; tudo isto está em profunda contradição com a "felicidade" que imaginam os impotentes, os obstruídos, os de sentimentos hostis e venenosos, a quem a felicidade aparece sob a forma de estupefação, de sonho, de repouso, de paz, numa palavra sob a forma passiva.

Posso respirar dentro do cadáver do terceiro trópico destes tristes mundos?

Que os cordeiros tenham horror às aves de rapina, compreende-se; mas não é uma razão para querer mal às aves de rapina que arrebataram os cordeirinhos. E se os cordeiros dizem: "Estas aves de rapina são más, o que for perfeitamente o contrário, o que for parecido com um cordeiro é bom", nada teríamos que responder a esta maneira de erigir um ideal. Apenas que as aves de rapina responderão com um ar de troça: "Nós não queremos mal a estes bons cordeiros, senão pelo contrário, os apreciamos muito: tão saborosa como a carne deles não há nada".

Estou xarope. Linguagem paulista: pissa e semáforo. Abismos do mundo inferior. Os contos, as crônicas, os exórdios edificantes do escritor detido. suas propriedades na Argentina e no México. sua amada. seu brevet de aviador. vida anterior de lord. suas caçadas. Montarias.

Esta amarga prudência que até o inseto possui (o qual, em caso de grande perigo, se finge morto) tomou o pomposo título de virtude como se a fraqueza do fraco — isto é, a sua essência, a sua atividade, toda, única, inevitável e indelével — fosse um ato livre, voluntário, meritório.

Xoxotaz xoxotaça. Cu sem pregas fulozado chué. Cabeça enterrada no esgoto da latrina. Boca do boi. Não veremos algum dia reanimar-se o antigo incêndio com maior violência do que nunca? Mais ainda: não devemos desejá-lo com todas as nossas forças e contribuir para isso?

Minha mãe me penteou. À máquina zero tosaram-me o velo. Modelo para armar. Não tomar a sério os seus inimigos e as suas desgraças é o sinal característico das naturezas fortes que se acham na plenitude do seu desenvolvimento e que possuem uma superabundância de força plástica, regeneradora e curativa que sabe esquecer.

Judiciária do Pavilhão Central — clima de repartição: todo mundo olhando binóculos de mulher nua. O expediente. A gente fica maluco marcando os dias. Truta. O esquecimento não é só uma vis inertiae, como creem os espíritos superfinos; antes é um poder ativo, uma faculdade moderadora... A gente fica xarope trocando Santo Onofre por N. Sra. Aparecida. A barra está muito carregada. Perigo ou rotina? O trabalho pré-histórico: o verdadeiro trabalho do homem sobre si mesmo durante o mais longo período da espécie humana.

Suplícios martírios sacrifícios cruentos holocaustos mutilações castrações... em virtude de semelhantes espetáculos, de semelhantes tragédias, conseguiu-se fixar na memória 5 ou 6 "não quero", 5 ou 6 promessas... Assinatura da nota de culpa.

Sem crueldade não há gozo, eis o que nos ensina a mais antiga e remota história do homem; o castigo é uma festa. Época de pessimismo. Naquele tempo em que a humanidade não se envergonhava ainda da sua crueldade, a vida sobre a terra era mais serena e feliz do que nesta época de pessimismo. Vergonha. Cruel infância da humanidade. O doentio moralismo que ensinou o homem a se envergonhar de todos os seus instintos.

Adão — ser juvenil feito de pura luz. A queda de Semael — o anjo de 12 pares de asas — por não se prostrar diante de Adão. como estrela cadente. Júbilo entre os anjos no caso de Sodoma e Gomorra e no Dilúvio, o reino dos severos. Na sua porfia por converter-se em anjo (para não empregarmos uma palavra mais dura), o homem conseguiu esta fraqueza do estômago e esta linguagem mentirosa, que lhe tornam insípida e dolorosa a vida.

O castigo foi precisamente o que mais atrasou o desenvolvimento do sentimento de culpa, e o castigado considerava o castigo também como lote do destino e não sentia outra "pena anterior", como se fosse vítima de catástrofe imprevista, de um terrível fenômeno natural, de um penhasco que rola pela vertente e tudo esmaga, sem haver possibilidade de luta.

Acidente imprevisto em lugar de eu não devia ter feito isto. Fatalismo vigoroso. Se algum efeito produzia o castigo era o aumento da perspicácia, o desenvolvimento da memória, a vontade de operar para diante com mais prudência, com mais precaução, o mistério e finalmente a confissão de que em muitas coisas o homem é fraco, a reforma do juízo sobre si mesmo.

O aviso sobre a bandeira.

Noé = intérprete de sinais. O sacassinais. O mensageiro da advertência. Incorporação dos sinais terroristas: — Se não aparecer dentro de uma hora é porque caí.

Acaba nascendo a necessidade de dar um nome ou retomar o nome de **DESTINO**: cadeia: código pra decifrar minha vida não determinada por mim?

Este texto — construção de um labirinto barato como o trançado das bolsas de fios plásticos feitas pelos presidiários. Um homem forte digere os atos da sua vida (inclusive os pecados) como digere o almoço. Os meios que se empregam contra a dor são os que reduzem a vida à menor expressão possível. falsas exaltações. O profundo sono. Anestesia é para os dentes o bem supremo. A atividade aliviando a consciência. Modelo para armar. O modelo do grande romance do século passado. História sanitária: nossas doenças, nossas taras, a baba do babaca, o delírio coletivo dos nossos devotos, a papa de panaca do papanata, perebas, epidemias religiosas.

Vontade absoluta de verdade que não põe em questão a solicitude mesma de verdade.

Mangueiro de doenças e frustrações. Quintal do mundo. os tonéis de leite de madrugal: os ruídos de destarrachamento. Vazio central. Zona mais além ou mais aquém da linguagem. Boca do boi. Boca do estômago. Boca do inferno. ¿Pero tú, Hélene, te irás también con ellos, o vendrás lentamente hacia mi con las uñas manchadas de desprecio?

O texto se masturbando continuamente no seu campo descontínuo. O texto mordendo seu próprio rabo. O texto mocózado. Zona ou cidade... lo podrido es la llave secreta en mi ciudad, una fecal industria de jazmines de cera. O texto embaralhando as cartas. Modelo para desarmar. Charlar a loucura estabelecida. Te pongo en las manos un diploma de verdugo, pero tan en secreto que no puedes saberlo mientras amablemente hablamos de golondrinas.

Tedium vitae. Relógio de areia. Retirada para o inferno paralelo. Passageiros ou residentes do inferno paralelo?

Quintal do mundo. O largo da matriz = igreja no centro da praça e do capinzal ou o agrupamento em torno da casa do senhor colonial. Paróquia cultural. Invocação do santo padroeiro. Plantador de cidades. O bafo dos dentes do dragão. Tapete voador. Desigualdade de ritmo. Desconfio, pois, dos contrastes superficiais e do pitoresco aparente; eles sustentam sua palavra por muito pouco tempo. O que chamamos exotismo traduz uma desigualdade de ritmo, significativa no espaço de alguns séculos e velando provisoriamente um destino que bem poderia ter permanecido solidário.

Chamas de fogo vozes trovões relâmpagos e o grande terremoto. Sinal da besta. Monstros prodigiosos. O caderno de reserva se transforma no próprio texto: o homem com a chave do sismo tocando na clave do abismo. O texto mordendo sua própria língua de dor: o homem com a chave do abismo tocando na clave do sismo. Os otários pensando ganhar a vida manjando de direito ou cantando hinos ao pai criador. O bafo dos dentes do dragão. O bafo da boca da besta. O bafo da boca do falso profeta. Sinal nas testas e nas mãos. A segunda morte. Os novos céus e a nova terra. A cidade de ouro puro semelhante a vidro transparente. Ave imunda. A árvore da vida da nação contaminada. Eis que faço novas todas as coisas. Quem vencer herdará todas as coisas. A queda da babilônia — a visão da grande prostituta assentada sobre a besta. Ballet miserável — mendigos se jogando aos pés dos doadores de esmola: expondo os cotos: proxenetas: putas: passadores de fumo: capitão de fragata ou seja cafetão de gravata: pivetes do Cacique: camelôs às voltas com o rapa: catadores de comidas nas latas de lixo: o grotesco e a caricatura do pitoresco: o oferecimento total: obsequiosidade de colonizados: purulências, fezes, secreções, pus, mijo, lepra. Décor: parede feita de baratas nos Alagados. Volta ao Ballet: exposição pública de mercadorias: barbeiros fazendo barbas ao ar livre: jogadores de dominó vestidos de pijamas: liame imediato com o sobrenatural no candomblé: acarajé fazendo na hora com pibigás em plena rua. Desintegração. Como juntar o continente americano ao continente asiático numa política de 3º mundo?

Am = saque de 500 anos apenas. Os trópicos vagos e os trópicos lotados. Feira brasileira e bazar oriental.

Alegres Tópicos: bagana — papanata — ponta firme — campar com a pururuca — encher a moringa de fumaça — buchicho — xarope — muquirana.

BANANA MALSÃ.

O que me aterroriza na Ásia é a imagem da Europa futura (como esquecer que, a esse respeito, a Europa ocupa uma posição intermediária entre os dois mundos?) que ela antecipa. Com a América Indígena, acalento o reflexo, que mesmo aí é fugitivo, duma era em que a espécie estava na medida do seu universo e em que persistia uma relação válida entre o exercício da liberdade e os seus sinais.

A cópia excelsior interrompida excelsior de minuto a minuto excelsior pra deixar transparecer excelsior a marca. Vou contar **A JUSTIÇA DOS HOMENS** pra vocês — difícil é saber quem é culpado, quem traz a placa na testa.

Ballet miserável: cobertas dormem bem amarradas às axilas das mulheres: ladrões e degenerados e bêbedos e preguiçosos: carcaça de boi servindo de brinquedo de crianças.

O conjunto dos costumes de um povo é sempre marcado por um estilo; eles formam sistemas. Estou persuadido de que esses sistemas não existem em número ilimitado, e que as sociedades humanas, como os indivíduos — nos seus jogos, seus sonhos e seus delírios — jamais criam de maneira absoluta, mas se limitam a escolher certas combinações num repertório ideal que seria possível reconstituir.

Invenção e saque. Originalidade na combinação dos elementos. Os indígenas se apropriando dos temas dos conquistadores. A realidade se torna linguagem no sinal? ou no sinal = ?

O endurecimento do meu rosto não mais pelo perigo da barra mas pela mesquinhez dos submetidos à mesma comum exterior descrição metafísica do cotidiano dos derrotados... cabeça fresca... ou melhor à mesma comum exterior metafísica do cotidiano... "dos derrotados" não corresponde ao gosto moderno tendo que ser riscado da composição. Uma pessoa pode viver, naturalmente, no inferno — logo de início, sofre algumas perturbações, depois depreende que o inferno é normal. Onirismo miserável: detento botar desodorante e caximí buquê no rego da bunda da bicha detida.

De certa forma era solicitude minha uma situação excepcional que me desentranhasse da familiaridade como no sonho da viagem no vapor barato Pirapora/Petrolina. Tinha todas as ferramentas pra essa vida conventual confinada mas também tenho todos os contravenenos.

Cadeião chocolate. Cadeião pão pullman. Cadeião pão americano.

A revelação do fichário. As fichas dos autores para uso impróprio. Xerox. A alma chinesa. Sinopse dos melhores. Um conto político como cópia das regras de um livro de jogo de xadrez. O baralho de todas as limitadas combinações possíveis do texto. O assistente roubando as anotações do mestre. As manhas de **DJALMA LANDRO** que não dorme no ponto. Lanterna no fumacê. O inventário do saque do universo em progresso. Mark — um americano preso por fumo — com voz de narrador brasileiro de desenho animado de TV. Todas as anotações excessivamente babacas. Crisol ondas. O texto como progressão de uma leitura instintiva — esses cheiros suspeitos, esses ventos virados anunciadores de uma agitação mais profunda — do nosso tempo. O acréscimo pessoal é a matéria fecal defecal merdame merdose rebordame rebordose do bunda mole. Ou o acréscimo pessoal é a anilina ou a podrida cor local. O cara sacana que passava areia no cu para fazer malvadeza com os companheiros. Ou o acréscimo pessoal é o secreto pulo de gato ou o acréscimo pessoal é o sarro a manha de **DJALMA LANDRO** que não dorme no ponto nem dá desconto em serviço. Ou então material excedente rarefação sugestiva mortecimento precoce de nossas cidades mornas carvão cansado das matas derruídas vomitório repleto de nossa brasilidade senil ou melhor senilidade auriverdes. Ou antes abertura do caderno de apontamentos publicação das reservas florestais. Como praquê organizar o delírio do desarranjo intestinal da **KUKAKUKEX**?

Nome prontuário xadrez número ordem de entrada ordem de saída requisição inclusão exclusão de visitas dia de visitas bolsas de fios plásticos o chefe da seção judiciária protocolos recibos expediente coisas e causas recurso no, de de de pastas de indulto apelação remoção sursis revistas dos tribunais comutação mapa-carcerário atestado de permanência sessões de cinema livramento condicional revisões prolatação unificação tráfico de maconha lanterna no fumacê: grande romance de Dostoi na casa dos mortos. Relação completa dos livros da Biblioteca Sedes Sapientiae — horário das 8h30 às 12h e das 14h às 17h exceto no dia de visitas — os detentos poderão permanecer com os livros pelo prazo máximo de 15 dias para não prejudicar os demais. Salvar os inocentes perseguidos sem receio dos maus e prepotentes e socorrer os culpados arrependidos ajudando-os na reabilitação são as glórias supremas do advogado criminalista. Quadro envernizado com desenho da balança. A virgem de porcelana de manto de seda desbotado e com vidrilhos esmagando aos pés a serpente de porcelana. Descrição exaustiva detalhada nouveau roman do pitoresco superficial. Ao Sr. Diretor da Casa de Detenção uma singela homenagem dos detentos... eso no puede ser un mero juego, se siente como si ya hubiera mucho de inventado en nuestras invenciones... liviano fantaseo frente a un espejo...

MAPA CARCERÁRIO

Rol de visitas, blitzes, juiz do xadrez, as tatuagens (arabescos, leão com estrela na ponta da cauda, mulher, rosa dos ventos, amo-te).

O passador de fumo de 18 anos preso de novo três dias após sair da detença. Os ideais do xadrez 506: lazanha dia de sábado à noite: os farisas. Os farisas. Os bunda mole. Os casca de jaca escamoso.

EU, SAILORMOON, de sangue indomárabe, Sirio desponta de dia = **DILÚVIO**, todos os inimigos feridos no queixo e quebrados os dentes e flechado fígado coração rins e esmigalhados — pau na moleira — por uma barra de ferro perversa nas minhas mãos e por esta minha modernidade forçosamente desfibrada e com medo dos grandes bandidos da ordem neste cemitério onde estou preso com a classe média carcerária.

O desfile da travestriz no pavilhão central: a ordem de saída de uma almofadinha de seda. A bicha macumbeira. O dia inteiro de castigo na sala de triagem da bonequinha de minissaia: um espetáculo para as multidões. Cavou um poço e o fez fundo e caiu na cova que fez. A sua obra cairá sobre a sua cabeça e a sua violência descerá sobre a sua mioleira. Exaltação do inimigo sobre mim. Título e assunto do livro. Coleção Documentos Humanos da Editorial Prafrentex que já começa velhex.

Ventre amargo do profeta. O sinal o nome e o número na testa. Os bandidos lendo nos jornais os grandes sinais de como realizariam melhor os crimes de todo dia. Suplantação da bobeira. O caminho do meio: quebrar a cara pra deixar de ser otário. Quem poderá batalhar contra a besta? Ou andará alguém sobre as brasas, sem que se queimem seus pés?

Agudo como a espada de dois fios. Mentira altivez crime guerra vício falsidade. Os caminhos do juízo. Bom siso. Livrar-se da perversidade. O acréscimo dos dias ao justo. Colunas de fogo ao ímpio. As tábuas da lei. Do meu coração. Comer do fruto do meu caminho.

Tonalidade do som da Besta: o excesso o escândalo o erro. Ciência do santo: prudência. Fogo descendo do céu à terra. Guardar o mandamento do pai e da mãe. Gibizão: — Este mês conta minha 8ª entrada na prisão. Remédio para o umbigo e medula para os ossos. Tirei carta de malandro profissão de vagabundo. Deus compassando a face do abismo. Correr e não tropeçar. Perder os pés. Ímpio. Não conhecem nem aquilo em que tropeçam. Vida mansa honra graça glória ao sábio e confusão ao louco. Prudência da boa doutrina. Correção. O vinho das violências. Conhecimento = temor de Deus. Comer do fruto do meu caminho. Comer do fruto do meu próprio caminho. As tábuas da lei do meu próprio coração. A excelência da sabedoria. A excelência e justiça dos preceitos da sabedoria. Sabedoria como escudo dos sinceros. Equidade verdade piedade retidão correção. A ciência dos conselhos soberbia arrogância mau caminho. O pecado original não podia ser apagado senão com sangue.

Todas as raças nobres deixaram vestígios de barbárie à sua passagem. Louca ousadia. Indiferença e desprezo. Desprezo da comodidade do bem-estar da vida. Alegria terrível de destruição versus instinto de rancor dos fracos. Os detentos que possuíam alguma coisa no exterior, os pequenos funcionários, os barriga crescida, os que tiveram algum estudo = neurastênicos biliosos. Os rapadores de taco. Os contadores de caso de linguagem inventiva. Duas coisas que não acabam mais: trouxa e pau torto. Os pedra noventa fazendo sempre uma presença. Dois carneiros de chifre não comem na mesma cumbuca. Quando sair da prisão jogar no número ganhar o prêmio tomar uns paus e acabar voltando de novo pro xadrez. Mesma ordem exterior. Triagem por estar esperando comida antes do horário, triagem por desrespeito ao carcereiro. O lançamento simples dos fatos sem retomar o modelo do grande romance não corresponde ao mesmo orgulho do escrivão que leva um flagra deixando tudo pronto pra assinatura da nota de culpa em menos de 40 min.?

Manter a tramela da tranca fechada. Uns falam demais contando bazófias do meio que vieram. Tive mil mulheres na vida.

Assinatura da nota de culpa. Triagem. Quando você tiver tirando 5, 6 anos de grade, acostuma. Aqui existe companheirismo. Moeda corrente: maço de cigarro. Agência de advogados não é aqui, amarre o saco na grade. Os advogados do estado nunca aparecem. Seção de ações e recursos criminais. A grande literatura espírita nacional. Mapas zodiacais. planos invisíveis de vida. o grande continente da Lemuria. os povos hiperbóreos. os ádvenas. o terceiro milênio. a mística da salvação. a corrente caínica. a raça caínica.

Detentos em regime de cela forte. Lista de castigo. Detentos em regime de cela forte por determinação do Sr. Diretor por ter sido encontrado portando dinheiro — por ter sido encontrado arrancando as plantas do pátio — por haver furtado um isqueiro de outro detento — por receptação de isqueiro roubado — por haver agredido outro detento com faca improvisada — por haver agredido outro detento com objeto contundente — por haver estuprado outro detento — por haver estuprado outro detento — por haver estuprado outro detento — por determinação do Sr. Diretor de Disciplina por ter sido encontrado trepado na janela — por ter sido encontrado portando gilete de barbear — por ter sido encontrado na prática de jogo de azar — por ter sido encontrado com uma porção de erva denominada "maconha" — por ter sido encontrado com uma porção de erva denominada "maconha".

De outra vez que você entrar sua barba vai crescer aqui. O monte do conde cristo. Aqui todo mundo é totalmente devagar — no fundão você tinha que brigar o dia inteiro. Lá a barra é totalmente carregada, aqui é cadeião chocolate.

Lista de castigos — por ter descido para o pátio no dia de visita sem estar devidamente requisitado — por não se ter colocado devidamente em forma na fila — por ter sido encontrado portando uma rifa — por ter sido encontrado com uma lista de apostas

— por haver atacado outro detento com um estilete — observação: o detento... que se encontrava na cela forte por haver desacatado um funcionário do expediente se acha internado na enfermaria do pavilhão nº...

Esta lista de castigos não possui nenhuma sanção absurda sendo semelhante a qualquer regulamento interno de instituições afins — o que existe de absolutamente louco é esta situação louca e esta vontade louca de pensar na sua descrição como se contivesse alguma coisa anormal incomum inexistente. A única coisa que me interessaria aqui é impossível: aprender a passar o tempo. Um homem forte que saiu da cela forte fedendo a bosta. As horas aqui não passam. Me encontro sem distração e nem minh'alma canta ao Senhor e nem sinto minha situação prenhe de novas expansões de vida.

Desenho de um revólver na parede. Desenho e descrição do corpo humano na parede. Nomes de heróis na parede: Nenen de Vila Carrão.

Aqui existe companheirismo. Aqui igualou todo mundo ao nível do merdame. Aqui todo valente se caga todo covarde faz força toda vaidade se apaga. Estreita circularidade de minha vida sempre tornando aos mesmos problemas às mesmas lendas dessuetas: do alto do avião estou lendo um fino desenho de areia por entre dois indecifráveis mares... e como fazer crer que isto não é uma antiga imagem literária?

Vê só, vê só: um caranguejo fez xixi no urinó.

São Paulo, Casa de Detenção, 18 dias janeiro-fevereiro 1970.

SELF-PORTRAIT

— Novilar Novilar — o vale do Canela soa.
— Tobogan Tobogan — o parque do Ibirapuera ecoa.
Em meus anos mais juvenis e vulneráveis...
Estreito círculo da vista: o grilo é um polo do delírio.
Estreito circo da vida: o grilo é um polo do delírio.
GRIFO: o grilo é um polo do delírio.
Que idade é mais própria aos meus 26 anos?
Que idade é mais propícia?
Risque da composição os períodos de obscuridade.

Minha língua — mas qual mesmo minha língua, exaltada e iludida ou de reexame e corrompida? — quer dizer: vou vivendo, bem ou mal, o fim de minhas medidas; quer dizer: minha grande paixão é um assunto sem valor; quer dizer: meu tom de voz não fala mais grosso.

Esta escrita reticente. Causa: embriaguez. Embriaguez, causa: incerteza. Incerteza, causa: continuidade da inconclusa oclusa causa. Quer dizer: o grilo é filho da miséria e do ocaso.
ocaso = acaso.

Período de esclarecimento: com a luta de classe decidida a favor da sociedade existente, a guerra organiza-se contra os que excedem.

Período de esclarecimento: a exceção precisa da regra anterior.

Período de esclarecimento: a exceção não é nova — a exceção é hermafrodita — a exceção quer ser diferente/ melhor/ comum/ pior.

Esta escrita antirreticente. Vantagem é ser reticente neste século generoso. Vã chantagem é ser irônico com a generosidade deste século. Com a genorosidade diabólica deste século de luzes. Atlânticas. Vergonha do estilo próprio, fraqueza de suportar este espetáculo sem condimentos. Luz atlântica: falso nome da coisa nova. E gastar o falso nome é restar com a coisa medianeira.

Crepe crepusculino canto do grilo cricri crilando canto chão canto chato. Opiato — teatro das impressões díspares... o Senhor Diretor me desculpe mas botar um pinico em pleno centro do palco é demais... opiato... a representação do obscuramente sombrio, da curtição enquanto valor de esgotados, da libertinagem com as migalhas do poder, da dissipação de forças, da queda na servidão, do jogo com a minha vida pra ver no que dá. Palreira pala ou paródia?

Paródia caipira.

Corte no papo careca — som: "tou sabendo".

(Edênia e Bizâncio. Os poetas da Bahia que leem Plotino e aprendem línguas estranhas. Amor Amor Amor em que trágico cotidiano tu morreste.)

Les illusions perdues... Educação sofrida...

Tudo isto cheira século dezesseis. Tudo isto cheira século dezessete.

Tudo isto cheira século dezoito. Tudo isto cheira século dezenove.

Um título boçal de suplemento provinciano: Significação Presente do Romance Tradicional.

Um título boçal de suplemento provinciano... Um texto antigo...

Um deus reparador e vingativo...

Retrato do artista quando jovem na tradução portuguesa. A portrait of the artist as a colonized old man. Medo da contaminação. O conto do estrangulamento. A tosquia do velo. Imprensado, tenho uma fé absoluta total no trabalho que estou executando... que dão a sua palavra como quem dá uma tábua de mármore, que se sentem capazes de cumpri-la, a despeito de tudo, ainda a despeito do "destino".

Eu estou cruel e delicado endurecido e educado: robusto livre e alegre. Desde então o homem veio a ser um dos golpes mais felizes da "criança grande" de Heráclito, que por nome Zeus ou Azar, e desperta em seu favor interesse, ansiosa expectação, esperanças e quase certeza, como se anunciasse alguma coisa, como se preparasse alguma coisa, como se o homem não fosse um fim, mas apenas uma etapa, um incidente, uma transição, uma promessa. Amoliação do aviso do bar (patrão degolando freguês) com o texto: Esse aí não pede mais fiado. Quem se entrega morre, quem não se entrega morre. Então bebamos. **OLD MAN CÃO DO BORRALHO REBOTALHO SEQUÊNCIA DE ZEROS EU SOU A FONTE DO MEU MAL.**

A falta de antítese ao ascetismo... e onde ainda resta alguma coisa de paixão, de amor, de fervor, de dor, não é antítese ao ideal ascético, senão a sua forma novíssima e mais nobre. Encerrado no interior. Obrigado a desenvolver-se dentro de si mesmo, abnegação e sacrifício. **SEGUNDA INOCÊNCIA: PELA SEGUNDA INOCÊNCIA.** Coração de leão. Espíritos fortalecidos para a guerra e a vitória, em que a conquista, as aventuras, o perigo e a dor fossem necessidades. Ar vivo. Malícia da saúde plena. Uma grande saúde. Outro mais novo e mais forte do que eu. **AR VIVO.** O bicho roedor. Dissimulação. Inspirar medo. Todo aquele que constrói "novo céu" achou a força no seu próprio inferno. Arrogância. Portas do desconhecido portas do incerto portas do arriscado.

CINEMEX: mulheres em formação chinesa armando uma frase como nos desfiles políticos. uma pessoa com um telefone na mão discando o nº enorme de emergência enquanto é assassinada por uma enormidade de balas disparadas por um pistoleiro.

Meu olhar amansa qualquer animal. Perseguição espancamento do ladrão do Metro de ouro. O segundo emissário do homem — luz primitivo.

Colonialismo ou deboche. o medo do envolvimento na crítica à estética da esculhambação. bestética. Limpa fossa mais divisão rigorosa das águas = temor, paralisação.

Carnaúba do nordeste no foguete da **NASA**.

CHUÉ.

Lanças ornadas de cabelos de fibra sintética hálito de fogo desencadeador de tempestades deus dos guerreiros trigueiros coração forte máscaras com cavalos-marinhos pinaúnas etc.

CORAÇÃO DE LEÃO

SAILORMOON

SAL OR MOON

Foto minha com roupa e numeração de presidiário.

Mandíbulas de ferro.

Pantera, a quente.

Barba cacheada numa ordem tão perfeita se assemelhando a uma divisão de escudeiros.

Campo de Marte. M. (durante a copa a letra M no campo do vídeo.)

Não coração leve e ânimo aventureiro mas angústia do homem perseguido e solitário. o parentesco do desassossego de corpo e de espírito.

Impotência dos sacerdotes. Vingativos. cansaço e senilidade... sublime ilusão de ter a fraqueza por liberdade, a necessidade por mérito. Provação bíblica. Depois do sol. Manter-se em silêncio como melhor demonstração de força.

Camisa de força. O homem que pode prometer o que possui em si mesmo a consciência nobre e vibrante do que conseguiu persistente soberano o senhor de uma vasta e indomável vontade que dão a sua palavra etc.

M M M M M M M M M M M M M

Fruto serôdio.

Na dor o auxílio mais poderoso da memória. O direito de ser cruel.

E não poderíamos dizer que este mundo perdeu de todo certo cheiro a sangue e tempestade?

Hoje a dor é um argumento contra a vida.

Os deuses afeiçoados aos espetáculos cruéis. Brinquedos (o destino dos homens, as guerras) para os deuses. Alegria divina do poeta. para dentro. voltar. Recuar. Alma. pequeno mundo interior. jardim de suplícios. falta. responsabilidade. respeito.

Eliminação da vontade supressão das paixões castração o tédio como epidemia nos tempos da dança macabra (1348). A última vontade: morrer. Atmosfera de manicômio e hospital. A vontade do nada.

JAIL MENTAL HOSPITAL

pós envenenados mundo às avessas.

Sou um artista começando... a passar fome. Batam palmas senão onde vou bater bombo? não se deve ser médico consolador salvador de doentes.

Irmão enfermeiro namorado noivo, não entrega o ouro calouro não entorna o caldo Agnaldo.

Vai que nunca racha.

Eu sou a fonte do meu mal.

A bênção do trabalho pequena alegria da beneficência mútua pequena alegria do amor ao próximo.

Vomitório. Minha sensibilidade de colonizado: tia amália dindinha mãenhaça dona quezinha bidute biba mirinha dr. licurgo. por enquanto mino o campo verde etc. etc.

Cidade do interior. A cidade do interior como caricatura kitsch da cidade moderna.

BANDA: — Nara, vai começar Antonio Maria.

— Vi ontem Candelabro Italiano. É um espetáculo, um estouro.

— Dio como te amo.

A mulher penteando os cabelos da outra na porta da casa. Trocadilhos do carilho: o mais ladrão é Seu Leal. Etc. Etc. doido sinhô. Made in usa interiorano. formosa emília. bela emília. mangueiro de doenças e frustrações. um cachorro vendo os galetos assando. Tevê de cachorro — máquina de assar galeto. sou macho pra xuxu, ninguém toca em mulher minha. takes de autoridades municipais tomando a bença à mãe, o rapaz rebolando, a moça chamegando, com o cabelo feito moça. quando pega a filha alheia é pior do que tarado. é ele ou ela? com a calça apertada. vestido lascado. ilude o diabo. belisca beija xumbrega numa falta de respeito, a corrução do mundo. honra a teu e a tua: pai e mãe. os fins dos tempos como reza a escritura. anticristo.

Deformação do confinamento. O artista trancado no quarto cagando bustica.

Os fortes aspiram a separar-se e os fracos a unir-se; se os los se reúnem, é para uma ação agressiva comum que repugna muito à consciência de cada qual; pelo contrário os últimos unem-se pelo prazer que acham em unir-se; porque isto satisfaz o seu instinto, assim como irrita o instinto dos fortes. No fundo, todas as grandes paixões são boas se se lhes dá boa direção e carreira. curar a doença ou combater a dor e a depressão com xaropes narcotizantes, curso de aperfeiçoamento da culpa. as penas do inferno... para mim, "melhorar" significa "domesticar", "debilitar", "desalentar", "refinar", "abrandar", "efeminar", "degradar"... de modo que "melhoria" converte-se em aumento da doença. conventículos. o minotauro. serviço de som. a árvore da vida da nação contaminada.

Esses selvagens esfarrapados perdidos no fundo do seu pântano proporcionavam um espetáculo bem miserável; mas a sua própria decadência tornava ainda mais sensível a tenacidade com que tinham preservado alguns traços do passado. sonho de um ser doente cansado de bater punheta. nirvanil. confia no Senhor de todo o coração e não te estribes no teu entendimento. no teu próprio entendimento. peguei o come quieto abri o come quieto.

Nado neste mar antes que o medo afunde minha cuca. óbito ululante: não há nenhuma linguagem inocente. ou útil. ou melhor: nenhuma linguagem existente é inocente ou útil. nadar na fonte é proibido e perigoso.

Enfraquecer e chupar o sangue da vítima.

Berra o poeta — rei do bode: estou brocha.

Um país imaginário: **BODIL**. vê se ri, agora, hiena.

Sete cabos de enxada pralém do inferno.

CINEMEX: FINALE: 3 Killings arrastando 3 caixões (esquifes) — caixão e vestimentas dos 3 k marcados com uma **ASA DE MORCEGO** — descem vagarosamente a rua paralela à av. Consolação. Um cachorro passa com um coração sangrando na boca. Panos pretos nos postes e portas das casas com marca da Asa de Morcego. Coroas de defuntos espalhadas pelo chão. Flores. Tapetes de flores e coroas de defunto. Alguém rezando de cabeça meio baixa, um Killing com uma espada na mão já pra decepá-la. Tua face é como um rio com luzes. Um Killing recolhe as caveiras e tíbias espalhadas pelo chão e vai colocando numa tina já cheia. Um sino amarrado a uma árvore e dois k balançando (som: sirene rp). Tua face é como um rio com luzes diz o amante à mulher amada e se suicidam antes de serem mortos. Os dois corpos são arrastados pelo K para junto da tina de ossos. Um estranho ritual. Um Killing com uma espada na mão. Um Killing com uma caveira na mão. Um Killing com uma bandeja na mão.

Triste tribo. tatuagem do índio com arco e flecha. a eficácia da magia implica a crença da magia.

NOVELA DO DIA: O BOM FILHO... A CASA PATERNA.

Moço virgem até os 20 anos ficou doido
gala esperma subiu pra cabeça dominado
pelo fogo e pela lua e pelo pai caos
prisão como cura entregação estender
o braço pro enfermeiro aplicar amplictil falta
de horror **FÍSICO** à polícia quem quer
andar precisa se soltar da teia que enreda o pé
o cara passa 6 anos se analisando e vai se fazendo
analista. polícia prende — único contato com
mundo exterior fica sendo visitas rápidas e o
advogado (pai psiquiatra).

Quinta-feira vou visitá-lo eu lhe adoro
vou levar uma porção de coisas gostosas para você
um beijo eu lhe adoro nada de
novo aconteceu depois que você deixou de aparecer
de vir aqui vou enviar algumas
frutas e biscoitos para ajudar as horas amargas passarem com
mais ligeireza envio também folhas de
papel para os seus rascunhos isto é um bilhete
o homem nasceu para lutar e a luta traz sofrimento
creio que a sua luta é o seu
trabalho limpo honesto sério
Claridade solar: a coisa ainda não está tão difícil e
fechada quanto vai ficar. clima de barganha
viver ocupado nas transações as transas.

Inimigos que adquiri em 20 anos de profissão
prendendo bandidos para ser disparado, o sistema de

alarma contra assaltos a bancos apresentado ontem à polícia usa
apenas um botão como de campainha   polícia quer esquema
de proteção comercial nas proximidades de supermercados,
numa tentativa de acabar com os assaltos.
Punheta no ônibus = onanibus.

Montanhas de lixo crescendo nas ruas   quem
for pego jogando lixo nas ruas ou terrenos
baldios será simplesmente preso.

KLEEMINGS = MOMENTO DE LIMPEZA.

levantar   a   cortina   pisar de novo o
palco   **MAYA/PODER**

imaginar claramente   clara   mente   saber
principio
princip
io
nesta altura onde estou aprendendo as coisas
ontem foi o dia da lua/ hoje é o dia do sol/ ontem fui fêmea/ hoje
sou macho.

ICI-BAS-cenário: pai encerando a casa/ mãe terminando o almoço e botando a mesa/ filho vendo desenhos animados na tv/ pai acertando botão de contrastes da tv/ mãe falando das mãos estragadas pelo sabão/ pai: o que é que você quer que eu faça?/ pai desliga tv/ pai: vai brincar/ interior dia domingo de manhã/ filho chorando: o dia que eu posso ver televisão ele não deixa/ mãe: não sei onde estou que não lhe passo a mão na cara/ mãe: você está acabando meus dias de vida/ filho: amanhã tem concurso de problemas.

Scenario of the revolution.

Vivi grande parte de minha vida em fazenda. aquele toco de pau. write your own slogan: sinta o cheiro dos currais, sinta o cheiro das favelas.   sinais perdidos.

Queimar etapas: criar coisas em que não me reconheça — não como traição a um sonho anterior mas porque as coisas criadas são estranhas a todo sonho, anterior a todo passado crer na remissão dos pecados na irrecuperabilidade do passado na constância das águas. sinais perdidos.

Aqui desenho minha caligrafia declaro meu mal decreto minha morte.

Porque há um sentido pra se fazer toda qualquer coisa é que fazer uma qualquer não tem sentido e só vale a decisão que ultrapasse este impasse e descubra uma nova coisa e invente uma decifração para ela. **DEUS** é o nome e a carne. Mas é mais também: passagem de uma margem conhecida pra um diverso quase invisível sítio.

Que significa a palavra afobado? Afobado significa apressado e com medo.

Estamos na ruína. somos uns malditos para nossos irmãos e para o povo da América. horas amargas estão reservadas para o nosso país. dias sombrios aguardam a américa latina. é preciso bater forte, constantemente, no lugar onde dói. este crime vergonhoso, hoje, nos deixa com vergonha.

Self-portrait. Eu falava mal de todo mundo com minha compoteira de doces caseiros. eu era o mais provinciano dos seres. desses pichadores de ferrível língua. preciso reconhecer um intelectual nordestino antediluviano, não há outra palavra, com problemas homossexuais. um intelectual rançoso ou seja uma casa pernambucobaiana cheia de frutas e águas. vou ficar contente porque sou de uma maldade total e danço por cima de minha foto adolescil. estou travando uma luta titânica contra a hidra de lerna. já não estou me reconhecendo mais neste assunto fedorento bitritropicalista tipo alfininha biscoito de louça romanesca. Teve uma hora que eu quase morri de comer manga na praça. todo mundo do Brasil na faixa dos 20 aos 23 anos

DEVERIA achar este meu papo raramente imbecil. Manchete:

garotos maconhados seis/oito anos atacam a mãozada bolo dia das mães. pimenta dá onda. a linguagem provinciana é muito por dentro mas não apronta nada. o maravilhoso da véspera já era. é preciso colocar uma luva de ferro no jato do chuveiro matutino das mãos do intelectual nordestino. um/ estilo/ com/ barras/ e o emprego do tu. será que eu sei falar da Bahia como ela me fala de Pernambuco? Ainda estou ouvindo repicando no pique do fim da picada os minos da satriz enquanto no mundo inteiro isso não tem nenhuma importância: hoje foi um dia violeto: batemos papo sobre flor de manacá.

Espaço para welcome o life

Uma escrita automática é sempre reveladora de uma sensibilidade antiga. Mas eu também acho exatamente o contrário porque também tem o que vem de fora pra dentro. do mundo falando pro pernam.

O praça está no terceiro barraco. aquele ali. a voz do chefe era mansa e humilde. não falava como se ordenasse, mas como se pedisse.

— Você, Euclides — apontou para o homão de cem quilos — vem comigo pela frente. Maneco e Sivuca cercam por trás. Paulista toma conta da janela da direita e Guaíba sobe no telhado. Certo?

— Ali vai um bando de otários. Se o Cid Navalhinha, da Invernada, passar com o carrão, arrasta todo mundo. Garanto que ninguém tem documentos.

Simples, discretos, procuravam chamar o mínimo de atenção.

— É pra dança ou é pra cana?

Enorme, como um americano bem nutrido, tinha o rosto e os braços sujos de graxa para encobrir a pele clara. enrolado em sacos de cimento: o fuzil C-l de longo alcance e alta precisão.

— Essa vida é mesmo um barco de merda, navegando em um mar de mijo, impulsionado por um forte vendaval de peidos.

O Gringo levantou e arriou a mão direita ordenando assim o início da operação. Com toda a cautela, Guaíba levantou uma pequena parte do zinco do teto e espiou para dentro do barraco de um único aposento.

— É a polícia, vagabundo. Sai com a mão na cabeça pra não morrer.

esgueirara-se para debaixo da cama. E, com precisão matemática, foi disparando, as balas fazendo sacudir os panos sujos do ninho do bandido. um elétrico da central.... gritando e batendo nos presos. Alguns apanhavam calados. Estes eram poucos. Os outros sempre revidavam, e sempre levavam a pior. A maioria apanhava e reclamava, tendo o cuidado de limitar os seus protestos aos gritos e choros. Mas havia ainda uns tipos especiais, que se haviam feito respeitar de tal maneira, que contavam com a cumplicidade e até com a capangagem de determinados guardas.

— Vou te moer todo, seu paca. Vou te moer todo, e depois vou te servir na bandeja pra todo mundo aqui dentro. munhecaços. o místico da prisão.

Take kindness for weakness. Quanto à bondade, não passava de uma fraqueza. E a disciplina, de covardia... Um dos guardas armados manobrou o ferrolho do seu fuzil, um sentinela foi derrubado de sua guarita sobre o muro. os outros guardas se protegeram. o pátio ficou vazio. os primeiros sinais de rendição. usou de um megafone, do lado de fora dos muros.

— Vocês não têm chance de escapar. Rendam-se. Entreguem-se todos.

— Não atirem. Nós nos entregamos. Não nos matem.

Correu. Não parou de correr. Continuou correndo.

— Não fala nada. Bico calado e bota essa joça pra andar.

Mas quando me puseram em liberdade, vi que não podia mais me acostumar a ela. Ela já não me adiantava para mais nada. Sobreaviso.

Acostumado a viver de sobreaviso, a não confiar em ninguém

e jamais tomar por exato o sentido direto das palavras. Morrer ou matar. estoque, estoque de rabo, pé de cabra, chaves mixas e um sem-número de outras ferramentas. pendurado no pau de arara recebendo choques elétricos   os testículos apertados por alicate. caninha mixa. cana firme. tenho uma mina se virando pra mim no mangue. seus pulsos estavam marcados por escoriações produzidas por algemas. sob o viaduto Negrão de Lima, fumaram maconha e acertaram um assalto contra uma mercearia em Jacarepaguá. pesado casaco de couro, encostado a uma parede, limpando as unhas com a lâmina do canivete. dois blocos de cimento armado, utilizados na pequena cerca que divide as pistas da rodovia. camisa de seda pura do bicheiro. amarravam os marcos de cimento às pernas do cadáver. carros continuavam a passar velozmente e indiferentes pela ponte. já todo lambuzado pela gordura de galinha que devorava com o auxílio das mãos — ardil: tochas de querosene, uma porção de estopa embebida em combustível e amarrada num cabo de vassoura. visão infernal de uma chama enorme a lhes lamber o rosto. debaixo do blusão, uma camisa branca, **VOLTA AO MUNDO**. na cintura, uma larga correia de couro de porco, guarnecida por uma enorme fivela de prata, na qual sobressaía um relevo de cabeça de touro.

CHORA QUEM PERDE   QUEM BATE ESQUECE

Para ele, os métodos científicos utilizados na apuração de um crime eram coisa de cinema, para iludir trouxas. Empregava a ação direta. para isso, orgulhava-se de possuir a maior rede de alcaguetes de toda a polícia. submundo do crime. Missão de matar.

— Essa Polícia é a Polícia mais burra da face da terra.

a muamba envolta em sacos plásticos e suspensa sobre as ondas por boias seguras. Por ódio ou por medo. um soco nas costas. depois uma tocha se acendeu dentro de seu peito.

— Meteu ele na lama do mangue? Enterrou bem fundo?

Um tremendo otário.

Está ficando caridoso, com pena de otário?

Gangster de New York metido a malandro carioca. Está no papo. palafitas da praia de Ramos. Bandido, com ele, não tirava férias na Casa de Detenção. Ia direto para a vala, de dente arreganhado. entrar na polícia: ambição de todo deduro.

Pederastas carregadores de marmita no mangue: alcaguetes.

DOCUMENTOS?

E só se pega um bandido solitário, sem comparsas, sem pistas, que não sabe de onde vem e para onde vai, quando se chega a compreender bem como ele é. Quando se chega a ser como ele é. Quando se usa as mesmas armas que ele usa. Bandidos de pequenas notas de pé de páginas dos jornais, aprendiz do bandido. bandido perigoso.

Olhos do inimigo   boca do inimigo   mãos do inimigo   pés do inimigo   oração. paz na guia. encomendo-me. **DEUS.** Virgem Maria, minha mãe. doze apóstolos, meus irmãos. glorioso São Jorge. andarei dia e noite, eu e meu corpo, cercado circulado com as armas de São Jorge. corpo preso. corpo ferido. sangue derramado. andarei tão livre quanto andou Jesus Cristo nove meses no ventre da Virgem Maria. os poderes. as armas. amém.

Olhos do inimigo   boca do inimigo   mãos do inimigo   pés do inimigo   **OLHOS DO INIMIGO**   quem me dera amar Amarílis Amalis, a mulher que da amurada avista a margem do mar   **BOCA DO INIMIGO**   vulto vindo à beira vagas marinhas, falaz, ela me disse: o mar antes mostrava uma solidão total (cortei profunda que ela, falaz, me disse e coloquei **TOTAL**   que reenvia aos lados), agora mostra calma   **MÃOS DO INIMIGO**   eu disse: todos os significados a natureza suporta   **PLENI**   **TUDO**   tudo tem um preço disse o poeta   tudo tem seu preço disse o poeta abaixo do herói   **PÉS DO INIMIGO**   cagaço pedido de arreglo   morder minimamente a própria cauda   sem remordimentos

NO ESPACE FROM DEATH

Botar a mão no arado e não olhar para trás que o inimigo é célere, é preciso ter cuidado.

Lendária Bahia — um eco sobrenadando do fundo das idades. Esses choques visuais ou olfativos, esse alegre calor para os olhos, essa queimadura deliciosa na língua.

CINEMEX: penitentes E crucificados. 3 killings carregando caixões com cruzes, assustando os festivos, batendo com a tampa dos caixões nos potes de vatapá, alguns k carregando os festivos já caídos entregues ao álcool ou às cacetadas da investida. alguns são arrumados nos caixões.

Poetas da Bahia: perdidos entre se queimar loucamente e a reclusão.

Assunto: catálogo de exposição. Título: Visite São Paulo antes que acabe. close dos pratos de acrílico com pizzas hot dogs etc. uma pessoa comendo gulosa um prato de espaguete (ângulo mais do prato do que da pessoa). out-door de **PERFEITA PERFEITA**. plano do um mapa da superurb. a paisagem da **SUPERURB** é fantasticamente bela. painel da bandeira na pamplona. o traficante de lugares comuns. lugares comuns inovados. pop pobre. bolos e maioneses. doceiras. a propaganda refletida com distorções no edifício defronte. velhos tira-gostos de bares. mulher entra numa farmácia cochicha de parte com moça vendedora e apanha um embrulho já enrolado de modess numa pilha. ônibus com fumaça escapando. a luxúria do bode é a bondade de Deus. e uma multidão em lágrimas se ficava à porta, em lágrimas, em luto e adorando. entrei então num chiqueiro onde me estendi no meio dos porcos. bar da nove de julho (árvore de corda com ninho cheio de ovos). tumulto de contrários. queimadores de energia própria ou tristes avarentos

senhores. o prazer da disciplina abstêmia sexual turbulência festiva. o poeta fudido que anda na Biblioteca Municipal   Macumbar
Brasa   Le Chalet.

Praias de areia fina, rodeadas de coqueiros ou de florestas úmidas transbordantes de orquídeas. Praia do Le Chalet.

Um bar que serve café. saguão de um hotel. visite São Paulo antes que acabe: esta cidade não testemunha nada. cruzamento da estrada de ferro   metrô em construção. dentro de um idioma propositadamente descuidado. cores desmaiadas dos originais com os diapositivos e reproduções.

Poeta baiano lendo Ulisses no sanitário (enquadramento do papel limpando o cu). esforço de cagar. cordão sanitário da poesia. poeta recolhe inscrições mictoriais: cu não é tinteiro dedo não é pincel parede não é papel. as inscrições dos bancos de ônibus. write with merda: cu é tinteiro dedo é pincel parede é papel. um poeta alagoano numa cidade sem nome   sanatório   construir sequência de um poeta falando de ocultismo e a mulher vivaz falando interrompendo de problemas mundanos.

É preciso fazer denúncias concretas para que as autoridades educacionais ponham fim ao vício da maconha que vai chegando cada vez mais intensamente às escolas.

Enterrar o cacete — morte   sememorte
sementeira.

Superurb. carro fazendo cavalo de pau na praia grande. nem que eu fique aqui dez anos não me acostumo não. travesti. calça de bilhete de loteria.

VIÚVA: ele morreu no cumprimento do dever
luta continua   opinião geral
Antonio não parecia um policial   homem
humilde   fiel pai   marido exemplar
sobretudo amigo dos animais pertencendo
à associação de proteção aos animais

sua mania era cachorros gostava
mesmo dentro de um apartamento nove
cães agora só tem **CAUBI** qualquer
cachorro de rua era seu amigo quando o
calabouço foi fechado ele teve pena dos
cachorros de lá todo dia ia levar comida
para eles apanhava comida nos
restaurantes distribuía aos cães depois
que saía do trabalho ele gostava muito do
CAUBI por isso não quero este cachorro
longe de mim.

O descontentamento popular cresce. cumprir o dever com a história. caráter. casal de namorados com faladeiras. moças festivas (com flores nos cabelos) colocam coroas de defuntos velas flores nas calçadas e os panos crepe preto.

Querer me pôr à prova é ficar aquém das coisas.

Quero voltar ao teatro eu posso ser ferido facilmente um vagabundo voz fraca alegres aventuras na juventude.
escrever uma nietzschiana brasileira: sonho de boneca bailarina: fazer: do meu caos interior estrelas a brilhar no firmamento.

Desenvolver em todas as linhas versus confinamento. fim do revolucionário neurótico. **EQUILIBRADO E RADICAL.** In e Yang. Prosseguir. conservadorismo que abomina Nelson Rodrigues e preserva a mesma face perversa: Nelson Rodrigues pelo menos é cínico e fantástico, fascinistro. idem com killing em nome de coisas reacionárias: rio pornográfica. o fascismo está além mais próximo e aquém, num rio sem margens, num rio de cagaço. não tenho a virtude mesquinha de acreditar nas torturas sofridas por um velho comunista de 70 anos que leva a sério um sonho frustrado de tomada do poder. não tenho a virtude mesquinha de acreditar nas torturas: os gênios se castram por si. velho. comunista. e mentiroso.

nada de novo pode surgir daí. e se por um texto bastante ambíguo eu for chamado pra depor?

Criar não se prendendo às coisas existentes aqui no Brasil — linguagem do lazer nacional — mas remetendo cartas internacionais. **FROM BRAZIL.** levar adiante tudo que resultou em mim. Morte às linguagens existentes. morte às linguagens exigentes. experimento livremente, estratégia de vida: mobilidade no **EIXO** rio são paulo bahia. viagens dentro e fora da **BR**. deixar de confundir minha vida com o fim do mundo. bodil.

Entradas E bandeiras: entregação: nada ao nível do fascismo: pintor baiano tomou lsd e no fim da viagem tomou mais 3 cápsulas viajou direto não volta mais pra casa. dos pais. Aned'otário.

Passo a mão no meu rosto como numa pedra numa rocha numa coisa do universo.

Regimento interno — edif. don miguel rua avanhandava 65 são paulo.

> — é expressamente proibida a entrada de elementos mal-encarados se bem como hippies, beatniks ou qualquer pessoa que por seus trajes ou gestos atestem contra a moral e o bem-estar dos demais inquilinos.

Bota as banhas de fora mostra as pelancas todo mundo nu, titia.

Senhor de todas as situações, incorporando as informações dos outros = profeta. A intermináááááável aventura da linguagem. fumo E guerrilha. onde achar um fumo filme secreto perigoso?

Onda é uma palavra de careta. tenho os ouvidos limpos inclusive porque tomo dois banhos por dia e tiro toda cera. hoje no Brasil todo mundo tem medo de Pernambuco. uma casa de oitões livres e eitos/ leitos de D. Inês. pernambuco falando para o mundo.

Espírito americano expulsa espírito francês. da confusão nasce a luz expulsando da luz nasce a ordem.

Aparecer na tradução brasileira igual a entrar no fogo se queimar. Original:

VIR A LUZ. **SAILORMOON** **SAL OR MOON.**

luta revolucionária no veículo de comunicação. manipulação. na década de 70 a utopia europeia do artista como um membro da classe trabalhadora. a direita está mais por dentro, tem uma relação mais esculhambada com as empregadinhas. **FUTEBOL — TARO DA MASSA.** Futebol — taro da massa. o não quero nem saber das classes populares. bicha: amo Rivelino. jogos da copa = maior superprodução brasileira. Grã-fina esquerdistex: vai aparecer um dia um Pelé como Cassius Clay. a vida pacata do toureiro espanhol. a revolução não pode ser dominada pelos reformistas (a respeito dos comentaristas de futebol na copa do mundo intersaltIII) há um país lutando por baixo com a bola nos pés caminho do gol metendo as caras pra conseguir no peito. o jogador: sou safado o cara no Brasil não sobrevive se não for malandro. aventura da linguagem. a pilantragem do senhor tigre. tudo afinal se passa no plano da linguagem. tudo afinal se passa como um plano da aventura da linguagem.

NO ESCAPE FROM DEATH

Vocês querem que eu vire pra cá?

Vocês querem que eu vire pra lá?

O negócio é papar.

Um texto que acaba quando termina. esqueceu o vestido em casa. saiu de qualquer maneira.

Concurso — prêmio — um ano na Ilha Grande.

Só me interessa o que não é meu. de um poeta brasileiro.

O milagre é provisório. O milagre existe, é provisório.

BODIL.

Você esfria vendo um polícia?

Perceber o outro lado.

Comer no prato do leão.

Gal — programa **BIG BOY**.

Big Boy — Gal (**SAL**), quais são seus planos pro futuro?

Gal (**SAL**) — **COMER NO PRATO DO LEÃO**.

Telefonei pro Banco em São Paulo mandei chamar o gerente disse que estava no Rio a negócios e não podia ir pagar o empréstimo vencido. Como um capitalista a segurança de um capitalista. Crônicas de Nelson Rodrigues que José Luiz Magalhães Lins empresta dinheiro pela cara. o óbvio ululante é a mais total profecia da raça brasileira e baiana. terceiro mundo é a passeata de cem mil do colonizador otário. como unir a ásia áfrica américa latina numa mesma cumbuca?

Espero aprender inglês vendo tv em cores. sou uma pinta de direita com vontade de poder um baiano faminto baiano é como papel higiênico: tão sempre na merda. eficácia da linguagem na linha Pound Tsé Tung. sou um reaça tento puxar tudo para trás: li retrato do artista quando jovem na tradução brasileira.

Dói muito, é insuportável, se tudo não se passar no plano de uma aventura da linguagem. **NÃO VOU PRODUZIR MUITA COISA NESTE MUNDO.** Já sei.

Estou a fim de aprender inglês. It's too late... meu destino é o de um irremediável inveterado poeta da língua portuguesa que nunca atravessará os limites das águas territoriais do seu país de origem.

Self-portrait. confessionário. capítulo de memórias. meu cabelo tosado máquina zero. oração para que eles não cortem meu cabelo de novo. não tenho nenhuma personalidade. caráter dá bode. crescimento do meu cabelo. todo poder é provisório. como Sansão, minha beleza e minha força derivam do meu cabelo. não vou produzir muita coisa neste mundo. the body is the message of the artist as a young man. um capítulo sobre meu cabelo. um capítulo sobre minha barba. barba cacheada numa ordem tão perfeita se assemelhando a uma legião de escudeiros. meu colar que deve ser usado com as cinco unhas brancas voltadas para o exterior. voltadas para dentro = sinal de escavação culposa. poder provisório. concluir capítulo com 5 fileiras — provérbio de folhinha — escritas assim:

A FÉ É O GUIA DA AÇÃO
A FÉ É O GUIA DA AÇÃO
A FÉ É O GUIA DA AÇÃO
A FÉ É O GUIA DA AÇÃO
A FÉ É O GUIA DA AÇÃO

Os melhores talentos da minha geração. jail and mental hospital. não posso fazer terra com tanta desgraça alheia. o poeta rendido que vai trabalhar para não infligir maiores renovados tormentos aos seus pais. Farmacopeia — Cleaver and Rubin. chá oriental e arroz integral. o nível da literatura macrobiótica. controle alimentar.

Montanhas de lixo crescendo nas ruas. sapos. ratos. aranhas-caranguejeiras. apocalipse brasileiro. curso de iniciação esotérica. as portas do templo. a luz do caminho. centros de irradiação mental. monge. vida retirada. caminho da concentração. amanhã não sentirei o menor desejo. o mentalista puro. a bem-aventurança do metodista. os servos do altíssimo. a aflição do povo que está cativo no Egito. brandura não significa servilismo. o grande remédio e o grande médico. os velhos meios têm que desaparecer. epidemia de literatura espírita que assola o país. luz na ásia. setas na encruzilhada. hipnotismo como arma. magnetismo. parapsicologia. o crescimento do culto de Iemanjá inquieta as autoridades da igreja católica. o povo com Iemanjá. Inventário: invenção do otário. Invenção com o que se tem à mão. Instantâneo.

— dissolve-se instantaneamente. Não permitir permanência de nenhuma imagem: um rádio entrando em sintonia tocando todos os hinos do mundo.

Plan for the distribution of 8 loudspeakers. Telemusic.

Memórias do subdesenvolvimento. Aprender inglês pelo sistema nervoso vendo o grande espetáculo das pessoas falando inglês

— **NEW YORK** — isto deve parecer provinciano mas não há outra forma de expressão: ir ao exterior.

Melancolia dos da raça de xenófobos... his eyes flashing... velhice precoce do artista brasileiro.

OLD MAN

YOUNGBLOOD YOUNGBLOOD YOUNGBLOOD YOUNGBLOOD YOUNGBLOOD YOUNGBLOOD YOUNGBLOOD

ALEGRIA, compassa um círculo e diz: aqui o tempo é meu.

ALEGRIA, o personagem que não larga o seu instrumento um só momento.

ALEGRIA, o cara que passa a vida inteira em cima do seu instrumento.

ALEGRIA CONTRA OS GRANDES BANDIDOS — A LUTA DO SÉCULO — NÃO PERCAM.

Inimigo é uma coisa, invasor é outra coisa. Invasor contrário de inimigo.

Invasor = mais novo mais moderno mais desenvolvido que eu.

Esta minha foto será vista pelos olhos do invasor?

Como será vista esta minha foto pelos olhos do invasor?

YOUNGBLOOD.

Derradeira photo: mágoas de caboclo: estou levando uma vida de sábio santo solitário: acordo ao romper da barra do sol me levanto saio pra passear nos arredores ouvindo passarinhos indo até a fonte d'água vendo a cidade do alto no sopé do morro do Cristo Redentor do Corcovado cantando pra dentro: ... e não pensava que a desgraça em minha porta passo a passo me rondava.

Edição revista do romance: **O ERMITÃO DE MUQUÉM**: sentado no muro de pedra limo junto à fonte d'água no morro do Sossego ao sopé do Cristo Redentor vendo canários verdicanamarelos bicando pendões roxos de bananeiras só reconheço os cantos de pássaros mais distintos por exemplo bentiví, araponga, essa última ave eu não escutável nos matos daqui, ou caminhando de novo o som das pedras que meu calçado chuta.

BRASISPERO.

eu precisava tanto conversar com Deus: minha vista se compraz com poucos exemplares humanos visíveis.

RESUMO DO ÚLTIMO LIVRO LIDO: míope recusa óculos como instrumento do mundo da eficiência.

ROTEIRO TURÍSTICO DO RIO

Fouerbach: riacho de fogo.

Visão do poeta atravessando um **RIO DE FOGO**.

Locações limitadas às redondezas das moradas do poeta.

Plano da Enes de Sousa — Tijuca — temperança — visita ao Cristo Redentor com duas primas.

Plano de Santa Teresa — Becco da Lagoinha — passeios — Thoreau — os passarinhos do céu — corpo queimado de sol — luz de **DEUS** — face voltada pro sol — estrada de São Silvestre (fonte d'água).

Plano da Barata Ribeiro — tv — passeios pela Av. Atlântica — casal de homens fazendo reconciliação — as empregadas malucas abaixo da loucura das patroas.

Plano da Barão de Jaguaribe — passeios pela Lagoa Rodrigo de Freitas — encontro com um baiano da cidade baixa (lembrança da Ribeira) — passeios pela praia de Ipanema.

Estácio.

Encontro no Museu de Arte Moderna com dois amigos. chá na Av. Atlântica. almoço no restaurante macrobiótico. declamação da Harpa XXXII de Sousândrade ao telefone (recomendação: remeto os leitores à leitura da Harpa XXXII de Sousândrade).

Banhos de sol nas coberturas da Visconde de Pirajá e da Gávea.

Plano da Engenheiro Alfredo Duarte.

Plano do Centro de Meditação de Santa Teresa — close do monge do Ceilão (vestes alaranjadas) — câmara fecha prato comida forrado folhas bananeiras semelhante comida baiana.

SOM VIOLENTO (atabaques e bongôs nos apartamentos da gebê).

Boca de jasmin do cabo. Viste ele?

O jasmin do cabo, branco, estrela todo o pé e junta seus galhos com a ramaria das mangueiras.
romance da boêmia. cena do balcão. juras de balcão de chope.
aspecto normal de qualquer ponto da cidade, na sua vida burguesa, pacata ou agitada, de cada dia. sombras azuis e clarões amarelados das casas de chope. pintura impressionista da Lapa. sonhada Paris.
salão de sinuca do Café Lamas.

Vida laboriosa doméstica.

Canoa preta lotada. citylândia. trivial corriqueiro.

eterno festival de Orestes Barbosa.

Mas, e o vácuo que se irá produzir com o desaparecimento de todos esses familiares "esconderijos"? domínios do lar. trotteuses.
parte mais pífia de Montmartre.
orquestras.
falecido Hotel Guanabara, de saudosa memória. vielas e cenários de farta iluminação dos bares e vitrinas. esplendores alaranjados onde fervia a cerveja e espumejavam os chopes.
flores-de-campo de Vila Isabel.
Bar Cosmopolita. bonzões afamados. escultura do Elixir de Nogueira.

Publicação em série **DRAMAS DO NOVO MUNDO** — me tornei um santo desgraçado — meu amigo na hora de viajar comentou que eu era o único realmente monge — os outros, arremedo cuspidos em cima e jogados no fogo e tendo lama afogados na lama com estiletes espetando os grandes olhos abertos, aliás não é verídico, assim é porque quero compor despautado — rogar pragas — árvore do agouro cresce no meu quintal quando ultrapassar a altura do telhado da minha casa morrerei com os olhos furados também — coruja branca — meu amigo na hora de viajar comentou agouro agora está na moda — ror de profetas sem conta — mas profeta sim e profecia não tem vez na minha terra (bate no próprio peito indicando o dono da casa a que se refere) — ror de profetas sem conta — eu já conheço todos eles da tv — não vejo nenhum assombro — já estou acostumado — ror de profetas, iam pra onde iam — **CUMPRIR TRISTEZA** — ameaça de pé d'água no ar — oco do tempo — mel do melhor.

Despautado. Juntar todos os meus escritos, botar debaixo do braço, levar pra Drummond ver, bater na sua porta, entrar em sua casa pra ouvir o poeta falar que literatura não existe. pela manutenção do culto aos mestres. do aprendiz.

É assim que começa a morte — embriaguez habitual do literato — preparar uma caravana que percorra todos estados numa campanha, reunião da congregação num magnumbar, pro reforma da literatura brasileira.

Seminário de crápulas. Couro de boi marcado a ferro: **WITH USURA**.

Piedade para com a plebeia gente baiana.

Know how importado: assistir televisão retirando som português: loucura parnazista: tv é linguagem e não língua: já comi tanto papuco de milho que sinto uma galinha.

Criar casco na sola dos pés.

No lugar do coração: osso duro de roer.

RELATÓRIO DO AGENTE SECRETO LONGHAIR

— Fala Cabeludo, central à escuta.

— Levanta o pé que lá vai piche: Erotildes Amorim, de 18 anos, desaparecida após uma injeção de 914 com feijoada. poeira, de repetidas visitas às delegacias policiais. ela bateu com a cabeça na porta do guarda-roupa. especulação do amor pago. voz da tipa. passo miúdo e bolsa dependurada no braço com a mão nas cadeiras. tirava da gaveta uma tabela de preços. se o cabra tirasse os sapatos, era mais caro. otário bem abonado. voz da tipa. e se não abrires tomo oxicianureto aqui mesmo, junto ao teu apartamento. não abres? pois vou escrever um bilhete culpando-te de minha morte.

APARICIO LOGREIRA — o grande escritor empenhado no grande esforço de construção geral exigindo melhor qualidade literária dos nossos escritores — produz o arremate: — Corte de Afrodite, coortes da França, chics demoiselles de France, mulheres profissionais de qualquer ramo de arte, mariposas.

Nos bares os poetas provincianos repetem aos sábados pot-pourri de músicas antológicas numa apresentação muito pálida. poesia declamatória.

Agente **LONGHAIR**: — Fazer um mapa das categorias por zona. determinação das localizações. ruas e preços. rendez-vous de bicha. suadouro. fantasiadas de meninas de 12 a 14 anos, fitinhas nos cabelos, baby-doll, a menina vem da escola de sacola... bicha pelada. Pecadora, Zilda, Anastácia, Mônica, os nojentos usando os nomes cheios de it das novelas de tv. curtição e tranquilidade no rendez-vous de bicha. contrário da curtição de otário. cuca jogada no lance futuro. vigilância. suadouro comendo solto. o esperto é tapeado e paga pra não brigar.

Maracanã. Gralha Nelson Rodrigues: — Estádio Mário Filho. Maracanã. À direita, Nelson Rodrigues despeja metralhadora: — Estádio Mário Filho. Maracanã. No centro do gramado predomina a cor verde. Atenção: loteria esportiva criou uma rede nacional de futebol.

Videotape do jogo: jovem cabeludo arremessa do alto da arquibancada lá embaixo velho barril de chope de bermudas. charangas. os jovenzinhos machos e as femeazinhas juvenis do Brasil.

Enquanto assistia ao jogo ia esquematizando essa descrição — mesma face de turista estrangeiro... e o avesso secreto — mas não quero me tornar dessas consciências imprensadas tipo espanhol rebelde vendo tourada celebrativa de Franco. Já fostes algum dia espiar do alto da arquibancada do Maracanã?

Filme de terror: torcedor com bandeira do Flamengo desfraldada atravessando rua esmagado por lotação em disparada. **SOM**: uma vez flamengo sempre flamengo.

VENCER VENCER VENCER

Filme de suspense e ação: briga de torcedores junto ao canal de esgoto.

Torcedor obriga torcedor engolir água esgoto.

Voz off: todo jogador deve ir na bola com a mesma disposição que vai num prato de comida. não prender a bola. vai em frente, tuberculoso. entrar em campo pra ganhar. empate e derrota fora dos planos. a areia faz bons craques.

Disse a lei: essas pilastras pequenas podem ser derruídas mas as pilastras grandes não. gravar sonho de mãe é a coisa mais difícil que existe. as pilastras de alabastro. parece que havia alguma coisa que derruía as pilastras. e uma voz disse: as pilastras grandes não podem ser derruídas. ela contou o sonho 4 vezes. as pilastras pequenas são de enfeite são finas são pequenas essas podem ser derruídas. as pilastras grandes não. ela repetia a mesma coisa: vocês precisavam ver vocês precisavam ver. e começaram a ser derruídas as pequenas e as grandes pilastras. nessa hora ela já tinha contado o sonho 4 vezes. eram corpos e mais corpos caindo rolando ela soluçava voltava e repetia: vocês precisavam ver vocês precisavam ver a voz voltou: ainda tem algumas pilastras ainda. e quando ela olhou viu havia luzes piscando muito esparsamente ela não sabia se estava acordada ou se estava dormindo naquele estado entre o sono e a vigília.

Aquele recorte de jornal parecia notícia do início do século ninguém vai mais andar de bonde na zona sul ninguém vai mais poder andar de burro na zona sul parece notícia do início do século ninguém vai mais poder andar de burro na zona sul saiu no Jornal do Brasil de domingo quer dizer aquela estória de cobra na Avenida Rio Branco é verdade até hoje. **ATÉ HOJE.** Fazer um grande poema pro Rio de Janeiro — espécie de roteiro turístico/sentimental — deixei meu ranchinho pobre no sertão de Jequié — com saudade do grotão: retrato do artista quando brasileiro.

Vício: estou começando a pegar o jeitão largadão de Ascenso Ferreira e sei imitar perfeitamente a voz de João Cabral na faixa Pregão Turístico de Recife do seu disco de poesias — o mar aqui é uma montanha regular redonda e azul mais alta que os arrecifes e os mangues rasos ao sul — estou denunciando j'accuse meus primeiros traços senis, cumpadre... mal da latinidade... e o rock come solto lá fora.

Deixou sua cidade natal pra descobrir a beleza e a vida da Cidade Maravilhosa. Maravilhas que um interiorano vê nas praias de Copacabana — línguas vivas da travessa do Mosqueira (assanhada/ bruaca muito ordinária/ cachorra corrida/ pendurada nos bigodes dos soldados/ mas não anda, como a tua, agarrando os homens na rua/ é porque passou por perto da tua que só toma banho uma vez por ano/ murrinha de gambá com zorrilho/ perfumes/ lavar roupa, linguaruda/ língua de cascavel/ língua de veludo).

Ninguém foi lá restando inteiro: divisa assinalada.

RIO DE FOGO.

Menino frequentador galinheiros trocador revistas porta cinema olhador fotos seriados batedor punheta pessoa comum legião sub-heróis romances Zé Lins Rego — **EU QUERO A GERAL** — nenhuma família reconhecerá minha foto — punhal legítimo de família pernambucobaiana.

Miguilin: — Dito, você vem me ver lá do estrangeiro?

Nossos temperos resistem no estrangeiro?

Receituário — pra fazer calda botar açúcar no fundo da panela.

Meu coração querendo saltar fora do peito.

Aviso: se avistarem um coração solitário por aí saltando vivo fora do corpo solitário por aí favor devolver no meu endereço sito à rua do sobe e desce número que não acaba nunca.

Pai brasileiro: justiça está aí pra ser cumprida (apresentador de TV aperta mãos pai brasileiro).

Osso do meu osso e carne da minha carne. pode ser chamado homem porque nasceu de mulher. equação. tela de possibilidades. screen of possibilities. perdida inocência do jardim do **ÉDEN**.

A candeia acesa/ janela iluminada/ qualquer momento a noiva pode retornar.

Ele me dizia ter medo eles não fizessem um mero exame mas

aplicassem eletrochoques/ o gênio tomava um negócio pra cristalizar seu cérebro.

Utilizo uma linguagem gasta — embriaguez etc. — e adquiri por mim mesmo direito de escrever na frente de todos e em qualquer lugar como um mestre: o artista nasce da embriaguez: confissões de um velho escritor: a realidade não me contentava busquei consolo na literatura. Suicídio banal do poeta no viaduto do chá paulista como um homem comum: tradução da brava alegria de Cesário… um escritor que passasse toda sua vida recolhendo frases banais. qualquer frase.

Eu virei um sapo eu virei um sapo pula delirando o médico de loucos. situações banais. Que alegria existe em criar um messias caminhando com passos inseguros nestas veredas de pus? Que alegria existe em criar? Que alegria existe em criar nestas veredas de pus? Um poeta é um cara de infinita tristeza. Dentro do carro, por exemplo, a luz do óleo se acendendo e se apagando, pingos no para-brisa, o barulho do motor… imagens fraternas — criaturas das telas — semicírculo lareiro — piano em surdina. Solidão amiga. Tempo. Hertz transístor: conselho nas horas de desespero, meu amigo… hora do ângelus… compreendendo os sentimentos religiosos do povo de nossa terra…

Velho leão precisado de fé — montanhas removem fé — velho leão, necessito de recauchutagem — **FÉ-FÉ**.

Poder escrever com inocência (ausência de amigos em férias em viagens de negócios vez em quando doentes) mocidade (risadas trocadilhos conhecer todas as cozinhas ser dono de um apetite imenso).

Terceiro relatório do Agente Secreto ***LONGHAIR***

LONGHAIR: — Mulheres públicas. selo de navalha. Derramamentos de creolina nos sacos de frutas ou gêneros expostos pedradas nas vitrinas arremesso de mechas inflamáveis para dentro dos balcões. cafajas. Aparecer. ter cartaz. figurar em manchetes de jornais e revistas. isso é o que deseja certa categoria de gente. ciência arte bravura esporte. malandro não atinge fama a não ser pela desordem e o crime. capadocismo. covis, hordas da malandragem. sonho de ser Átila Rei dos Hunos: cara de sarará carioca amasiado com uma prestigiosa macumbeira. famílias distintas. equipe de mulheres, mulherio multiforme nas calçadas. Cantora gostosa. classificação do submundo. luto por uma classificação do submundo: categorias 1ª, 2ª, 3ª classe; putas fichadas no cadastro policial.

Admiro as meninas que fogem com os namorados. Larápio Capistrano Logreira.

Poesia declamatória. Larápio conduzia as moças de família aos salões de baile.

APARICIO LOGREIRA (bigode de guias rebeldes, o velhote não cai dos patins) vitupera: — A imperfeição é inimiga da perfeição. Assumo a ousadia de lançar aqui agora um lema que norteará nossa conduta doravante: **FAZER DAS TRIPAS CORAÇÃO**.

Contribuamos, pois.

Invocação à loucura — fazer as coisas sem retocar porque na hora do mais forte eu vou ter que me calar mesmo. coma insulínica.

Os que estão na Glória vão se campar ainda mais.

Soltando labaredas pelas narinas e pelos olhos, berra o escritor num comício reivindicativo: eu sou um escritor estou ficando louco eu sou um escritor as pessoas estão desconfiadas de mim eu sou um escritor elas percebem antes o saque que ainda não cometi.

Um local solitário e calmo para minhas leituras.

Me abstenho hoje de fazer qualquer censura — preparar uma reforma econômico/espiritual — um reino macrobiótico — a tomada do poder pela igreja metodista — substituir as qualidades negativas pelas qualidades positivas.

Já não conheço mais os traços do meu rosto **SENHOR** eu sou o mais humilde dos seus servos nada mais se esconde sob este nome **WALY DIAS SALOMÃO** não tenho nenhum mistério não aprendi nenhum truque nenhum grande segredo do eterno não tenho nada a preservar — instituído território livre no meu coração: o artista nasce da morte. Balança de Salomão anel de Salomão signo de Salomão provérbios de Salomão sabedoria justiça equidade de Salomão breves discursos morais do sábio acerca de vários assuntos convite e exortação da sabedoria aquisição da sabedoria. Minerva, minha madrinha. Minerva, deusa da sabedoria, minha madrinha. Nossa Sra. Aparecida, padroeira do meu mês/país. **TEMPLO DE SALOMÃO.**

Sonho infantil: eu era composto de ouro maciço. Banquete da sabedoria.

Hora do nascimento: 5 horas da manhã.

Local do nascimento: Rua Alves Pereira 14 — sede do município de Jequié/BA.

Atenção: coloca-se à venda para o consumo uma imagem externamente bem conservada sem necessidade de maiores reparos bons dentes etc. etc.

Epitáfio — A exploração literária da sua vida o preocupou de maneira obsessiva. Poeta no Monte das Oliveiras: — Minha alma está triste até a morte. uma nova chance para os auditórios. uma nova chance para o auditório que cantou certo e não desafinou. os candidatos tremendo de medo. a justiça do auditório. é preciso dar nota. entrando numa casa cumprimentar primeiro o dono da casa. o calouro pode estar seguro de que o júri hoje está composto de pessoas humanas e simpáticas. nota e comentário dos jurados. vamos às notas dos jurados. corpo de júri. programas de julgamento. sapateado atrapalhou, o candidato teve que pular o fio do microfone. o centro do espetáculo é o júri. dureza. hora melhor de criança é da meia-noite às sete da manhã quando está dormindo. nas nossas tevês exaltação do cara de pau. nas nossas tevês o reinado dos regionais. assunto pra coluna jornalística de crítica de TV. honrar a cadeira em que está sentado.

Confissão auxiliar radiouvintes labiríntico seriado **POETA LOUCO** — revelado fio meada espantoso **CRIME SÉCULO** — fervilha redação jornais — retorce entortecido plástico lápis/ tinta — (terminando assoar nariz ou mandar pó pra acender máquina) repórter policial esfrega patas superiores — telefones retinem sala redator-chefe — corre-corre corredores edifício — **DESVENDADO** caso luzes misteriosas cegaram agente segurança (exibe vitorioso recorte jornal véspera): — **EU SOU POETA LOUCO APEDREJADO CALÇADAS**.

(Suspira aliviado coração nacional)

Sou um camaleão: cada hora tiro um som diferente: espécie de Himalaia Supremo da Cultura Humana: um Corpus Juris Civili qualquer (confirmar depois se Civili se escreve assim ou não).

As pernas bambas de quem vai ser preso. artista andando de casa em casa mostrando o rosto e dizendo — estou embriagado estou embriagado. pessoa falar assim e escrever assim (celui qui doit mourir) não vai mais poder olhar as outras pessoas não pode mais viver (caneta na mão e caderno em cima da perna dentro do ônibus). e se alguém assim levanta a mão do caderno e vem falar de suicídio?

Sofrimentos do jovem Werther. estou propondo agora o suicídio coletivo. qualquer filme no gênero Eu contra o mundo.

Você sabia? Você sabia que o último long-play de Caetano Veloso em 1968 ia se chamar Boleros & Sifilização?

(minha memória não pode precisar mais com fidelidade/ certeza).

Teatro Nacional de Comédias. o poeta é preso. qual a profissa? interrogatório policial do poeta. poeta responde: — poeta. porrada no poeta. o poeta é colocado para fora do veículo de acordo com a portaria nº 005 de 22-4-1966 — solicitação de auxílio da autoridade policial.

DO IT DO IT DO IT DO IT DO IT

Velho papo do intelectual de minha cidade interiorana natal que falava em italiano o lema: traduzir é trair.

Vim pro Rio ver como é que é. Vim pro Rio de Janeiro só pra ver como é que é.

AVENIDA SUBURBANA.

AVENIDA ATLÂNTICA.

Estou trocando meu caderno de poesia pelo seu amor. poesia popular. sempre detestei a imagem do poeta provinciano fracassado. reprise do plano do poeta chorando num bar provinciano/ noutra mesa um poeta velho falando severo da ingenuidade do poeta preso. ficarei louco quando me separar da minha **JUVENTUDE**. tenho pecado tanto, **SENHOR**. tenho sido tão orgulhoso. tenho abrigado tanta ira no meu coração — ninho de serpes venenosas cabeças inquietas pela dor de não poder amar meu semelhante irmão poeta louco indestrutível. estes combates imundos dilacerarão meu peito, **LORD** — **SENHOR DOS EXÉRCITOS** — forças para que eu não ceda.

Gênios e mais Gênios. Gênios e mais Gênios — o mais portentoso elenco já reunido numa telenovela. dentro de pouco tempo estarei estéril. fertilidade passageira. causa: assassinato dos fertilizantes. vontade assassina que dirige minha vontade minha voz.

Vocês são liberais? Vocês acatam bem os seres supersensíveis? Fuck them. poetas no fim da vida. tristes figuras. cavalheiros literários. Fuck them. ingrato, seu destino é o borralho — sulfuroso elemento. porque me desprezaste assim? ingrato, seu destino é o desterro — desolado elemento. tenho o peito sangrando das almas românticas. tenho os amores fracassados das almas românticas das raças doentias. se eu for pego falando mal do meu irmão (serei eu guarda do meu irmão?) não é por censura é por desespero por não poder lhe livrar a cara do rabo violento de foguete que ele está pegando. reduzir tudo a uma guerra entre as pessoas — o fraco e o forte — reduzir tudo à tal fragilidade incorporada à nossa linfa (ex-vermelho sangue) e à nossa carne.

Fazer um seminário científico sobre comportamento dos cínicos (exemplares de Palhares pulhas crápulas — presidido seminário pela ficção científica do século **CONSCIÊNCIA IMPRENSADA** — **FUCK**).

RIO DE FOGO. inscrição numa garagem: **COVIL DE LOBOS.**

Plano do rapaz do bar da esquina lendo livro de aventuras de Rafael Sabatini/ câmara percorre bairro tranquilo.

Meu Deus — a letter of advice — deixei o livro aberto no poema — marca de fita vermelha — pra ela perceber as lágrimas roçando minha face — gesto furtivo corrente no meu procedimento atual.

X X X X

Fase das belas resoluções. Palidez altiva de Julien Sorel.

X X X X

Welcome o life.

X X X X

Ainda tenho energia para não ser viciado pela mentira/ ilusão: não quero o eterno. Retorna às telas — Efêmero, o terrível — Efêmero, covil dos mais temíveis bandidos — Efêmero, coiteiro dos fora da lei.

As pontas da radial. radial sul. radial norte. radial leste. radial oeste.

Restabelecer casa dos bourbons: febre do absoluto

— queimar a luz dos meus olhos — **SCORE** — tesouro dos grandes mistérios — velocino tosão de ouro.

GRÃ-FINA DA PESADA (superoito a tiracolo): — Nasceu-me a ideia de conhecer melhor o black-ground. andar pelas delegacias recolhendo material. eu namorei um assaltante — o rapaz quando viu a polícia de longe — carrão preto — me deu o revólver pra guardar dentro da bolsa. era um dia frio — eu estava numa praça cheia de bancos. toma conta desse revólver aqui — um revólver niquelado duas cores — sempre fui muito esperta, os homens nunca me levaram. perigo que eu já passei neste Rio de Janeiro. fui acidentada duas vezes. um jogador me deu uma bandeira linda. o bandido se coçando o tempo inteiro, eu não podia adivinhar que aquilo era um assaltante. noutro dia a faca fria roçando meu pescoço minha nuca. vai ser esperta lá debaixo d'água. fico dando conselhos às novas gerações. telefonema do português do armazém da Avenida Brasil. duas horas da manhã, eu na cadeira sentada, os homens pensando em me carregar pra casa. na ponte da Leopoldina. pegador de mulher. estrangulador, arrancava os pescoços delas. conheço cada lugar. me meto nas barras não fico como essas acomodadas. nunca saem da linha. fui operada e o bandido — uma cara de louco medonha — me dava pontapés rompeu os pontos uma hemorragia pavorosa. ele me abraçava dizendo estou com a cabeça queimando. a polícia veio me trazer em casa. eu com a máquina na bolsa. um segurava firme em meu braço, deixou marcas — isto foi de outra vez.

Aparício Logreira, dono da lavanderia de textos **CLEAN WATER**. material bruto. material semibruto. 1º tratamento. 2º tratamento. ação de enxaguar. esterilização da roupa. tratamento completo **CLEAN WATER**.

Vi cinemas muitas fitas fui no Corcovado.

Povo sem memória, precisamos retornar ao samba-canção.

Pílula de pessimismo — paisagens amigos amores nunca mais pensarão minhas dores.

Mas agora que eu já sei como é que é.

Quadro se completa: dentro de pouco tempo ficarei cego — triste já estou — é próprio da raça portuguesa fabricar fingimentos — face batida pela luz do Senhor — **TUPÃ DESDENTADO**.

Quero voltar bem depressa...

Curta-metragem amador: pontapé no traseiro do nosso personagem/ porta torna a fechar/ personagem ao relento/ casa fechada/ ele sentado no mato acuado pelos cães. Mensagem voz off: é um ato de piedade internar este homem. eu não tenho medo eu tenho pena dele gritando estou me acabando.

... pro sertão de Jequié. Jequié — cidade **SOL**. Toca Asa Branca, Avilidio.

Sou muito pouco hábil na arte de aconselhar (me falta técnica capacidade competência) — **MEU NOME É SAL** — meu dedo indicador — branco de **SAL** — traz **SAL** pra você — perante — lamber — minha mão grande.

Mas agora que eu já sei como é que é.

Poeira do mundo. sem pouso. outros sertões. ontheroad.

Pequeno teatro para os ouvintes de casa.

Palácio do xeque visado — de casaco de couro rasgado às costas, **ELE**, o costumeiro, avança, agitando manuscritos nas mãos, para **ELA — A FEITICEIRA** — Grã-fina da Pesada (superoito a tiracolo).

ELE: — eu maltratei você machuquei espanquei chamei Gertrude Stein de merda rasguei seu dinheiro cuspi em cima mas agora sou seu escravo e lhe dou parceria no samba-canção.

ELA, Gertrude Stein, trauteia **EU NÃO MEREÇO AS MIGALHAS QUE CAEM DA SUA MESA** — termina de arrumar malas — parte para Aeroporto Internacional Voo Rio de Janeiro/ New York — pensa consigo sentada no avião: viajar pelo mundo inteiro carregando bandido, fim da peça manjada de Nelson Rodrigues "Lugar de leão é no circo".

(garçonete entra trazendo refresco no copo de papel).

CIDADE MARAVILHOSA.

Ponto maior do mapa: beleza e a vida da cidade maravilhosa.

Caderno atravessando Atlântico colado à parede da barriga mais caneta no bolso = excesso de escritores brasileiros viajam pelo mundo.

Próxima atração — lançamento do personagem **DONA EXCRESCÊNCIA** — a mangadora da nossa sorte — ela atravessará o Atlântico estenderá suas visitas e dirá:

— Que merda de século.

(Já nas gráficas, em fase de acabamento, o prosseguimento deste folhetim intitulado — **MY WAY AGAINST BABYLON**. Desde já reserve seu exemplar. My way against Babylon, o escritor se apresenta melhor que nunca.)

THE BEAUTY AND THE BEAST

UM AMIGO HUMANO.

Você entenderá que eu sou uma pessoa que trabalha o tempo inteiro agora, fica bolando coisas se virando para criar condições de trabalhar?

Um profissional sem oportunidades nem queixumes.

Dentro do espelho minha imagem ameaça perder a nitidez dos contornos e deixar assomar um exército de monstros anteriormente invisíveis (filme de agente secreto — alguém se penteia no espelho sem saber que é seguido em todos seus movimentos do quarto vizinho). esta carta por exemplo é um texto de amor. furo meus olhos para alcançar alguma medida de eternidade. medida de eternidade: **SOL** — divindade alada de larga e solta cabeleira. enquanto não aprender inglês vou me sentir um ser inferior. aprender a mecânica da língua inglesa. on becoming. the dictionary. the english-portuguese dictionary: **BRAINWASH**. a source of enormous pride to me. I'm in my bull stage. a voluptuous bride. I was more embarrassed than shocked. a terrible feeling of guilt. frames of reference. I felt that little tension in the center of my chest. the same tensions of lust and desire in his chest. a keen insight. the funky facts of life. and the one I am now is in some ways a stranger to me. it keeps him perpetually out of harmony with the system that is oppressing him. a lot of people's feelings will be hurt, but that is the price must be paid. I am more concerned with what I am going to be after I get out. the price of hating other human beings is loving one-self less.

Projeto de export: pornophotos pro mercado progressista.

Construir the english-portuguese dictionary: brainwash and know-how.

Projeto de import: gaiest letters. know how. alargamento dos círculos de relações.

LIMPEZA.

KLEEMINGS = MOMENTO DE LIMPEZA.

I have returned from the dead. ruas da cidade.

Exílio ostracismo de **ODISSEU** dentro de sua própria casa.

Fundação de uma grande firma importadora-exportadora de refrescos e restauradora de lentes de contato (experiência própria: passei a noite passada com meu olho cortado).

Escrever dois manifestos **ORAÇÃO AOS MOÇOS** intitulados: o primeiro, "A loucura desserve a causa do povo", e o segundo, "A dispersão e o folclore são as armas da grã-fina corruptora **MECENAS DO LEME**". Introito ameaçador do 2º manifesto: — Se a Mecenas do Leme começar a me sacanear vou saquear o apartamento dela.

Ampliação do dicionário: Rescendência: neologismo latino por analogia com transcendentia; significa retorno, em sentido descendente.

Eu agora estou conversando com arquétipos. o poeta mandou me dizer...

Estrela de beira, do abismo.

Compromisso com o eterno.

Eu sou um puro, não me venham falar de comércios sujos.

Vendilhões do templo.

Sara intelectualizava os peidos, Sara intelectualizava os arrotos.

Tristeza: passei o dia escrevendo.

O sonho da juventude latino-americana é participar dos festivais internacionais de rock.

Quando eu dou risada não é só complacência com o seu estilo, mulher diabólica.

As feras que comem a favor do nada.

Vamos filmar esta parede com uma estranha fera desenhada?

A besta berra no corredor do edifício polícia jornal primeira página escândalo em Copacabana quero telefonar pra meu pai quero apanhar minha mala vai ser escândalo **POLÍCIA, PLEASE** escândalo em Copacabana se a polícia abrir tem coisa na minha mala (agachado debaixo da porta) canta estilhaços sobre Copacabana super-heróis supercagões não tem homem aí dentro não estilhaços sobre Copacabana polícia tem coisa aqui. o dia em que recuperei meu casaco mágico. eu sei de tudo. corta essa novela assim na terra como no céu. quero minha mala. galinha decepada cortar a cabeça dela. eu já morri, mulher. ele está provocando — aqui em casa não é sanatório. **ESCÂNDALO EM COPACABANA.** aqui pra você. você se vendeu também. menino fraco ele só anda se vendendo pra falar assim. quero meu filme. venha buscar amanhã. você mora aonde? lá na delegacia ele explica. põe no táxi. eu empresto dinheiro. pessoa amiga da família — sem condições de hospedar. amigos de família. cuidado para ele não entrar aqui em casa. você é um artista precisando de tratamento.

Recado pro sábio: não há mal algum a expiar. pesadez, parálisis, humedad. cresça e apareça. frequentação dos lares ricos. doces finos (fios d'ovos). Permanência da cerveja. exaltação do poeta interiorano à cerveja (Ó loura etc.). fuck. declínio da arte brasileira. mapear os gêneros de incapacidades (por exemplo, estilo cínico). lutas das cidades entre si. Paz: despedaçamento dos cidadãos. instaurar conceito de decadência. recenseamento de frases e gestos. bostejar. caderno de rascunho escrito na capa "Qualidades do artista brasileiro" e subtitulado "debilidade fatalismo sujeição servilismo". tratado de entomologia: gusanos & sanguessugas. escrever um ensaio intitulado: "O que faz falta aos artistas brasileiros?". Resumo-resposta clássica: dureza de diamante. novela exemplar do pai do cantor brasileiro Caetano Veloso: raconto de alguém que cresceu tanto que só pode morrer no mar. tornar realidade todos os grandes personagens. tudo me impulsa para o coração do mundo **SWINGING PLACE** (receio ser entendida a presente frase como um deslumbre psicodélico).

ele está em casa de parentes. telefonar pra tia dizendo que não tenho mais condições de hospedá-lo. guarde a mala aí, amanhã venho buscá-la. esta senhorita é a dona do apartamento. o porteiro, os moradores no corredor do edifício. os moradores precisam dormir. a função do porteiro não é policial. a senhora estava muito afobada. dona da casa, colegial de saia azul e blusa branca. a senhora não pode continuar assim — eu chamei a polícia geral outro dia. você está me incomodando. eu desculpo, pior é para os outros moradores. eu boto ele no táxi. pronto. joguei o fumo lá embaixo na área no vão do outro edifício. chego nos lugares e percebo as pessoas como personagens de um drama louco. por exemplo, monstrinho do quadro de Velázquez. outro personagem sou eu mesmo que tendo recebido uma carta indecifrada, fugindo dos bêbados e cínicos, personagem da Ilha do Tesouro cantando. "... e uma garrafa de rum", tomando cuidado porque jejum demasiado é perigoso, subindo ao centro de meditação no alto de Santa Teresa, encontrando o monstrinho do quadro de Velázquez, exclamei: — A arte é extensão do corpo. eu expliquei pro polícia tudo: acompanha ele até o Flamengo. eu fiz tudo. a polícia ignorante do Brasil. eu não posso ficar cedendo sempre. dependência. querendo impingir a presença. um ranço de partidão. de clubão. eu não suporto este tipo de mentalidade, eu passo mal com este clima. minha casa de praia. vou mudar para outro apartamento onde possa fazer meu barulho. vou arranjar uma cobertura. rica. mora com a mãe. apartamento claro. vou te mostrar um filme que você nunca viu. ele estava se abandonando. a polícia entrava e revistava tudo. esta porcaria não cabe aqui. eu quero ser seu amigo eu não sou uma mulher sacana foi ele mesmo quem chamou a polícia ele pediu a polícia.

O saqueador sabe que não pode se entregar.

Jogo de cartas: a figura real.

Não entendo mais nada dos assuntos desta cidade, "seus" cagões. ninho de cobras. pensar que o mundo inteiro não passa do interior da Bahia.

Bahia é também um ninho de cobras, "seus" cagões.

Vaziez central.

Ver o filme de trás pra frente plano de um coqueiro plano de um coqueiro no filme do sofrimento do poeta. filme do poeta como tufão não cabe aqui. Tudo no Brasil faz parte de uma grande peça de Nelson Rodrigues.

Eu me saio bem   você também.

Ele chamava pelo médico nos seus momentos de loucura. alargamento do círculo de relações na esfera da sua profissão. ponto do mapa. inclusão dos sanatórios no roteiro de visitação obrigatória desta cidade. pinel. sanatório botafogo. engenho de dentro. quem falar mal daqui não presta, aqui é bom. meu amor (grita a louca) venha cá minha vida. hiena chupando carótida de defunto quente, já foste algum dia espiar etc.? carniceiro sangue escorrendo dos cantos da boca, que andas comendo no pátio do asilo?

— Cuca de gente.

Eu fiquei assustada porque o policial era debochado. será que levaram ele pra delegacia? todo mundo sempre foi preso. passou uma noite na cadeia. o porteiro botou a mala dele na cabeça.

Altar para a besta fera não invadir a porta das nossas casas mas ela já está figurando na parede com os lábios vermelhos rasgados e uma coroa de chifres e o nariz bufando fogo sobre os nossos telhados desfocados — a cabeça recortada da fera na parede abaixo do xuíte de luz. já é muito tarde. meu amigo poeta louco desceu em mim. o gesto que dirige minha mão. Meta para o artista brasileiro: mediunidade dos pais e mães de santo (carece coragem e soltura para isto se inscrever como possibilidade real). capacidade de incorporação. vontade de voltar pra casa. tenho medo de perder as forças engolfado num clima de samba-canção — ciúmes ressentimentos vontade de se embebedar nos botequins baratos. rosto do meu pai colado ao meu. nome do livro na capa: Narcisus £ Oedipus. amor amor amor em que... centro do planeta. vamos fazer vários filmes pelo mundo. sul da Espanha. A besta é uma montanha crescendo de tamanho e a cidade é um oceano. de lavas. meu casaco medalha rosário. imagem de Cristo. meus males não têm cura. negro labirinto dos teus olhos é a minha vida. absinto dos teus olhos: minha vida. nós vamos pros Estados Unidos mas somos outra raça. cambía el tiempo. alma venenosa. mi dolor. mi amor. suerte padecer. traiçoñera e venenosa. Piedade Alívio Perpétuo Socorro. minha morte. uma dicção comendo as palavras que fala. carretilha.

CORRER SANGUE descarregar a máquina. ele levanta a tampa branca da caixa do violão onde está escondida a metralhadora... agora apontada sobre minha testa. frontal. porta da morte. tirei o cu da seringa: mordomo de filme policial: exumador de cadáver ou exumador do corpo enquanto vivo. Mandar cortar a cabeça de toda a população — sangue de todo povo assassinado. ela percebe bem a respiração de todas as coisas dentro de sua casa. sou um doente optei pelo dinheiro — fala o médico de loucos: isto não é uma metáfora, indica: **PSIQUIATRA**. o dia em que meu casaco me foi devolvido. será que ele veio com uma carga de atração para o sanatório?

as mãos dos loucos o corpo dos loucos transmite um vírus, este casaco foi usado durante todo este tempo — ausente de mim — por um louco no sanatório. me trancar num lugar retirado lendo **ULISSES** setembro inteiro.

SETEMBRO: o diário da minha vida ser esta leitura.
rosto copiado dos demais saudade saber outra língua. pequenas pilastras. grandes pilastras derruídas. montanhas de corpos inertes. por que não se levantam estes corpos inertes?
demônios serpentes de fogo **FAUSTO E O DIABO PRESENÇA DO SENHOR**

minha própria imagem copiando o acontecimento era mais louca que os personagens loucos da cena louca. espectador do filme.

Dor de contemplar minha face imbecil: **LITERÁRIA**. será que já me entreguei à morte?

coleção íntima — o cara sonhou a vida toda em aparecer 8 vezes por dia nos noticiários dos jornais. em vão. quando morreu seu nome apareceu trocado nas notas funerárias errata: no lugar de Hediberto deve-se ler Herivelto.

Ave de agouro: toda grandeza deve ser varrida da face da terra.

Carta pra Prometeu. de Ulisses.

Prometeu numa trip. delírio £ rigor. vontade de pensar uma situação até o fim **ROCHEDO**

Qualidades do personagem Prometeu — determinação tenacidade resistência.

Resistência (endurecerá seu coração até a morte).

Apoteose a Prometeu: odeio fraqueza odeio gente fraca odeio pessoas fedendo a cervejas odeio fracassados

Amor devoção fé absoluta e total

campo de concentração: reeducação pelo trabalho permanente.

DANÇA.

Apropriação — papo apropriado: arrogância do grande artista. o grande artista sugando a seiva de todo mundo. o grande artista — único corpo balançando. escrever uma frase inteira sobre a dor. o grande artista subindo. como numa caverna. numa caverna a caveira do grande artista. **FRASE VERDADEIRA:** cai sobre mim abate sobre mim o peso da minha imbecilidade. trabalho e dinheiro. sucesso na vida. **UM DEUS GUIA MINHA MÃO** (para todo o sempre ou voltará ela a tremer atraída pelo período anterior?)

Você é o lado mais claro do mundo.

Você é o **SOL** (olhos afiados sobre o **ROCHEDO**).

Casa sobre a rocha.

Início da viagem, Ulisses dentro do barco (tapando os ouvidos contra as sereias): — meu barco vai partir num mar sem cicatrizes.

SAIL

OR

MOON

Estou cuidando do meu corpo. quando eu falo estou esperando o sol voltar de novo ao sol mesmo que estou me referindo. em Santa Teresa eu estava mais queimado do que agora. acordava cedo. passeios £ passarinhos.
e assim só se você me ajudar de perto. **ANÚNCIO:** alguém com habilidade para pensar uma situação até o fim oferece-se como secretário ou coisa que o valha. não quero que esta carta lhe deixe triste nunca fique triste comigo eu sei atravessar a escuridão com os olhos firmes abertos. estou um santo quieto cruzo minhas mãos fortemente para que as coisas aconteçam. meus grandes amigos os poetas malditos se estraçalhando entre si como cães. nisso tudo cruzo minhas mãos fortemente e sonho uma **ORDEM** de **BELEZA** terrível. felizmente tudo foi ilusão.

Joias do senso comum: o artista se nutre não de artifícios mas da energia plasmapandora:

TECKNÉ: campo de concentração: reeducação pelo trabalho permanente. banhos de mar. caminhadas ao ar livre.

DANÇA

Como um grande artista do passado choro o desaparecimento de toda grandeza da face da terra. não me preservo de coisa alguma perigosa pra alcançar alguma medida de grandeza. Chamado telefônico do louco/ estou morrendo/ confissão corriqueira do louco longhaired ao telefone.

Reprise incessante nos palcos & telas: Huis-clos e Terra em Transe.

Farsa própria da época: alguém se fantasia de grande artista e se **ISOLA** como eu. e leva seu papel a sério até o final da peça. (Finale realista: quebra a cara ao pisar os pés na rua.) ponto em que estou.

superexcitação dos seres submetidos a um longo padecimento — **GRANDEZA** dos poetas portugueses. seres submetidos.

O GÊNIO DA RAÇA ESTÁ LOUCO. anda dizendo o gênio da raça: **TUDO ESTÁ TÃO POUCO.** nota de pé de página: seu filho é o outro. **SEED.** tudo está tão pouco diz o gênio da raça e sai a semear loucura. o gênio é fraco porque se leva a sério e leva a sério seus inimigos. o gênio é franco: não vale nada ser gênio. **HUMILDADE:** o gênio se utiliza de **MIXTUR** e da calma necessária. da morte.

dicionário onírico: sonhar com arroz = fartura.

TUFÃO: não vai mais ser permitido os grandes poemas da submissão — anotações roubadas do poeta louco.

Consultar num dicionário técnico, não metafórico, uma expressão para a doença: poeta louco. não metafórico: os cães ladram à sua passagem. o cão laureado ladra à passagem do poeta surrado. poeta louco. ainda posso descrevê-lo como objeto.

Pergunta da personagem recém-inventada **DULCE DE MENBRILLO**:
— Em que lugar eu vou ficar no panteão, ao lado de Dante?

(Público arromba os portões do estádio pra ver o grande jogador.)

Destino vegetal — doravante buscarei as situações próprias para o meu crescimento — isto que minhas mãos fazem é tocar o fundo dos abismos.

GUERRILLA THEATER

Camões saindo das águas segurando "Os **LUSÍADAS**" avança para um camarada.

Camões (alevantando nos ares o livro salgado da criação): — Salve este meu poema. É a herança da raça.

Camarada: — Queimar este poema é um ato sagrado e santo senão daqui a pouco você vai fazer um poema da descida do poeta ao coração do Brasil.

Nasceu de mim, nasceu de ti, nasceu de um beijo — amemos o eterno. cumprir as ordens do eterno. minha pátria é o eterno.

locação/dia: Santa Teresa/1º de setembro.

Imagem — menino se desprende do bonde vindo se espatifar no capô do táxi que me transportava, salpicando de sangue minha camisa azul-ferrete.

som — estrelá estrelê o sinal da viração amanhãê olha o céu ficando roxo amanhãê olha o céu pegando fogo amanhãê.

Ônibus — sou o único passageiro do lado do sol.

OUTDOOR: Foto — alguém estendido tomando banho de sol.

letreiro: **INSÂNIA IN CORPORE SANO.**

Regimento interno da Poesia Provinciana — artigo principal — o respeito ao mestre e o tratamento de mestre como a mais usual saudação entre os paroquianos.

Com tanta dor com tanta dor nasceu Manuel Bandeira.

DANÇA

LUZ

SOL

resistência do material submetido a uma dura pressão Jogo de moedas do I — Ching: minha mudança de pele. mudança de pele.

AMOR

ALEGRIA

SAÚDE

FONTES DA VIDA.

Nasceu... nasceu... nasceu... — amemos o efêmero. cumprir... efêmero.

... pátria... efêmero. Efêmero, um personagem de olhos abertos e rilhando os dentes o tempo inteiro. Efêmero: um personagem friccionando os músculos com energia. Efêmero: não se sente estrangulado. Efêmero: o que não está reduzido unicamente à poesia. Efêmero: o que não pensa "se as coisas não se organizarem diferente, eu me campo". Efêmero: nunca escarnecido pelos jovens nas calçadas.

A poesia é a eterna fonte da juventude.

Paradiso

PARADISE HOTEL

A POESIA É A MINHA PÁTRIA.

Vendo o quadro, dizia o sacerdote: Fora do amor... não há salvação.

Terapia ocupacional preventiva: tenho de me exprimir de qualquer forma senão fico louco.

Slogan de comício político: **O POETA PRECISA SER ALIMENTADO**.

As aves do céu.

HERANÇA DA RAÇA.

Efêmero, o terrível.

Trailer: **A HISTÓRIA DA MINHA VIDA**: *o poeta andrajoso, papéis caindo dos bolsos, escarnecido pelos jovenzinhos das calçadas, arremete:*

— Cambada de otários.

Prochainement dans cet écran.

Fazer um grande poema intitulado Humilhados e ofendidos.

NÓS, OS BRABOS. MINHA CIDADE: SWINGING PLACE. ALEGRIA.

My first name is...

My middle name is...

My last name is...

and my full name is: **NÓS, OS BRABOS**.

ARIADNESCA

ESTE HOMEM VIVE DE GASOLINA HÁ 7 ANOS
BEBE 2 LITROS POR DIA

Roque Gomes Mariano, que mora em Itapetininga, já foi notícia em NP. Este rapaz da foto é o tal que nós informamos, em 25 de maio do ano passado, em ampla reportagem, viver só de gasolina. Não de arroz, feijão ou bife. Nem frango ou pizza napolitana. Gosta mesmo é da "gasosa", esta fedida que serve para automóveis e caminhões. Mas, como gosto não se discute...

SOCIECRETA. Aumentar a tiragem do adjetivo: cavernoso. Exclusão dos farisas. exclusão dos amadores. navegantes de água na canela, go home. Aventura & concentração. teto do mundo: aventura & concentração. fora do domínio público visível. **CLAN DESTINO.**

A primazia da notícia é nossa: no dia 25 de maio do ano passado, portanto, há quase um ano, **NOTÍCIAS POPULARES** *publicava com o devido destaque, e em absoluta primeira mão, a história de Roque Gomes*

Mariano, o homem que vive de gasolina desde os primeiros meses de sua infância.
praia — visão do próximo verão como espaço do desastre (reclame da caderneta de poupança utilizando A cigarra e a formiga). fundação da sociecreta denominada **SPARTA**/ casa sobre a rocha/ núcleo de manutenção e reabastecimento/ regeneração dos tecidos/ aperfeiçoamento da capacidade de invultar/ rezas e regras pra invultar.

Roque Mariano não sabe o que é arroz, feijão, batata, verduras, nem outro alimento qualquer. Quando sente fome se alimenta apenas de gasolina. Nunca bebeu água. Roque toma dois litros diários de gasolina e mora numa casa de sapé, a 30 quilômetros de Itapetininga, no distrito de Alambari. Ele tem arrepios quando vê água. Não toma banho, nem bebe o líquido. Seu pai é mecânico e viúvo e mora num barraco vizinho da casa. Roque detesta a companhia do pai e o agride se pede para pernoitar no casebre por ele habitado.

O FENÔMENO

Milhares de pessoas, inclusive de outros Estados, têm procurado conhecer esse fenômeno de Alambari. Roque que mostra prazer em beber gasolina ou aspirá-la num lenço na frente dos visitantes.

O pai de Roque conta que ele ainda recém-nascido já tinha o hábito de tomar gasolina que se esparramava na sua oficina de consertar bicicletas e montagem de carros leves. Com essa oficina a família vivia regularmente e tinha o bastante para dar alimentos sadios ao menino hoje viciado em gasolina.

Toda vez que Roque era advertido a não tomar gasolina, chorava copiosamente e os pais para não vê-lo chorar deixavam que ele ingerisse aquele líquido que sobrava pelo chão dos reparos dos carros.

Os pais receavam que ele fugisse de casa, se lhe fosse cortado bruscamente o terrível hábito. Poderia, inclusive, roubar gasolina e causar maiores dissabores para a família. Para evitar isso, sempre permitiram que ele se "alimentasse" bebendo gasolina.

Roque Mariano foi examinado várias vezes por médicos de Itapetininga e já esteve internado em Sorocaba, mas os especialistas não conseguem explicar o estranho hábito. Também não apresentam nenhuma indicação capaz de curar o rapaz.

De condições financeiras simples, o pai do infeliz rapaz não tem recursos para custear um tratamento em hospital especializado em desintoxicação, mas gostaria que alguém se interessasse pelo caso e internasse "o menino" no Hospital das Clínicas.

BEBE DE CANUDINHO

A grande satisfação de Roque é quando os que o visitam são proprietários de automóveis. Pedindo licença, Roque retira a tampa do tanque do veículo e, com um canudo, passa a beber a gasolina.

O Hospital das Clínicas poderia atender a este caso, ou mesmo a Secretaria da Saúde, pois o rapaz tem um procedimento anormal que precisa ser corrigido.

Pátria, score a alcançar; name: after against. Clan solidarity. T.F.P. vencendo todos os rounds contra turma da pesada (heavy gangs): voz de meu pai de minha mãe de meus irmãos de meus amores de meus amigos descida em mim ocupando meu espaço determinando minha vejez.

Almoço de Roque é 2 litros de Gasolina.

MOÇO VIVE DE GASOLINA HÁ VINTE E SETE ANOS!

Pleurer, não. expedições exploradoras. **EXPLORAR** é o lema. trecho de uma carta: mesmo porque... precisamos reagir contra o despedaçamento, mesmo porque... há pelo menos certos corpos que eu não quero ver despedaçados.

nome extraído do arquivo da cidade de Argos volume lata de azeite: Puríssimo de Oliveira, autor da peça, em fase de ensaio pra encenação, denominada *Cólera do Justo*.

Frates, onde (glosa de um comentador: encontrá-los) no território ocupado?

Amigo — palavra fácil de pronunciar.

Referência para ilustração: Castle to be built in a forest.

Nesta casa ele nasceu. Nesta casa ele vive até hoje. Pobre. Mas sempre tomando a sua gasolinazinha...

in Sparta, Spartacus: programa de vida real em que **SACRIFÍCIO** perca acento de culpa e ânsia de crucificação — navegar é difícil, viver não é difícil.

imported analyses.

CONSTRUCTION. background: world's disorder.

YLAW SAID OÃMOLAS. prof. aula de austerofilismo.

Não na indaga do que perdeu quando deixou sua casa, **YLAW SAID OÃMOLAS** organizou seminário — por uma estratégia de vida para o artista pobre — e lá descreveu o estado miserável em que caiu: relatório de conferência dia 26 out. 1970: Estou cansado do meu gemido. não vim aqui para ser feliz. semelhante à luta dos povos tricontinentais, eu preciso de vitórias como marcas, atestados do meu avanço sobre os filisteus.

(adia discurso ao ouvir rumor de passos na escalera.)

ME SEGURA QU'EU VOU DAR UM TROÇO

Poeta: o ponto mais alto. Cristo e o Diabo. jogar nas costas tudo de bom — jogar nas costas tudo de ruim — ver pra que lado a balança pende, pra que lado é mais leve.

Guerreiro: sou pela industrialização da dor. bota a cana na moenda — moe a cana na prensa — bebe sumo caldo de cana. não ser mais um a engrossar as fileiras lúmpen dos grandes centros.

Poeta: vou fazer uma letra de música utilizando os versos "A mão que afaga é a mesma que apedreja".

Guerreiro: tomei muito vidro dos comprimidos **VENCERNIL**. *já estava sufocado desde o ano passado.*

Poeta: nem dentro de casa nem na rua consigo realizar o programa equilibrado — Correr e não Tropeçar. para criar preciso antes superar a dor. estou frágil, qualquer raio me atinge na varanda no terraço da cobertura.

Guerreiro: nas ruas sou o máscara de ferro. cara dura. remember trecho de Maquiavel sobre profeta armado que deu título de livro.

Poeta: trouxa nos ombros. chuva de inundação. não verei o chão. árvores do campo batendo palmas à minha passagem. águas de Noé passando sobre a terra. espadas fome Bestas feras peste. sigo sem camisa. posto à parte. toda a cabeça está enferma e todo o coração abatido. infelizmente, nasci sem direito divino à sustentação sem fazer esforço.

Guerreiro: chacal — sou irmão dos chacais. no teatro das ruas, a apresentação do Vulcão de Aflições — peça donde extraí a moral: se eu não me garantir me estrompo.

Poeta: eu me arrependo eu me culpo quanto era maluco estirado na praia estourando a veia na areia. tudo está tão pouco. como eu era louco.

Guerreiro: dificuldade de manutenção nas grandes cidades. problema de fiador. acuado pela ofensiva inimiga. despreparo. subúrbio antes de voltar. ao interior. enxotado. debilidade: confiar só nos músculos no pique na raça: carência de programas/ planos/ projetos/: desarmado diante dos obstáculos: dilapidação dos recursos encontráveis: lance de todas as forças duma só vez: inexistência duma política de reserva e antidispersão de forças: fraqueza indolência moleza formação provinciana do espírito.

Poeta: personagem de romance, jamais troquei os sonhos pelas transas. futura legenda tumular: ousou sonhar mais alto. Don Quixote, tenho formato homólogo ao do livro.

Guerreiro: organizar organizar organizar. agora, o acaso é portador de desgraças. joelho fraco como água e espadas polidas como relâmpagos.

Poeta: também. nenhuma diferença: utilização de metáforas. sempre presente entre nós, Coelho Neto camuflado de Nietzsche leninista. equivalência das metáforas. pulgas dos ratos que infestaram nossa cidade neste verão. coceira. noutra noite, o pavor de me coçar o tempo inteiro estendido no colchão até meu corpo se tornar uma chaga viva aberta sangrando. quero gozar da comida: quero gozar da bebida: quero ser bom quero ser amante quero ser amigo mas não consigo: sobre o tatame, os gusanos me servem de coberta.

Guerreiro: *poeta como carro-tanque. se enche e se esvazia de dor. único programa que ele concebe: suspensão da dor. sobre o vale da aflição, o bálsamo da religião. mais swing. muito mais swing queste "Covas nas curvas do caminho" já é manjado. dor não vale como caução. o poeta burguês barrigudo já levou toda nota que restava pra pagar plañideras. o gosto rico da versalhada do Frederico avacalhou com este assunto. otário é quem acumula dor sem reinvestir, sem capitalizar, sem aplicar e tirar lucros.*

Poeta: inicio o dia sabendo diante do espelho que é difícil demais manter a porção "Sem medo" da divisa "Sem medo nem esperança". Já acordo me sentindo cansado. sou muito novo e fiz pouco esforço na vida pra ter perdido o embalo. minha ocupação é inventar metas pra atravessar, ver através — exemplo atual: anarcisismo.

Guerreiro: *nasci no interior do Brasil — minha dor é minha dívida de dinheiro — toda minha ação são peças jurídicas advogando meu direito à alimentação. campeio. batalho. Vou fundar uma empresa* **GROOVY PROMOTION** *que ofereça serviço de tradução às editoras, série de reportagens aos grandes jornais, bole faixas slogans frases pra camisas, glossários para pesquisadores, resenhas, copidescagens etc. vou arranjar dinheiro botar um táxi na praça e dirigir pra ganhar a vida. qualquer dia destes eu vou pros States criar um dois três numerosos filmes underground. acordo cedo não saio pra me divertir pouco papo pra não ser levado de roldão, e as pessoas de negócio são terríveis — quando falo seguro, argumento com inteligência, sei fazer transações, sou astuto, aprendi a entender de negócios promissórias, ir falar com gerente de banco ou avalista* *do empréstimo vencido etc., tudo bom, tudo bem, mas quando uma pessoa se apresenta campada, sem dinheiro, a aflição estragando os negócios, aí ninguém segura que é pau de bosta.*

Heil. minha luta por uma cara bem-sucedida.

Heil. senão sou expulso da cidade.

Poeta: quando na rua alguém fala comigo "Oi, gente boa", penso que é pra alguém que passa ao meu lado queu passo absorto — duas metades a sonhar.

Guerreiro: … abrem a porta da kombi e mandam o cara sair correndo… os jornais não dizem nada. luto pra não me manter longe dos jornais das ruas.

Poeta: juvenil alimária escrevi o verso — sou um jegue na tarde pastando paisagem — e agora sonho publicar um livro que seja instrumento de libertação. como zurra o lacaio local. "O plá do Brasil é a fé."

ME SEGURA QU'EU VOU DAR UM TROÇO

AUMENTO PARA NOVA EDIÇÃO

Quadro: durante recitativo poeta-guerreiro, helicópteros sobrevoam local com a faixa: "Quem não vive para servir não serve para viver".

Guerreiro: forças vivas, não há mais forças vivas. eu é que tenho que me aguentar.

Poeta com cajado escreve na areia "Como José de Anchieta".

Guerreiro: Que fazer se quero me sustentar com o que produzo?

Não perder os pés, não entrar pro sanatório — criar condições pra que o delírio seja medida do universo. Este é um programa radical porque desencobre a pergunta título do volume "Que fazer?".

— FA — TAL —

LUZ ATLÂNTICA EMBALO 71

1

Sempre torci o nariz pro subsurrealismo.

Yo mismo soy un oscurantista de la extrema derecha — escribo obscuro.

Tiros tiros tiros tiros na televisão.

Que perseguição morar nesta casa cada coisa caída no chão apanhada decifrada como sinal. até a febre dominar meu corpo os fios os bolos de cabelos os dentes um por um começar a cair.
Dezoito brumário, pisar o palco com a máscara da cena precedente... sempre deixei morrer meus impulsos... tomar os céus de assalto sic itur ad astra... e como **CARNEIRO** **ME**

adoecia. canto de galo canto de galo canto de galo 3 vezes Pedro Pedro Pedro perdi a memória, sou sempre o renegador de passados gloriosos, ímpio trairo infiel.

Temos em comum, eu e os policiais, ódio asco aos hippies nacionais, à nossa campada hippielândia on the road. viagens miseráveis vapor barato. um silone qualquer expõe desilusões descrenças desgostos. pronunciamento durante cerimônia de auto e heterocrítica: abaixo a passividade repre/ regressiva da horrippielândia patrícia.

Preencha os pontinhos do Jogo de Memória: quem teve essa coragem de assumir essa estrutura e fazê-la...

(disco Ambiente de festival).

Confissões de um ex-convicto morboso cabotino: não chegarei muito longe não realizarei grandes coisas. mermardal. mergulharei no mar e como boa bosta não boiarei. saio me arrastando até o xuíte de luz e acendo/ o tiro disparado em meu calcanhar/ essa febre me viciou — olhos vermelhos gonocócicos de Cosme diante de mim, gânglios inflamados — o organismo. em cima da cama minha mão ainda consegue firmar a caneta sobre o caderno e escrever: Sinto em mim o borbulhar do gênio.

repeat now: o poeta em seu leito de morte. objeto de cena: taça de cicuta. antes de sorver o líquido — **FA** — **TAL** — declama o verso: Criança, não verás...

Equivocábulos: estou louca pra me levantar e ler o novo livro do poeta Anjos de Campos via língua viagem linguagem Augusto. por enquanto Eu e outras poesias: tumores chupados feridas cancros pus esprimidos.

Sigo incendiando bem contente e feliz sigo assoviando a música que fiz: cil cil cil o hippie é um imbecil o hippie é um imbecil. Bahia — paraíso pro inferno sem sal sem sol são paulistano.

Luz atlântica 62 — uma década inteira ceguei a luz dos meus olhos debaixo de tanta luz. Atlantic 71 — salguei seguei minhas águas. Rui Espinheira Filho me escreva dizendo se já escrevo bem me remeta as traduções de Onestaldo de Pennafort em 62 ou 63 ou depois era mau poeta e fiz um verso horrível: negro dos fuzis posto nas praças.

E agora? e agora?

vou lançar minha lanterna fora.

Homework: escrever um texto aproveitando o nome daquela revista publicada no passado brasileiro **VIDA DOMÉSTICA**. ser o cronista duma ligeira época.

Genial Más. conheço bem o Rio de Janeiro suas promessas veios sinais linhas montes marcas essa cidade essa claridade, conheço bem. as luzes alongando a lagoa.

PAISAGEM LUZ SANTELMO

Não me ufano do meu amor não tenho amor e se tivera nada

nele me ufanara. lombra e langor. temor e tremor. incerteza de possuir alguma coisa **INDESTRUTÍVEL** dentro de mim.

Gerado numa matriz madre mãe humana, distraído dos meus dissemelhantes, sigo só, **SENHOR** com minha vida desgraçada; de perturbador não escrevo nada, felizmente felizmente. Só, só escrevo coisas autobiográficas — um personagem — sonho de ser fundador de império face serena força total no coração (herança que se perdeu) — português — sem dinheiro sem gládio sem luta por fazer sem **SENHOR** pra se socorrer. coisas autobiográficas: gemidos duma alma torturada. felizmente. suspiros sertanejos dum atrasado atanazado. Vou fazer uma pergunta ingênua:

— Você torce pra que tudo meu dê certo?

Rio fev 71

2

Legião de amigos — **INCONFIDÊNCIA**
ser membro da nação baiana
cantar a grande raça baiana
ay meu coração de vidro
la guardia civil me pregunta donde voy
me voy a mi casa
mi madre
la hijita de mi hermano mayor
mis hermanas casadas
mi otros dos hermanos — Jorge — y el menor — Omar
Frede — amigo mio — leyendo S. Juan de la
Cruz en su catre
sufrimiento de mi gente
lloro en la orilla de la mar
Bahia carnaval 71

3

Durante algum tempo ficaremos ausentes desta coluna preparando os letreiros em português para o filme Cidadão KKKanalha.

(extraído de "**A HORA E A VOZ DO CONTENTAMENTO**" órgão da cadeia **GROOVY PROMOTION**.)

4

VIVA A RAPAZIADA

— FA — TAL —

LUZ ATLÂNTICA EMBALO 71

Aumento para
as terríveis novas
(qualidades do personagem, recepção, exortação, exaltação)

1

Jovem tonto torto com
Nenhuma nostorgia.
Metapromessa mantida: não voltar as vistas para trás.

Sou eu quem durmo tarde
    quem acordo cedo
    quem realço tudo
    quem não tenho medo... causas a que destinei meus dias.

Qualidade do personagem quando desacorrentado: **ESTAR ACESO**.
Que herança de herege me trouxe desanimação e me arrebatou arrebentou a esperança?
Os apesares obrigam: volta ao primeiro verso:
Nenhuma nostorgia.
Sou índia sou virgem sou bela sou forte sou jovem sou sadia sou pura.
Sou pura — tenho que atrair capitais com meu papo minha figura.
Triste figura de rei dos fracos: desempenhar uma atividade lucrativa: escrever carta circular pros amigos pedindo dinheiro:

Não ser funcionário: ter sempre um ponto de vista errado louco sobre **ESTA** realidade.

2

Abutre aponta o bico pro meu fígado/ desce pra bicar abalar arrancar meu fígado de acorrentado.

3

Pensamento político. o poeta — um dos meus personagens — fala: outro dia pensei me suicidar não pratiquei não relatei a ninguém pra não influenciar mal meus amigos. ter amigos, os meus. ser merecedor do amor de minha mãe. confiar nos outros.

Fingir praticar a literatura de expressão pessoal: vir a ser campeão nacional de piadas e trocadilhos.

4

VIVA A RAPAZIADA

DIÁRIO QUERIDO

eden edenias edenidades:

Gosto de zanzar zanzar feliz zanzar no aprazível ar passeios grandes espaços latifúndios nalma, dia inteiro sentado no alpendrado da casa sobre a lagoa passei relendo voz alta João Grande Sertão: Veredas; noitinha noitinã saio me sentindo mateiro solitário leitor, assim quando apareço, sertanejo leal sem ânimo competitivo sem jagunçagens sincero sério sereno sertanejo leal devagaroso destes que aprenderam a ler o escrito das coisas licenças rogando ramo jasmim branco sem peçonhas cheiroso nas todas duas mãos pra trás sem figurar fera estrita parecença nenhuma se sabendo vezeiro nos usos fiduciais desusados, defronte dos ditos amigos carieocos, mesmo fogem assustados do leão do meu coração.

Sailormoon: este sumo retrato, o dedo de Deus no gatilho: Sailormoon:

— Valei-me Prinspe peixe do mar.

Guerreiro, sob matraquear de metralha, retruca recupera fala: — De primeiro, pinguiçoso, só perdia ponto; agora, mateiro matreiro, ganhei malícia malandra. lutar em todas as frentes: andar sobre as águas e saber o caminho das pedras. sereno doido manso ouriçado: um só e todos. sadio sarei sanei — cicatriz não trago, eu quando estou cansado durmo. sadio — tomo minha dor de cabeça como prova de que tenho cabeça cuca pra dependurar peruca. venho vindo: errando e aprendendo, como no livro da Maspero sobre cemitérios andinos. quebrando as caras cavando outras caras. hoje apresento um grande defeito: estou forte num reino mor mar de mesquinharias desconfianças cansaços. mas nem esse gênero grande trágico trago: organismo vivo

— meus olhos abertos agitados criando esquemas de agir num grande centro. estou todo jogado pra diante, enfim.

Poeta: demarcando o tamanho do círculo que vou dançar no centro, minha fé: vou morrer no momento certo. minha fé: vou durar o tempo certo pra desenrolar ainda algumas coisas no mundo. durante certo tempo: quietude **ESTADO DE GRAÇA LUZ DE DEUS** se movendo em meu rosto coração se expandindo nos afetos afinidades — nenhuma raiva, só satisfaz. provisória precária alegria.

ALEGRIA

Alegria pra apreciar as coisas.

Entra em ação — Tabaréu arrojado.

(recolhido no fragor das batalhas — copyright Groovy Promotion)

UM MINUTO DE COMERCIAL

Me segura qu'eu vou dar um troço é um livro moderno; ou seja, feito obedecendo a uma demanda de consumo de personalidades. a narração das experiências pessoais — experiências duma singularidade sintomática, não ensimesmada — se inclui como aproveitamento do mercado de Minha vida daria um romance ou Diário de Anne Frank ou Meu tipo inesquecível ou ainda como meu capítulo de contribuição voluntária para o volume Who is who in Brazil.

Uma imagem à venda; comprem o macarrão do Salomão. salada do Salomão.

Noutro sentido, Me segura é muito tradicional, é uma versão feita por um lumpendelirante e pouco talentoso do grande romance Ilusões perdidas ou Recordações da casa dos mortos.

Morte dos valores liberais (a festa acabou...) e sacação dos swinguinificados novos.

Sintomas regressivos. paisagem de desintegração. **SIM**drome/**NÃO**drome.

Está escrito no meu carro: **BUGRE**.

O interior caminha para a capital. Waldick Soriano, cantor das brenhas, se torna ídolo nacional. retorno ao clima do grande teatro de Martins Pena ou da grande poesia de Catulo da Paixão Cearense.

O Sertanejo em edição nacional. Proteger pé-duro, gir, todo gado do gabarro.

Cláudio Cavalcanti quer se tornar fazendeiro boiadeiro. Wanderley Cardoso ajunta dinheiro pra se tornar criador de gado gadeeeeeiro aboiador de gado. importantes grupos de nossas altas finanças interessados na restauração da revista que fascinou fasci fascinou as gerações passadas: Careta.

OXALÁ.

No plano geral da minha vida produtiva, Me segura é o primeiro passo na luta por criação de condições/ espécie de paródia caipira de Irene: eu não sou daqui eu não tenho **NAGRA**. abertura dum veículo pra escoamento da produção. respiradouro. manifestação agônica, terápica. restauração telegráfica. publicação do mofo material podrecido pela demora na imbecisa prateleira editórica.

É assinado pelo poeta-guerreiro descido em mim — **SAILORMOON**.

A pontuação delirante e a construção atomizante (por certo procedimentos suspeitante "vanguardistas", atrasados e repetidos) não escondem que o autor derrapa no mito colonialienador do grande artista. hello crazy people, o papo de Big Boy e a volta do Conde Afonso Celso dos Incríveis garotos que como eu amavam os Beatles e os Rollings Stones and Hendrix são as expressões sadias da nossa juventura.

Me segura. queu vou dar um troço.

Onirís nebuloz, livro pessimiz, a roupa suja por brainwash.

Transcrevo a seguir os reparos que o metamorfóssil escriba Aparício Logreira fez: "A linguagem contida e presa semelha qualquer péssimo escrivinhador nascido em terra portuguesa. Portugal. Confiamos que nos futuros volumes o autor se apresente mais desembaraçado e solto". nos beirais dos telhados, andorinhas.

Apontamentos de apropriação dos autores lidos, sinopses e frases feitas livrescas, conversas, histeria das sensações, doença infantil do drop-out leftista. remédio contra asfixia. identificação com a produtividade repressiva e seus heróis culturais (Prometeu). exaltação da autorrepressão, valor do esforço, resistência de Santantão à tentação.

Me segura queu vou dar um troço apocalipopótico. **TRASH**ico. retar**DADA**ico.

Final dessublimador: não sou escritor coisíssima nenhuma, não passo de um leitor A-pressado B-obo C-alhorda vá desfiando letra por letra o **ABC** do cretinismo até o Pê de pretensioso, leitor apressado bobo calhorda... pretensioso de Sousândrade Oswaldândrade Guimarosa ou seja leitor do certeiro corte dos concretos. leitor dos fragmentos 45 e 81 da edição brasileira bilíngue dos Cantares.

(opinião papo piada papagaiagem palragem palragaiagem da parenta prima na pensão: quando garoto gordo guloso comia uma lata inteira de goiabada nos passeios Oswaldinho era existencialista Oswaldinho era hippie.)

Aluno primário pouco apreendedor, leitor precisado de aprender, aprimorar. **ABC**

....

(Press-book de Me segura:

gémissements sobre atrofias da geral condição humana, as artes do ó limpo. livro de entrevistas sensacionais revelações dum virando vero esquizo lubizome.)

....

aluno se levanta escreve no quadro-negro:

leve leve
que a vida
é breve

e do disco grava, no caderno na cuca no coração, o cartaz:

I NEED SOMEBODY TO LOVE

Dedicatória: pra você **WITH LOVE**

"O autor ainda está tateando atrás dum estilo" — fulmina Aparício na seção de crítica de livrarias do grande jornal. inspirado no Aparício traduzi a expressão *Skinhead* — Aparício Logreira, o cabeça pelada cabeça raspada. "documento da precariedade de recursos numa época" — Aparício's in "Libro librium".

Me segura: reclame contra a fome. chave do conto: construção dum personagem co'a candeia vela acesa no cofre trancado travado do coração.

Acabada a fase Me segura queu vou dar um troço, duas vertentes criadoras se abrirão pra mim:

1) Reeeedição da coleção de Poemas Portugueses

(meu barco roído o casco etc.)

2) New times in Babylon

(memórias novayorquinas numa língua porto/ guesa errante)

Roteiros de viagens — percorrer o inferno da América Latina. Groovy Promotion patrocina pária pedinte protagonista d'Andanças dum andarilho nos Andes. mendigo da South Am. amerindicância.

Dublagem do educador: com sem grana viajar pelo mundo. reescrever reviver repetir reeditar republicar reportagem "Saga sem grana dos beats" — com certo atraso.

Viajar pelo mundo.

Dublagem do educado: levar retrato irretocado — **SEM TRUQUES**.

Adventuras do coração leve alegre do cantor amoroso. sem sufoco.

Para quem fica... Tchau... e bênção.

(Receita da salada do salomão: Restaurante macrointoxiótico:

alimento: arroz desintegral;

modo de preparar: miserável work in progress;

no pirex: baboseira besteira bosteira bobeira)

End no repertório de ódios e nas deixas de queixas. The end.

Neurâncer? never more

Neura neurança neurâncer.

Abaixosss literalteraldosss literotáriosss literaturasss margineurâncerosasss

Sincério sem truques:

VOLTADO PRO MUNDO

The end.

Poeta prosseguirá transmissão desta série diretamente da sarjeta in Caídos na valeta — lançamento de alta classe **GROOVY PROMOTION**.

The end. me comprem pra possibilitar prosseguimento dum programa de trabalho.

THE END antes que m'esqueça dos versos doutro **DIAS** — exilálio de lombra sorumba sabiático — que não se safou do som das aves — salve — daqui: viver é luta renhida/ viver é lutar. quero fazer uma coisa bem viva: gravar um compacto, por exemplo. poder ver doudos escorpiões d'idade d'ouro de Scorpio rising.

THE END

comprem colaborem comigo comprem Me segura, recomendem.

THE END

comprem colaborem com escritor na hora da morte arrancando os cabelos da cabeça batendo a cabeça na parede — vou dar um troço. evitem: comprem Me segura. The end pra passar na alfândega aduana: declarar como documento patológico pra congresso internacional de psiquiatria.

THE END

TEATRO DE TESE NO MORRO DO Ó LIMPO

(dupla **GROOVY** reataca)

Poeta: O poeta à mercê do espaço não necessita de nada.

Guerreiro: vai se campar. virtudes pra mim: faro rastrear bem conhecimento do terreno em que está pisando. fico daqui de cima analisando o terreno lá embaixo. visão da queda da grande prostituta assentada sobre a besta. bom faro. on the bible Fanon fala da colocação das favelas sobre as cidades — gangrena instalada no coração — favelados nunca perdem o sonho de descer invadir dominar a cidade.

ALPHA alfavela **VILLE**

Poeta: fanoético, aumento para capítulo intitulado Tradutibilidade das linguagens científicas — tradução da Prophecia da queda da Babylônia: remoção da favela do morro da Babilônia.

(Alto do Morro — fundo embaixo entre folhas das árvores: luzes da Lagoa)

The streets belong to the lumpen. imported analysis. Cifrado desenho das pedras dos morros cariocas. caboclo flechado nos peitos.

Dentro do Barraco: 1 — Bebe leite de onça de camelo;
2 — bate-papo animado com um amigo. planos de viagens até as Portas do Sol;
3 — detalha inscrições na parede: my brothe is good for dog;
4 — anota saudação da jovem: I'm all right todos os rios e ventos te levem pro mar xpto saudações;
5 — bate-papo animado com alguns amigos. incitamentos à libertação. corte nos assuntos quadrilhas São João and namoradinhas locais;
6 — som: eu não vendo não troco não empresto não dou... eu vou levar pro meu amor.

Sai / dança na clareira entre as árvores.
No bar em frente — Café Maravilha:
1 — sorve copo de chope;
2 — olha luzes traseiras vermelhas acesas dos carros em movimento;
3 — retira cigarro do maço;
4 — gira a vista até se deter num luminoso verdi-vermelho da cidade;
5 — voz-off: — Deus, a graça d'eu poder ver muitas coisas ainda nesta vida. neste mundo.

Remoção da molecoleira do malandro do morro. favelúmpens and apodrecimento irreversível da cidade.

W B
I E
L A
D T:
bater forte, constantemente, no lugar onde dói.
The initial step
na escada
de subida
na vida — caminho cifrado or wild beat?
W B
I E
L A
D T:
bater forte, constantemente, no lugar onde dói.

ABAJO ghetto de limpeza da zona sul (ipanemária) do Rio.

(Dedico esta reprise de Rio Zona Norte aos meus amigos moradores do morro de São Carlos e do Estácio e esta reprise do Rio 40 graus aos do morro do Sossego — sem os quais seria impossível a realização deste trabalho.)

Takes do poeta — fascinado pela nova Avenida Atlântica na capital proibida do amor — em declamor: — ... se desprende um coco e faz vibração no solo... Porto de Salvação não há na vida.

Frase duma faixa: sambista não tem valor nesta terra de doutor.

The end letreiro acende na tela **THE END**

Exijam Me segura em todos jornaleiros bancas de revistas livrarias distribuidoras de livros em todas as casas do ramo. Faça o seu bom vizinho entender o sentido deste movimento reivindicatório — **ME SEGURA QUEU VOU DAR UM TROÇO**.

Canto de pássaros/ um galo alça a crista/ um galo bate as asas/ estala canto de galos no morro de São Carlos. na quebra da barra do dia.

....

(Documentos complementares de orientação/
apresentação histórica para os críticos
de Nossos Clássicos: 1 — capa — reportagem duma revista sobre bolsa de valores;
2 — cartaz duma revista sobre bolsa de valores;
3 — página diária dum grande jornal sobre bolsas de valores;
4 — cartaz dum grande jornal sobre bolsa de valores;
5 — manchetes dos jornais sobre ascenso e recordes e as maiores altas na bolsa de cada dia — dobrou mercado de ações;
6 — estudos sobre poupança da população em geral — caderneta de poupança;
7 — sinopse da conferência dum jurista: a crença disseminada na opinião pública de que o Esquadrão da Morte seria justificável por erradicar o perigoso banditismo se estriba na descrença, consciente ou inconsciente, no sistema penitenciário existente — inadmissível desrespeito à atividade judiciária.)

....

The end letreiro acende pela primeira vez **THE END**

THE END neste impossível, desesperado e besta — **UN LIVRE EN TRAIN DE SE FAIRE**.

THE END

(**ERRATA**: leitor do canto 45 e do fragmento de canto 81 da edição brasileira bilingue dos Cantares.)

THE END

UNIDADE INTEGRADA DE PRODUÇÃO RICAMAR INFORME

A RESPEITO DE VIAGENS:
Trips não para embelezar o cotidiano.
SIMS: limpar os sentidos — encontrar a
ingenuidade natural — **CONCENTRAZIONE** —
descobrir as grandes leis da vida — Malandragem
e Graça no fogo do Carnaval dos Damnados de la terra

do samba e do pandeiro.
Dificultando traduções: encontrar e
não reencontrar;
descobrir e não
redescobrir.
SIM: os grandes movimentos.
NÃO: aceitação embellecida do cotidiano.
Dicionário: o vocábulo "cotidiano" deve ser entendido
como "terreno das concessões"
Bajo las luces de las estrellas.
Trip:
lucerna de fracos luminosos sinais
entre os rochedos

OS GRANDES MOVIMENTOS
Hoje eu não posso chorar/ hoje eu sou um
técnico isto é uma pessoa que sabe
movimentar certas forças e explodir outras
isto é um técnico poeta viajante guerreiro

TRIPS
R
I
P
S

. . . .

Quadro: **EL GRAN SOLITARIO DESPEDAZADO**
Alguém se mira dentro do espelho sem piedad.
Vestido desnudando-se desnudo: es la misma cosa:
um mirar sem
COMPAIXÃO
Apontamentos para os olhos anotações
solamente.
Nigunenhum sentimento.
Hay que tener frialdad.
Aislado de mis compañeros.
Ajenado.
Frialdad lluvia **MEUS** ojos fijos en los objetos
Ou melhor:
LOS
OJOS

. . . .

TRIPS
R
I
P
S

Première Partie La fin des voyages
I
Départ
Je hais les voyages et les explorateurs

TRIPS
R
I
P
S

....

Glossário para os ignorantes:
Ricamar — Edifício Ricamar, morada do poeta por ocasião deste texto, av. N. Sra. de Copacabana, 360, Rio, GB.

....

TRIPS
R
I
P
S
Este informe prosseguirá — sempre com novas notícias — em seu lar.

TRIPS: DEVORA-ME OU DECIFRO-TE.

HURACAN

CAMBIAR DE IDIOMA POUR
PROVOQUER SYSTÉMATIQUEMENT
LE DÉLIRE
MANTRA DO DIA:

E é para além do mar a ansiada Ilha.
O poeta carrega um estandarte escrito:
SOU SEMPRE DOIDO.
CAMBIAR DE COR. água de la mar.
Yo cargo en mi corazón las imagenes del **EDEN** mi
alma incendida como un carbón cada toda manhã
sento na beira da lagoa e deixo o verde dos montes e
o reflexo do espelho se estampar em minha cara.
esta lagoa que trago dentro do peito. hoguera.
minha alma = meu rosto.
Simples e calmo mas não alegre nem triste:
inexistente. não **ME** sinto: "sou" feixe de sentidos.
Todas as coisas depois de feitas compõem
um movimento insuficiente — tomar ar —
1 passo atrás 2 na frente 2 passos
atrás 1 na frente 1 passo atrás 2 na frente 2 passos
atrás 2 na frente — tomar ar — provocar
um movimento superior da minha alma.
Tomo os céus e despenco e torno a tomar
Evitar que minha cara minhas cartas meu
papo minha figura se transformem em
crítica maniqueísta de pessoas-situações:

"O reino da sorridência e o tema do traidor".
Coragem é **CAMBIAR** de coração para
a alma não ter sede onde pausar:
ERRAR. errar e perseverar no erro. errar
e não perseverar no erro. **NÃO ERRAR.**
Descer aos infernos e tornar afiada a
fileira que desde o Rio das Contas venho
enfiando
TORNAR AOS CÉUS
TOMAR OS CÉUS DE ASSALTO
O céu retirado como livro que se enrola o céu retirado como livro que se enrola o céu retirado como livro que se enrola o céu retirado como livro que se enrola o céu retirado como livro que se enrola o céu retirado como livro que se enrola o céu retirado como livro que se enrola

TORNAR AOS CÉUS

TOMAR OS CÉUS DE ASSALTO

GIGOLÔ GIGOLÔ GIGOLÔ **GIGOLÔ**
DE DE DE DE DE DE DE DE DE **DE**
BIBELÔS BIBELÔS **BIBELÔS**
OU OU OU OU OU OU OU OU **OU**
SURRUPIADOR **SURRUPIADOR**
DE DE DE DE DE DE DE DE DE **DE**
SOUVENIRS **SOUVENIRS**
OU OU OU OU OU OU OU OU **OU**
DEFEITO DEFEITO **DEFEITO**
DE DE DE DE DE DE DE DE DE **DE**
FÁBRICA FÁBRICA **FÁBRICA**
[1983] [1983] [1983] **[1983]**
GIGOLÔ GIGOLÔ GIGOLÔ GIGOLÔ
DE DE DE DE DE DE DE DE DE DE
BIBELÔS BIBELÔS BIBELÔS
OU OU OU OU OU OU OU OU OU
SURRUPIADOR SURRUPIADOR
DE DE DE DE DE DE DE DE DE DE

A edição original de ***Gigolô de bibelôs*** (São Paulo: Brasiliense, 1983) contava com a reprodução integral do livro *Me segura qu'eu vou dar um troço*. Optamos por reproduzir os livros em ordem cronológica, de modo que mantivemos aqui apenas o material então inédito e exclusivo do *Gigolô*. (N. E.)

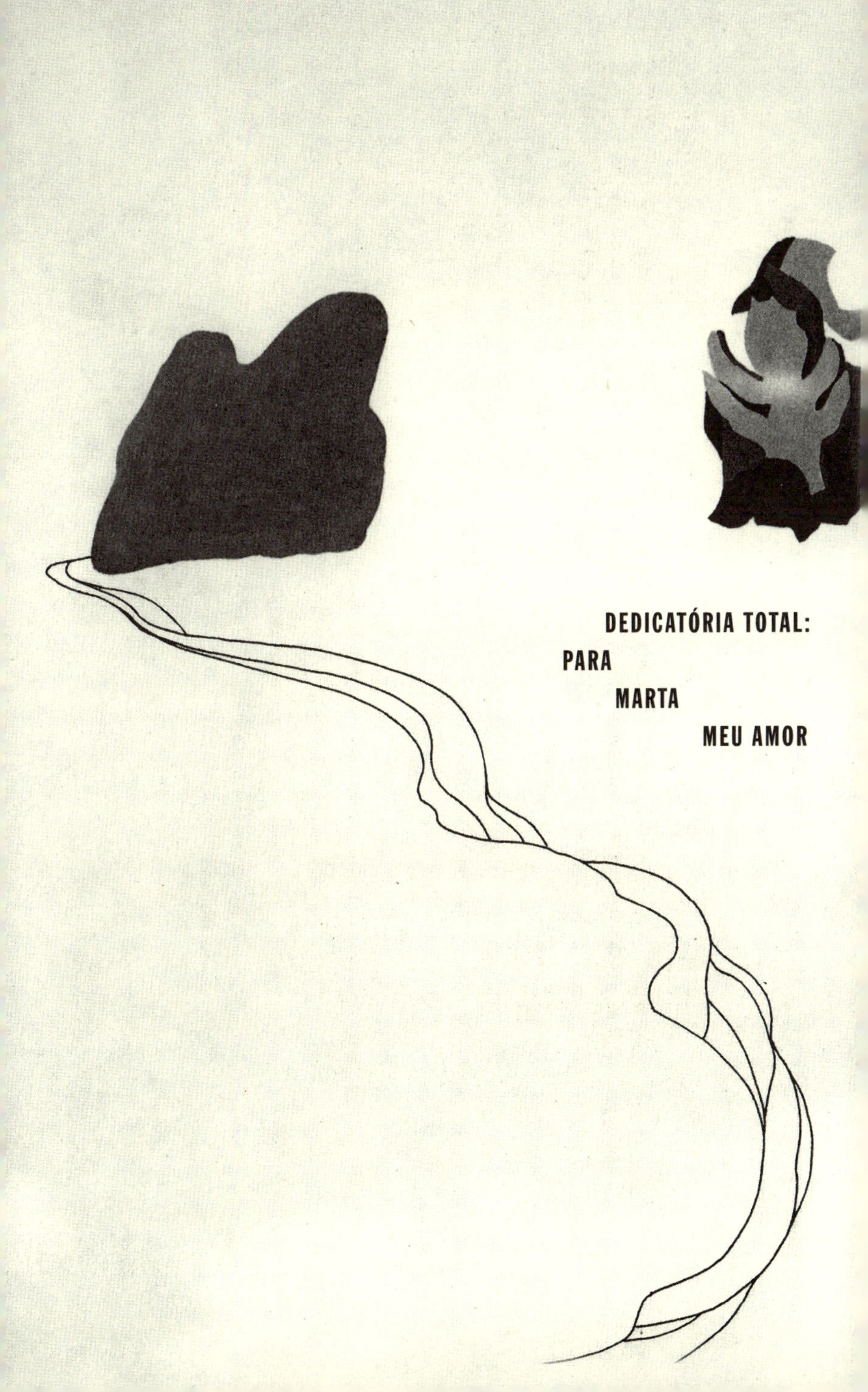

DEDICATÓRIA TOTAL:
PARA
MARTA
MEU AMOR

U M   M O S Q U I T O   M O R D E   U M A   B A R R A   D E   F E R R O   E M   B R A S A

O EXTRA é a morada do poeta ORDINÁRIO

AO LEITOR, SOBRE O LIVRO

Por hoje é só.
OBRA parida com a mesma incessante
INCOMPLETUDE.
Sempre tendente a ser outra coisa. Carente de ser mais.
Sob o signo do ou.
O U.
Transbordar, pintar e bordar, romper as amarras,
soltar-se das margens, desbordar, ultrapassar as
bordas, transmudar-se, não restar sendo si mesmo,
virar ou-tros seres. Móbil.
OBRAS DA INCOMPLETUDE.
De qualquer modo intento deixar algumas
BROCAS no muro do mundo: esta é uma
arquetípica ficcão-consolo dum intempestivo.
O U
Pois que ou-tra alternativa há senão convocar as
tropas do exército de virtualidades do duo vocálico
O U?
Cobra que muda de pele. E se embrulha em duas
vogais para fazer a travessia do rio a vau. Vadear.
O U
Sob o signo de **PROTEU** vencerás.
Quem é este Proteu intrometido texto a dentro pra vadiar?

BANCO DE DADOS:
Proteu: mitologia grega: deus marinho
recebera de seu pai, Posêidon, o dom da profecia e
a capacidade de se metamorfosear, o poder de
variar de forma a seu bel-prazer.

Sob o signo de **PROTEU** vencerás.
Por cima do cotidiano estéril
de horrível fixidez
careta demais
Que máximo prazer, ser ou
tros constantemente.
... Passageiros... nossa próxima estação...

LER COM OLHO-FÓSSIL
OU
LER COM OLHO-MÍSSIL

quem fala que sou esquisito hermético
é porque não dou sopa estou sempre elétrico
nada que se aproxima nada me é estranho
fulano sicrano beltrano
seja pedra seja planta seja bicho seja humano
quando quero saber o que ocorre à minha volta
ligo a tomada abro a janela escancaro a porta
experimento invento tudo nunca jamais me iludo
quero crer no que vem por aí beco escuro
me iludo passado presente futuro
urro arre i urro
viro balanço reviro na palma da mão o dado
futuro presente passado

tudo sentir total é chave de ouro do meu jogo
é fósforo que acende o fogo da minha mais alta razão
e na sequência de diferentes naipes
quem fala de mim tem paixão

Erratum: Onde se lê “lince” leia-se *também* “ LINCEU”. Vide Homero aliás Goethe aliás “Olhos felizes” de Antonio Cícero. Fio de ariadne abolido o gigolô de bibelôs.

Musicada por Jards Macalé. (N. E.)

Stultifera
NAVIS

ALMA LÍRICA PAQUIDÉRMICA

AS PALAVRAS E AS COISAS

Poeta leso caduco do deserto/ (Palmas do alto do
coqueiral)/ Sou um caso perdido/ Poeta é uma coisa
minúscula
diminuta
ridícula

LIVROS DE CONTOS

Alma emputecida
Sombra esquisita
Se esquiva
Entre
Laços de Família

EMÍLIO OU DA EDUCAÇÃO

Garoto
Você é meu
Garoto
Você mora no meu coração
Garoto
Quando tiver condições
Quero morar com você
Garoto.

JARDIM DE ALAH

EMBRIAGUEZ/ cesto de caju/ claro de luna/ olor de jasmim/
[teto de estrelas.
Recostado nas almofadas, ouve leitura da ata de reunião da célula
Tupinambá guerreiro
Rei da Turquia
Pisa no chão devagar
Que a noite está
Que é um dia

EDEN — ARABIE

MONTANHA MÁGICA — ROMANCE TERESOPOTEUTÃO

Lareira/ a madeira crepita na lareira.
Tremores da burguesia no frigorífico da serra.
— As cigarras cantam até estoirar no verão.
— Cobrir os gramados bem tratados verdes com o sangue das tragédias passionais dos jornais populares, com o sangue vermelho dos animais.

CONFEITARIA MARSEILLAISE — DOCES E ROCAMBOLES

Caçadas
Experimentados no manejo de armas de fogo 3 filhotes infantes da burguesia empunham arma/ 1. empunha revólver/ 2. empunham espingardas.
O aéreo esmaga folhas de eucalipto de encontro ao nariz enquanto de noite sonhei com um batalhão policial me exigindo identificação/ revistaram a maloca do fundo do meu bolso/ mostrei babilaques/ me entreguei descontento pero calmamente/ nada foi encontrado que incriminasse o detido no boletim de averiguações depois de batido telex pra todas delegacias.
Vadiagem.

PICKWICK TEA

(cenas da vida teresopolitana, petropolitana, friburguense, itaipavense)
A mãe comenta o Inferno de Dante.
A moça quinze anos lê o roman La Charteuse de Parma. Fala de Balzac aussi como servindo para descrições de paisagens e ambientes de baile. Narra as aventuras pelo impossível de Candide et Zadig. Thomas Mann na estante. Michelet écolier.

Quand le maître parle j'écoute/ le sac qui pend à mon épaule dit que je suis un bon garçon.

MATERIALISMO HISTÓRICO E PSICANÁLISE

As duas filhas família comentam as suas sessões de análise. Uma delas vai pra Inglaterra prosseguir análise com o analista — ídolo do seu pai.
A outra fala dos rapazes que frequentam as sessões drogados e que portanto não podem ter seus problemas resolvidos.

GOOD — MORNING

BELA
FLOR
TERESOPOLITANA

FLOR
DE
TERESÓPOLIS

Amante Mellors, o guarda-caça, sentado no tronco de madeira que era a ponte sobre a corredeira enquanto ela se esgueirava, vindo, beirando a cerca viva. (Em derredor, dálias esplendiam.)

VAMPIRO DE ENCRUZILHADA

O filho poeta desgosto da esposa mãe e do marido pai
Órfão
Órfão
— Ó corações semelhantes, minha alma **NECESSITA** dos grandes espaços.

Me sentia em casa quando via vermelho vivo na cor da barraca.
Passeei pela roda-gigante. Minha subida era uma robinsonada.
Sobre os regatos, remansosos narcisos.
Cheiro de narciso dos regatos — lírios do
Vale e da montanha.

Como Luluzinha colhíamos amoras nos campos.

ANALISE DO CARÁTER
Capítulo Volúpia da Carne
Série Grandes Vidas
A viúva mãe no quarto da herdade se imaginava Catarina da Rússia, a Grande, que paparicou tantos e tantos e tantos machos e prevaricou até o fim da vida.

Eu pensava na búsqueda do Vale do Paradiso — **VITA NUOVA** — Montei num
14 BIS — MAIS PESADO QUE O AR.
Sem pai **ORPHEU** nem mãe

VIA

INFERNO	**INDÍCIOS**
PURGATÓRIO	**DE**
PARADISO	**OIRO**

Teresópolis 72

NA ESFERA DA PRODUÇÃO DE SI MESMO

FICTIONÁRIO

I

Máximas do Marquês de Maricas:
Tenho fome de me tornar em tudo que não sou.
Meu ser compondo um bloco **BLOCO** homogêneo e
[coeso para a ação.
[Provocar
Acontecer uma
Mudança em mim
Quero ver de novo a
LUZ **D**
SER **O**
Quero **SER** de novo a luz do sol:
limpar o lixo emocional — remover os empanamentos dos sentidos —
nuvens viajando pelo espaço afora até o céu limpo sem nuvens
ESPAÇO AZUL
Contra a poupança e a acumulação e a retenção de recursos (in Recursos Ociosos)
Extinção da esperança de recompensa — olvido das etapas do passado —
SALTAR —
SALTAR
e inaugurar uma nova etapa —
nova etapa

(Prosseguimento do discurso Huracán — do mesmo autor: Waly, o fedayin.)

A HISTÓRIA NÃO NOS ABSORVERÁ
(do Comitê de mobilização de energias)
Uso permanente
d'**INFIDELIDADE** em relação a uma identidade contínua de mim mesmo
REVOLETRE
ABAJO LOS GÉRMENES DE PODREDUMBRE
Da sucursal
do Inferno
em marcha

Teoria e Prática do
FOCO — a revolução
dentro da reação —
Eu sou o **SER**

para o

SOL
SOL

Fala Fedayin: Eu sou o ser que ergue brandindo a espada sarracena.
Fedayin cerra os punhos: Eu só faço **MACHUCAR**

NA ESFERA DA PRODUÇÃO DE SI MESMO
II
Leituras Noturnas
Tenho fome de me tornar em tudo que não sou.
E o propósito não cumprido de ficar noite adentro a ler Fernando Pessoa e ir tendo minhas pestanas queimadas para nada. Mas que diferença faria tê-las queimadas para alguma coisa se a imagem que tive com a luz do quarto apagado quando acendo a luz com a luz do quarto apagado quando acendo a luz quando quando a imagem que tive com a luz do quarto apagado quando quando quando acendo a luz quando a imagem que tive quando a luz do quarto apagado quando acendo a luz e tento apreendê-la se me foge ou já não é a mesma —
irreconhecível na expressão embaralhada.

E o que seria "tê-las queimadas para alguma coisa" se o fundamento da ação é sempre vão e as etapas não duram um brusco diário.
Leio até me arderem os olhos
O livro de Fernando Pessoa

NA ESFERA DA PRODUÇÃO DE SI MESMO
III

Tenho fome de me tornar em tudo que não sou.
ME inventar um outro:
Sailor of all moons.
Era um escritor singular era um escritor singular era um escritor singular era um escritor singular era um escritor singular era um escritor era um escritor era um um um um um um um um um um um um um um um um um qu'espremeu toda sua sua sua vida num sumo suco cifrado como "Sofrimento sofrimentos até o parto da luz"
Parto da luz
Diante da **ESFINGE** ele se consumia tentando adivinhar a Questão que ela lhe plantearia
Debalde Vida a fora:
Ribombam estoiram estampidos estrondos tiros balas de canhão do coração... ad aeternitatem ....
.... até quando o coração hasta o coração calar cair quedar quieto dentro do no peito envolvido pela mesma carcoma camada esverdeada que recobre as estátuas as guardas de estáduas — **PÁTINA NO TEMPO**.

NA ESFERA DA PRODUÇÃO DE SI MESMO
IV

Tenho fome de me tornar em tudo que não sou.
Sou John Jack Seadirty — nauta do auto alto-mar do maralto mar —

conversa caloroso com os companheiros enquanto fita as estrelas do céu — John Jack Seadirty, um desnuvado ao pisar certo dia certa vez em Cardiff onde aportei como capitão de cargueiro.

NA ESFERA DA PRODUÇÃO DE SI MESMO

V

Tenho fome de me tornar em tudo que não sou.
John Jack Seadirty, o de lábios de fogo.
De John Jack Seadirty:
Cada vez menos inteligente
Cada vez mais sensual.
Glossário para ignorantes:
John Jack Seadirty — inventor da série "Se grude nos meus beiços".

NA ESFERA DA PRODUÇÃO DE SI MESMO

VI

Tenho fome de me tornar em tudo que não sou.
Ordem do dia: **QUIETO**
ficar decifrando, no meio do maior bulício, a poesia lida ao me despertar
O exercício segue curso verso a verso dia inteiro.

NA ESFERA DA PRODUÇÃO DE SI MESMO

VII

Tenho fome de me tornar em tudo que não sou.
A Ordem do dia baixada sob o nº VI é para ser executada por todas as unidades até 2ª ordem.

NA ESFERA DA PRODUÇÃO DE SI MESMO

VIII

Tenho fome de me tornar em tudo que não sou.
Uniforme de camuflagem:
DORAVANTE ter sempre na bolsa a tiracolo caixas e mais caixas toneladas de caixas de chicletes e ficar masca mascando enquanto as gentes varejeiram vespeiram besteiras ou, átimo recurso, oferecer como tapa boca de berne.

NA ESFERA DA PRODUÇÃO DE SI MESMO

IX

Tenho fome de me tornar em tudo que não sou.
Meu amor me amarrar me manter preso numa cela jaula.
Quando sair:
ficar louco vendo los hombres hermosos y las mujeres hermosas.

NA ESFERA DA PRODUÇÃO DE SI MESMO

X

Piada Sentimental
Tenho fome de me tornar em tudo que não sou.
Quieto/ sentei na grama/ sonhei pensar uma situação: dor alegria não existissem — só a passagem do tempo/ infelizmente, tive grande satisfação/ Horas — fa- ta- is-

NA ESFERA DA PRODUÇÃO DE SI MESMO

XI

Piadinha Instrutiva
Tenho fome de me tornar em tudo que não sou.
O 1º amor passou

O 2º amor passou
O 3º amor passou
Aí agora, o coração
PAROU

NA ESFERA DA PRODUÇÃO DE SI MESMO

XII

Tenho fome de me tornar em tudo que não sou.
Estourar a estoirar a cabeça junto ao pendido sobre o em cima do caderno de escrita e deixar o sangue escorrer respingar empapar **EMPAPAR** toda a superfície branca do papel —
as palavras em liberdadade
as palavras em liberdade como
parte da luta libertária do poeta
condoreiro author de
"Signos Flutuantes" — **GLÓRIA**
duma língua obscura —
PERENÚRIA —
Imagens dum tropel imagens atropelativas iguais dum estrondoso Estouro de boiada —
PERENÚRIA —
Pétalas que se derramam
despetaladas rosas
sobre
a calçada da
FAMA

NA ESFERA DA PRODUÇÃO DE SI MESMO

XIII EM DIANTE

Tenho fome de me tornar em tudo que não sou tenho fome de fiction ficciones fictionários tenho fome das fricções de ser contra ser tudo que não sou ser de encontro a outro ser tenho fome do abraço de me tornar o outro em tudo que não sou me tornar o outro em tudo me tornar o outro a outra doutro doutra em tudo em tudo que não sou me tornar o outro de me me tornar não o nome distinto o outro distinguido por um nome distinto do meu nome distinto tenho fome de me tornar no que se esconde sob o nome embaixo do nome no subsolo do nome o sob nome o sobnome e por uma fresta num abraço contíguo penetra passa a habitar o fictionário que me tornei em tudo que feixe de não fixas ficciones sou em tudo por tudo por uma fresta de tudo por uma fresta tudo se fixa por uma toda por uma toda fresta as fixações penetram passam a habitar o fictionário que me habituei em **ME** me Me tornar tudo todo o **TUDO** personas personagens baile de máscaras reais que pessoas que penetram que pessoas penetram pelas frestas e num abraço contínuo se casam fazem casa e se inscrevem e se incrustam máscaras moluscas no meu rosto me tornar numa escala crescente milesimal centesimal decimal inteira a face dum baile de máscaras reais vir a ser este fictionário que não sou me casar que ainda ainda **AINDA** que não sou e que sou sempre sempre quando quando sempre tenho fome qual a escala crescente ou decrescente pra saber se um milésimo centésimo décimo inteiro todo ou fração todo meu fictionário ser se revelou no abraço contínuo contíguo em que se desvelou tornar tudo tenho fome de me tenho fome de de de tornar **EM** tudo que não sou **EU** esta pessoa que está aqui falando na primeira pessoa eu do singular esta pessoa singular que sou eu pronome pessoal irredutível enquanto pronome mas que mas que mas que se esconde se expande se estende sob o embaixo do no subsolo do pronome eu pessoal irredutível e é qualquer coisa além aquém qualquer alter outrem outra coisa além aquém alter outrem que mora no subsolo do pronome pessoal eu um sob pronome eu pessoal eu um sobpronome qualquer dia destes eu um sob pronome qualquer dia destes eu qualquer dia destes passo pra te ver gosto de você de te como você nem imagina nem fictiona nem funciona seu teu fictionário pra imaginar e é uma alegria muito grande não tenho de que me queixar é uma alegria muito grande estar aqui entre pessoas boníssimas é uma alegria muito grande conviver com vocês todos neste dado neste dia dado em que uso da palavra pra me dirigir em agradecimento a todas as pessoas boníssimas bonissíssimas que me acolhem sempre na maior alegria me acolhem me aquecem é uma grande alegria é uma alegria muito grande não tenho do que me queixar é uma alegria muito estar aqui fruindo entre pessoas boníssimas melhor dizendo bonissíssimas neste dado neste dia dado em que uso tenho o que não sou para meu uso e com o mesmo fuso fundo de fundar fundo de fundar fundo de fundir e com o mesmo fuso fundo a fome e a saciez num mesmo uso eu fundo e não sou tudo que uso tenho fome de me tornar tenho fome de me tenho fome de tenho fome tenho um funditionário fundicionário fruicionário confitionário friccionário e das fricções de fiction que sou com a fiction que não sou me aqueço me aquece me dá calor me acalece mas que fiction sou e que fiction não sou se me componho do que fundo do que se funde do fundido do confundido se o que não sou é uma composição que compunge que tenho fome me compunge o que não sou e é uma grande alegria quando quando me tornar o que não sou e o **NÃO** e o negro e o negativo e a noite e o vir a ser e o me tornar e o me tornar e o me tornar e o futuro e o passado e o perdido fundido no presente deste dia dado que toco e deste dia dado que me toca tenho de me tornar em tudo que toco e o que me toca deste dia dado e nada nada nada — pode deixar passar de leve o vento por entre as frestas dos meus dedos que posso deixar passar de leve o vento por entre as frestas dos seus dedos que nada se esconde sob o nome da palavra **NADA** nada nada — os passos

OS PASSOS
LEVES
DO
VENTO
OS PASSOS LEVES DO VENTO
POR ENTRE

NOS INTERSTÍCIOS

ILHA DO BIZU-BESOURO

YO — HO — HO ... RUM
Ah, coração desgraçado
meu amor estancado
pelo ditado
só confio em quem sofreu
tanto quanto eu
e nem e nem e nem
faz falta sua voz
que me diga:
"— não fique triste,
não fique triste."
ninguém me ama
ninguém me chama
são coisas do passado
e nem e nem e nem
eu não sou mais Rei do Mundo
logo portanto Raimundo
me traga uma taça e uma garrafa de rum
YO — HO — HO ... RUM
me traga uma taça
que eu bebo num trago
essa taça de rum ... **RUM**
me traga uma taça
que eu bebo tomo entorno
garrafa garrafão garrafum
afundo a nave
numa risada cavernosa

ÊH ÊH ÊH ÊH ÊH ÊH ÊH ÊH ÊH ÊH
numa risada de **RUM**!
fifteen men on The Dead Man's Chest
Yo — ho — ho, and a bottle of rum!
A — fun — do a nave
numa risada **CA — VER — NO — SA**
ÊH ÊH ÊH ÊH ÊH ÊH ÊH ÊH ÊH ÊH
numa risada de

R U M!

A MEDIDA DO HOMEM

Teatro da tortura visto do vértice do torturado

KABUKI CABOCLO

PERSONAGENS:

Marujeiro da Lua
Investigador Humanista
Agente-Mor
Agente Loira Babalorixá de Umbanda
e a
Maquininha

Sem testemunhas

AGENTE-MOR: Não me dói aplicar a maquininha em você. Fui testado diversas vezes, da mesma forma, no curso antiguerrilha. Você não existe — é um número pra mim. Com mais algumas viradas na maquininha você revela até o que não sabe.

AGENTE LOIRA BABALORIXÁ DE UMBANDA: 7 minutos.

MARUJEIRO DA LUA: Não **ME** sinto nem sou feixe de sentidos. Sou um monte de carne. Não tenho nada pra revelar.

(A leitura desta peça deve ser acompanhada de projeção de slides apropriados.)

AGENTE LOIRA BABALORIXÁ DE UMBANDA: 12 minutos.

AGENTE-MOR PRA AGENTE HUMANISTA: Aumenta a descarga. Descarrega no saco.

AGENTE-MOR PRA AGENTE HUMANISTA: Acelera a maquininha. A todo vapor.

MARUJEIRO DA LUA (virando-se para o personagem intitulado **INVESTIGADOR HUMANISTA**): **NÃO FINJA.**

(**AGENTE LOIRA BABALORIXÁ DE UMBANDA** é um personagem anotador das revelações possíveis de ocorrer — uma script girl — e faz a minutagem da operação)

AGENTE-MOR: O corpo dele está bem suado — agora despeje o balde d'água em cima pra corrente pegar melhor.

AGENTE LOIRA BABALORIXÁ DE UMBANDA: 26 minutos.

AGENTE-MOR: Apresento o meu advogado Dr. Smith Wesson calibre 3 oitão.

MARUJEIRO DA LUA (com ufanismo revista texto — **FA** — **TAL** —): Me sinto possuidor dalguma coisa **INDESTRUTÍVEL** dentro de mim.

AÇÃO: Marujeiro da Lua é desamarrado da vara/ colocado no chão donde não consegue se levantar/ seus pés formigam/ tenta se levantar/ sente que vai desmaiar/ se sustenta/ encaminha-se até a frente diz a supra última deixa do personagem Marujeiro da Lua e **FIM**.

AVISO AOS SRS. ESPECTADORES:

"A Medida do Homem" não pode fugir a este final idealista em homenagem aos avós
Claudel-Zdanov.

Nesta cidade fundada por abnegados jesuítas,

São Paulo novembro 72

Delegacia do 4º Distrito

AR não continuar ALTER

SET E6 436

AA
A
EF

OPERAÇÃO Palavra destaque Waly Sailormoon

arte-final: Ana Maria Silva de Araújo

POR UM NOVO

CATALOGO DE TIPOS

por aqui tem feito D dias lindos

PROCURAR um outro AR

ALTERAR

E O MEU SER SE ESGOTA

NA PROCURA PATOLOGICA

DO QUE NEM EU SEI O QUE É

e esse é

NÃO HÁ NUNCA

em parte alguma

PRAZER ALGUM

MANTRA MITO NENHUM

que me Baste

projetexto waly sailormoon

PEQUENO CAPÍTULO

DO ESCAFANDRISTA ESTATELADO NA AREIA DA POÇA CONFISSÕES

Desço ao porão do **NÃO**.
O que resulta da intenção de se conhecer na fraqueza
é o enfraquecimento de si mesmo
e nunca o conhecimento que implica
poder dar forma e claridade ao que se vê;
os olhos desatolados do raso do arroio;
quer dizer conhecimento é força de luz e antítese
de enfraquecimento.
Embarco no balão do **SIM**.

Poeta na Columbia University
N.Y.C. — 74

EDENIA

SEU PAI DISSE:

Fuder
          com um único homem
até a eternidade
mesmo fora do casamento
eu ainda consinto
FUDER
durante a vida terrestre
com vários e vários
homens
é imoral

EU, O NOIVO, REPLICO:

O conhecimento
é um crime
de traição aos
mandamentos
do pai.
Vamos em direção
à
Á R V O R E

NOTA DE CABEÇA DE PÁGINA

Contrariando o ditado latino e a canção brasileira,
RECORDAR NÃO É VIVER.
Segundo nós dois, eu e a Gertrude Stein.
A composição enquanto **PRESENÇA** dalguma coisa
e essa alguma coisa
SURGE
dentro da composição através dela pela primeira única vez

Natureza-não-morta.

Não escrever sobre.

Não descrever. Ou reproduzir.

Escrever. Produzir.

Q a primeira única vez volte a se fazer **PRESENÇA**.

É o **Q** mais **QUERO** na vida.

Uma não naturaleza still alive

PERCUSSÕES DA PEDRA Q RONCA
PERCUSSÕES DA PEDRA Q RONCA
PERCUSSÕES DA PEDRA Q RONCA
PERCUSSÕES DA PEDRA Q RONCA

RELEVO ZERO

RELEVO UM

RELEVO DOIS
RELEVO TRÊS
RELEVO QUATRO
RELEVO CINCO

OPERAÇÃO ABAFA BANCA

PARA JORGE TOTAL SALOMÃO

E X P L O R A Ç Õ E SSSSSSSSSSSSSSS
PERCUSSÕES DA PEDRA Q RONCA
PERCUSSÕES DA PEDRA Q RONCA
PERCUSSÕES DA PEDRA Q RONCA
PERCUSSÕES DA PEDRA Q RONCA
PERCUSSÕES DA PEDRA Q RONCA

Aviso:
Para ser lido alto. Para ser lido
bem alta voz para ser lido para
dentro. Para ser um incêndio

LUZ FOGO CALOR

q se acenda através de todos os órgãos

ALASTRAR

Ou não quer?????
Ou não quer?????
Ou não quer?????

PARA SER LIDO ALTO. AFÃ

TESTE SONORO

RELEVO ZERO

ANAMNÉSIA
SALIVA PRIMA

ANAMNÉSIA

eu nasci num canto
eu nasci num canto qualquer duma cidade pequena fui pequeno
qualquer duma cidade pequena fui pequeno depois nasci de novo numa cidade maior
depois nasci de novo numa cidade maior dum modo completamente diverso do
dum modo completamente diverso do nascimento anterior depois de novo nasci
nascimento anterior depois de novo nasci de novo numa cidade ainda maior e fui
de novo numa cidade ainda maior e fui virando uma pessoa que vai variando seu
virando uma pessoa que vai variando seu local de nascimento e vai virando vária e vai
local de nascimento e vai virando vária e vai variando vária e de novo nasci de novo
nasci variando vária e de novo nasci de novo nasci de novo na maior cidade e pra variar
de novo na maior cidade e pra variar não me conheço como tendo nascido só
não me conheço como tendo nascido só num único canto num único só lugar num
num único canto num único só lugar num num numnum eu nasci num canto
num numnum eu nasci num canto qualquer duma cidade pequena fui
qualquer duma cidade pequena fui pequeno depois nasci de novo numa
pequeno depois nasci de novo numa cidade maior dum modo completamente
cidade maior dum modo completamente diverso do nascimento anterior
diverso do nascimento anterior depois de novo nasci de novo numa
depois de novo nasci de novo numa cidade ainda maior e fui virando uma
cidade ainda maior e fui virando uma pessoa que vai variando seu local
pessoa que vai variando seu local de nascimento uma pessoa variando se
de nascimento uma pessoa variando se variando uma variando de vários de
variando uma variada de vários de avião de viagem de avião de
avião de viagem de avião de de de de de

TESTE SONORO

RELEVO 1

pois por isso sou sempre sou sem mestre não há mestre não há nenhum mestre de dentro de si o mestre um mestre sabe que não há o mestre um mestre pra de dentro de si sabe uma cabeça tonta que não se apressa em concluir um mestre de dentro de si sabe uma energia tonta os sentidos tontos a ideia tonta o juízo tonto a tesão tonta uma cabeça de lanceira um sangue quente

pois por isso de dentro de si de dentro de si dentro de si de si o mestre um mestre toma tudo há tudo que mostra a mim que não há nenhum mestre algum para o quem um para o quem o que não é escolar servo seguidor adepto partidário escolar discípulo servo seguidor escolar há tudo que mostra a mim há tudo que há erro confusão **MISTURA** quase sempre pois por isso brota um sem padrão nem apadrão **PADRÃO** discomum que num repentino de supino

de supetão descamba a brotar

TESTE SONORO

RELEVO 2

o mestre um mestre
um mestre o mestre
quem tem um tem um
quem tem um tem o um
quem tem um tem um o um
quem tem o tem o
quem tem o tem um o
quem tem o tem o um o

o o o o o **UM**
um um um um um **O**

TESTE SONORO

RELEVO 3

O   U   OS   US
CÉO CÉU CÉOS CÉUS
sem a tua sem a tua sem a tua com
há uma hora que deus falta igual falha o ar aos pulmões dos vivos e neste mei tempo falta faz falha falta e quem tem tem de ter tem de ter tem de ter tem um tanque de reserva de oxigênio qual que for pra varar o bréu sobresi condição semelhante ao peixe enquanto nada na água fria há uma hora que deus falta igual falha o ar nas guelras dos peixes vivos e neste mei tempo falta faz falha falta e quem tem tem de ter tem de ter tem de ter de ter de ter tem um tanque de reserva de qual oxigênio de qualquer espécie de gás de qualquer gasolina óleo os santos óleos igual ao peixe vivo que nada enquanto a condição dada nadada é de água fria céu de peixe vivo é viver dentro é viver perto da tua companhia

PÃ   PÃ   PÃ   PÃ   PÃ   PÃ

TESTE SONORO

RELEVO 4

sinal é um sinal são sinais é um primeiro sinal é um depois do primeiro é um buquê de sinais é um sinal é uma sinaleira é um taliqual e coisa e fim que cedo somente tarde começou a cla mais cla mais clarear de vez em vez de vez em quando de quando em quando em quando de quando em vez de vez em vez de vez de quando de vez sem talvez nem talvez nenhum talvez acendendo de vez o lue do lume ela cai tão que não há tempo de formular um pedido se tem pedido de desejo me ensina rápido que não sei um desenhado já em 3 menos segundos desejo estalado que se real na luz mesma da mesma cadência caden cain d'estrela eu quero ter o desejo nesta hora que eu desejo sem imaginar a vida total qual é é é é é é poder átimo de ressaltar desprovido do prévio e sendo sim anúncios luminosos que são em si por si no ato próprio de luzir luzbel eu gosto de me sentar aqui onde nunca se diz coisa alguma recordada eu gosto sempre de sentar a mim aqui no tempo onde se avista produz os brilhos ficar aqui fora no tempo sentado ou andando sentando ou sentando ou andando ou sentado ou andado ou ou ou ou

TESTE SONORO

RELEVO 5

palh palh palh palh palh palha palha palha palha palha atrapalhar atrapalhar atrapalhar atrapalhar atrapalhar me atrapalhar me afastar da palha q atrapalha a alegria de chegar me afastar da palha q atrapalha a alegria chegar me afastar da palha q atrapalha chegar me afastar da palha q atrapalha me afastar da palha q empalha palh palha atrapalhar me atrapalhar não quero q nada me atrapalhe não quero nada q me atrapalhe não quero me atrapalhar em nada q me atrapalhe me atrapalhar em nada q me atrapalhe me atrapalhar em nada q atrapalhe em nada palh palha atrapalhar em palh palh palh palh palh não se palhar não me palhar não empalhar não se palhar não empalhar não se empalhar não me palhar não me palhar não me empalhar não se palhar quero chegar a alegria de chegar e espalhar alegria espalhar não quero me atrapalhar em nada q atrapalhe a alegria de chegar a alegria e espalhar a alegria de chegar e espalhar a alegria de espalhar a alegria de chegar espalhar a alegria de chegar a espalhar a alegria de se encostar no raio da fonte q espalha espalha espalha espalha espalha alegria me se encostar na alegria de chegar a espalhar me se espalhar quero chegar a espalhar alegria não quero q nada me atrapalhe não quero me atrapalhar em nada não quero nada q me atrapalhe não quero a palha q atrapalha a alegria chegar a espalhar a alegria de se encostar no raio da fonte q luz alumia sol q se espelha sol de sol chegar a me afastar da palha q me atrapalha em nada em toda a palha de por exemplo pensar se o q está saindo rompendo é publicável se é bem ou mal escrito se o autor é autoindulgente palh palh palh palh palh palha palha palha palha palha atrapalhar atrapalhar

atrapalhar atrapalhar atrapalhar me atrapalhar me afastar me se afastar de toda a palha q atrapalha a alegria de chegar e espalhar toda palha q corta o fluxo de arranjar uma saúde pra dizer as não quero me atrapalhar em nada q me atrapalhe em nada palh palha atrapalhar a palha q atrapalha de se chegar à alegria da massa central da rocha do nódulo do núcleo do nu do nudo núcleo do nu do nu do nu do nu do nu do do do do do

UMA

DÚZIA

E MEIA

DE

CANÇÕES

E

MAIS

UMA

DE

QUEBRA

VAPOR BARATO

Oh, sim
eu estou tão cansado
mas não pra dizer
que não acredito mais em você
com minhas calças vermelhas
meu casaco de general
cheio de anéis
vou
    descendo
        por todas as ruas
e vou tomar aquele velho navio
eu não preciso de muito dinheiro
graças a Deus
e não me importa
Oh minha honey baby
baby honey baby
Oh, sim
eu estou tão cansado
mas não pra dizer
que estou indo embora
talvez eu volte
um dia eu volto
quem sabe?
mas eu quero esquecê-la
eu preciso
Oh minha grande
Oh minha pequena

Oh minha grande obsessão
Oh minha honey baby
honey baby

Musicada por Jards Macalé.

CAINDO NA PÂNDEGA

Caindo aos pedaços
De desastre em desastre
Minha cara virou
Minha cara virou
Minha cara virou um caco
Colei tudo passei goma
Fiz um disfarce
Com o resto do trapo
Não posso rir alto
Levantar o braço
Descola tudo
Solta a goma
É UM FRACASSO

PROTO-PUNK

Musicada por Carlos Pinto.

REVENDO AMIGOS

se me der na veneta eu vou
se me der na veneta eu mato
se me der na veneta eu morro
e volto pra curtir
se pintar algum xote eu tou
se pintar um xaxado eu xaxo
se cair algum coco eu corro
e volto pra curtir
se chego num dia
a cidade é porreta
se chego num dia
a cidade é careta
se chego num dia
e me arranco no outro
e se eu me perder da nau catarineta
eu vou eu mato eu morro
e volto pra curtir
na sopa ralada
eu volto pra cuspir
na sopa ensopada
eu volto pra cuspir
eu vou mato e morro
e volto pra curtir
mas eu já morri
e volto pra curtir
eu já morri
eu vou mato e morro
e volto pra curtir

Musicada por Jards Macalé.

LUZ DO *SOL*

DESTA VEZ VOCÊ CHEGOU
ARREBATOU
ALEGRIA E CALMA
DO MEU LAR
QUANDO ESTIVER ASSIM
NÃO ME APAREÇA
SAIA
DESAPAREÇA
SAIA
DESAPAREÇA
DA MINHA VISTA
APAREÇA COMO A LUZ DO SOL
BATENDO NA PORTA DO MEU LAR
QUERO VER DE NOVO A LUZ DO SOL Ê Ê Ê
QUERO VER DE NOVO A LUZ DO SOL Ê Ê Ê
QUE ME BRILHA ACENDE AQUECE E ME QUEIMA
BATENDO NA PORTA DO MEU LAR
EU SOU O SOL
ELA É A LUA
QUANDO CHEGO EM CASA
ELA JÁ FOI PRA RUA
QUERO VER DE NOVO A LUZ DO SOL
QUERO VER DE NOVO A LUZ DO SOL

Musicada por Carlos Pinto.

MAL SECRETO

Não choro
meu segredo é que sou rapaz esforçado
fico parado calado quieto
não corro não choro não converso
massacro meu medo
mascaro minha dor
já sei sofrer
não preciso de gente que me oriente

Se você me pergunta
como vai
respondo sempre igual
tudo legal

Mas quando você vai embora
movo meu rosto do espelho
minha alma chora
vejo o Rio de Janeiro
vejo o Rio de Janeiro
Comovo não salvo não mudo
meu sujo olho vermelho
não fico parado
não fico calado
não fico quieto
corro choro converso
e tudo o mais jogo num verso
intitulado **MAL SECRETO**
e tudo o mais jogo num verso
intitulado **MAL SECRETO**

Musicada por Jards Macalé.

MAL SECRETO DA LINHA DE MORBEZA ROMÂNTICA???

Ao escrever o **SENHOR DOS SÁBADOS**, musicada por Jards Macalé, me identifiquei com o amor feminino das santas mulheres especialmente a devota Santa Terezinha suplicante por ser abrasada penetrada pelo amor divino e ser submergida num ardoroso abismo e onde é evidente a analogia entre a linguagem erótica e a linguagem mística.

Me tornei **SERVA DO SENHOR**, naquele tempo once upon a time naquele então da linha de da linha de da **LINHA DE MORBEZA ROMÂNTICA**.

Hoje: me libertei daquela vida vulgar…
Amanhã: He'll be big and strong.
Assinado: **O FAQUIR DA DOR**

O SENHOR DOS SÁBADOS

Uma noite
Noite
Noites em claro
Noites em claro não mata ninguém
Mas é claro, perdi a razão
Gritei seu nome por toda a parte
Do edifício
Em vão
Quebrei vidraças da casa
Estilhaços de vidro espatifados no chão
Risquei paredes do apartamento
Com frases roucas de paixão
AY QUE NOCHE MÁS NOCHERA
AY QUE NOCHE MÁS NOCHERA
AY QUE NOCHE MÁS...
Dentro da escuridão do quarto
Rasguei no dente seu retrato
Minha alma ardia
Meu bem, volte cedo
Antes que acenda a luz do dia
Apague meu desejo num beijo
Bem bom
Meu bem, volte cedo
Meu bem, volte bem cedo

Musicada por Jards Macalé.

ANJO EXTERMINADO

quando você passa 3, 4 dias desaparecida
me queimo num fogo louco de paixão
ou você faz de mim
alto-relevo no seu coração
ou não vou mais topar ficar deitado
moço solitário, poeta benquisto
até você tornar doente
cansada, acabada das curtições otárias
quando você passa 3, 4 dias desaparecida
subo desço desço subo escadas
apago acendo a luz do quarto
fecho abro janelas sobre a guanabara
já não penso mais em nada
meu olhar vara vasculha a madrugada
anjo exterminado
olho o relógio iluminado
anúncios luminosos
luzes da cidade
estrelas do céu
me queimo num fogo louco de paixão
anjo abatido
planejo lhe abandonar
pois sei que você acaba sempre por tornar
ao meu lar
mesmo porque não tem outro lugar
onde parar

Musicada por Jards Macalé.

DONA DE CASTELO

amor perfeito
amor quase perfeito
amor de perdição paixão que cobre
todo o meu pobre peito pela vida afora
vou-me embora embromadora
você pra mim agora
passa como jogadora
sem graça nem surpresa
diga que perdi a cabeça
se eu me levantar da mesa e partir
antes do final do jogo
louco seria prosseguir essa partida
peça falsa que se enraíza
e faz negro todo o meu desejo pela vida afora
vou-me embora embromadora
e quando eu saltar de banda
e quando eu saltar de lado
vou desabar seu castelo de cartas marcadas
e tramas variadas
SIM
seu castelo de baralho vai se desmanchar
            desmantelado
            decifrado
sobre o borralho da sarjeta
CHEGOU O INVERNO

Musicada por Jards Macalé.

RUA REAL GRANDEZA

ah vale a pena ser poeta
escutar você torcer de volta a chave
na fechadura da porta
abra volte veja
sou um cara sem saída
mas não se iluda com esta minha vida
toda vez que avisto sua figura leviana
no pórtico do quarto
penso em dar um corte em quem me embroma
sou forte abra volte
veja se me entende e me ama
desde o berço conservo o mesmo endereço
moro na rua Real Grandeza
abra, abra a porta
volte e veja
você não me engana
sozinho sem amor sem carinho
não digo com certeza
mas posso me arruinar
veja
jatos de sangue
espetáculos de beleza
ah vale a pena ser poeta
escutar você torcer de volta
a chave na fechadura da porta.

"BACILO LUPICÍNICO" — AUGUSTO DE CAMPOS

Musicada por Jards Macalé.

PONTOS DE LUZ

Me sinto contente
Me sinto muito contente
Ouso dizer completamente contente

Me arrisco a falar
Me sinto feliz
Me sinto muito feliz
Ouso dizer completamente feliz
Me sinto completamente
Completamente

Musicada por Jards Macalé.

TARASCA GUIDON

Piiiii
Pira tudo quanto é pitu
Quando eu em Pituaçu pintar

Ô ôôôôô **Ô DIÁ**
Tu tá doidiá
Na hora do gongo
Nas águas do Gongoji
Se banhar

Ô ôôôôô **Ô DIÁ**
Tu tá doidiá

No largo da Carioca
Na loca do acari
S'intocar

Ô ôôôôô **Ô DIÁ**
Tu tá doidiá
Tu tá doidiá

Letra e música experimental de Waly.

NEGRA MELODIA
(SOUL TRAIN DOMINGUEIRA)

Negra Melodia
vem do sangue do coração
I know how to dance
dance dance
Like a black
black young black
american black do Brás do Brasil
dance
dance
dance que é melhor
my girl don't try
to stop me
my woman don't cry
everything will gonna be alright
dance
dance
dance
(Não sei explicar)
meu pisante colorido
meu barraco lá no morro de São Carlos
meu cachorro Paraíba
minha cabrocha minha cocota
minha mona lá do Largo do Estácio de Sá
forget your troubles
and dance

forget your sorrows
and dance
forget your sickness
and dance
forget your weakness
CAUSE REGGAE IS ANOTHER BAG
DANCE QUE É MELHOR

Homenagem a Luiz Melodia, Itamar Assumpção e Black Brasil.
Intertexto de Bob Marley.
Musicada por Jards Macalé.
BANCO DE DADOS: 1º reggae brasileiro.

A CABELEIRA DE BERENICE

poder afagar sua pele macia
e quem pronuncia o próprio nome dela?
o vento esculpe seu corpo em nuvem
destampa ventre peito rosto cabeleira
traça de meu bem querer a visão inteira
entre estrela céu aberto firmamento

Ô Ô Ô

quando nela ponho o pensamento
fogueira abraça lenha e lenha com brasa se casa
o sol em combustão dispara raio relâmpago trovão
arco-íris fontes matas rios montes cascatas
chuva sêmen seiva sangue saliva
o mar oceano todo ele se ativa

Ô Ô Ô

quando certo pronuncio o nome dela
incólume penetro no chão do chão
onde só fera solta da floresta
coloca a oculta
a exata
impressão

Musicada por Moraes Moreira.

A VOZ DE UMA PESSOA VITORIOSA

Sua cuca batuca
Eterno **ZIGUE-ZAGUE**
Entre a escuridão e a claridade
Coração arrebenta
Entretanto o canto aguenta
Brilha no tempo a voz vitoriosa
Sol de alto monte, estrela luminosa
Sobre a cidade maravilhosa
E eu gosto dela ser assim vitoriosa
A voz de uma pessoa assim vitoriosa
Que não pode fazer mal
Não pode fazer mal nenhum
Nem a mim, nem a ninguém, nem a nada
E quando ela aparece
Cantando gloriosa
Quem ouve nunca mais dela se esquece
Barco sobre os mares
Voz que transparece
Uma vitoriosa forma de **SER**
E VIVER

Musicada por Caetano Veloso.

MEL

Ó abelha rainha
Faz de mim um instrumento
De teu prazer, sim, e de tua glória
Pois se é noite de completa escuridão
Provo do favo de teu mel
Cavo a direta claridade do céu
E agarro o sol com a mão
É meio-dia, é meia-noite, é toda hora
Lambe olhos, torce cabelos
Feiticeira, vamo-nos embora

É meio-dia, é meia-noite
Faz zum-zum na testa
Na janela, na fresta da telha
Pela escada, pela porta
Pela estrada toda à fora
Anima de vida o seio da floresta
Amor empresta a praia deserta
Zumbe na orelha, concha do mar
Ó abelha boca de mel
Carmim, carnuda, vermelha
Ó abelha rainha
Faz de mim um instrumento
De teu prazer, sim, e de tua glória.
E de tua glória
SIM
E de tua glória
E de tua glória
SIM!!!

Musicada por Caetano Veloso.

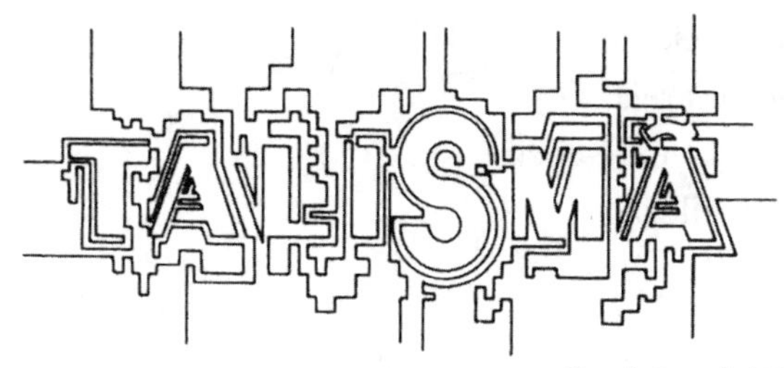

ao talismânico trio NOIGANDRES

minha boca saliva porque tenho fome
e essa fome é uma gula voraz
que me traz cativo
atrás do genuíno **grão da alegria**
que destrói o tédio
e restaura o sol
no coração do meu corpo
um porta-joia existe
dentro dele um talismã sem par
que anula o mesquinho, o feio e o triste
mas que nunca resiste
a quem bem o souber burilar

sim,
quem dentre todos vocês
minha sorte
quer comigo
gozar?

Minha sede não é qualquer copo d'água que mata
essa sede é uma sede que é sede do próprio mar
essa sede é uma sede que só se desata

se minha língua passeia
sobre a pele bruta da areia
sonho colher a flor na maré-cheia vasta
eu mergulho e não é ilusão
não, não é ilusão
pois da flor-de-coral
trago no colo a marca
quando volto triunfante
com a fronte coroada de sargaço e sal
sim,
quem dentre todos vocês
minha sorte
quer comigo
gozar?

Musicada por Caetano Veloso.

ALTEZA

Quando meu homem foi embora
Soprou aos 4 ventos um recado
Que meu trono era manchado
E meu reino esfiapado
Sou uma rainha que voluntariamente
Abdiquei cetro e coroa
E que me entrego e me dou
Inteiramente ao que sou
A vida nômade que no meu sangue ecoa
Abro a porta do carro fissurada
Toma-me ó mundo cigano
E sou puxada por um torvelinho
Abraçar todos os lugares...
Chamam por mim os bares poeirentos
E eu espreito da calçada
Se meu amor bebe por lá
Como me atraem os colares de luzes
À beira do caminho
Errante
Pego o volante
E faço nele o meu ninho
Pistas de meu homem
Aqui e ali rastreio
Parto pra súbitas inéditas paisagens
Acendo alto meu farol de milha
Em cada uma das cidades por que passo
Seu nome escuto na trilha

Arraial d'Ajuda, Viçosa
Porto Seguro, Guarapari, Prado
Itagi, Belmonte, Prado
Jequié, Trancoso, Prado
Meu homem no meu coração
Carrego com todo cuidado
Partiu sem me deixar caixa postal, direção
Chego a um lugar
E ele já levantou a tenda
Meu Deus, será que caí num laço
Caí numa armadilha, uma cilada
E que este amor que toda me **ESPRAIOU**
Não passou de uma lenda
Pois quando chego num lugar
Dali ele já levantou a tenda.

Atenda...

Atenda...

Atenda...

Musicada por Caetano Veloso.

LENDA DE SÃO JOÃO

Acorda, João
Que eu também quero ser
Batizado nas águas do Rio Jordão
Êta menino sapeca capeta
Dispara espoleta
Êta menino ladino porreta danado divino
Acorda, São João, e faz o menino levado
Saltar de dentro da velha
E do velho enferrujado
Mas não faz muita zuada
João dorme seu sono em paz
E se acorda assustado
Nem sei do que é capaz
Sei não, incendeia o mundo
E até o meu coração
Sapeca mandureba na fogueira
E acabou-se a brincadeira
Acorda, João
Que eu também quero ser
Batizado nas águas do Rio Jordão

Musicada por Moraes Moreira.

MUSA CABOCLA

Uirapuru canta no seio da mata
Papagaio nenhum solta um pio
Sereia canta sentada na pedra
Marinheiro tonto medra pelo mar
Sou pau-de-resposta, jiboia, sou eu, canela
Sereia eu sou uma tela, sou eu, sou ela
Coração pipoca na chapa do braseiro
Sou baunilha, sou lenha que queima
Que queima na porta do formigueiro
E ouriça o pelo do tamanduá
Mãe matriz da fogosa palavra cantada
Geratriz da canção popular desvairada
Nota mágica no tom mais alto afinada
Sou pau de resposta, jiboia, sou eu, canela
Sereia eu sou uma tela, sou eu, sou ela

Musicada por Gilberto Gil.

minha disposição poética???

AMAR a página enquanto CARNE numa espécie perversa de FODA

A PALAVRA ENQUANTO T A O

JÚBILO E AURORA
E O SOL CONTIGO
O MESMO
COMO AGORA

n u v e n s   e   n é v o a s
s o b r e   e l a s
o   s o l   s e m p r e   s e   m o v e
e   a   l u a   b r i l h a

DIA DA CRIAÇÃO

NADAR EM CIMA
QUAL ONDA
EM CIMA
DO CASCO
DO MAR

ARAUTO ESCOLA

nunca se sabe?????. . . . .

. . . .

é a mim também tudo isso soa antigo como uma gesta tornada ladainha de tão repetida e eu também tal como você já não ponho mais nenhuma tenção em escutar a substância da façanha e fico gostando só de estar embaixo em cima à altura dos seus olhos ouvidos que nem relâmpago trovão uma abertura de câmera uma entrada violenta de luz e ar num átimo uma espada de luz vim trazer a espada um bisturi elétrico de raio laser operando mutações na córnea no globo ocular no olho um ensaio de balão de ensaio um tubo de ensaio visionário um feto embrião não consigo falar nada desinfetado não venha me pedir uma fala não infestada de vírus não inoculadora de vírus infiltráveis ultravírus gusanos salso raio de viridiana podrida cega luz clara órion obscura um preparado de misturas alquímicas uma beberagem quase quase semifajuta que procura achar o elixir da longa vida e a maneira de transmutar qualquer material todo e qualquer metal em ouro e na demanda da pedra filosofal e que também tantas e tantas e tantas vezes sem conta se enrosca no oposto quando o impulso se encobre incubado quando o querer enrustido quero mesmo o meio a mira mais vulgar mais trivial de acertar um alvo um porto um alvo em cheio no centro da mosca é mais do que certo eu desejo o próprio ato de gestação dum alvo é certeiro quero quero que não vim trazer a paz de bustica paz de Bustiquinha agora você me diga pois donde deriva donde boia a perícia destreza habilidade me preparo em cada canto em toda esquina para este encontro com o tutano das palavras o tam-tam o tam-tam-tam das palavras circum-navegação no bojo ventre aventura ao sopro brisa percussão ritmo e ritmo que dá cor à fala fogo do santo espírito vivo versus letra morta estes feitos guerreiros esta batalha esta sucessão de miliúmas fogueiras este fogo-fátuo tudo é igual e semelhante é similar ao fruto você tem que saber quando está no ponto no tempo certo maduro e se você aprende a respirar você aprende uma determinada soltura de corpo e frescor demente digo de mente um viço sêmen semente um viço aonde adonde donde de onde os poetas aprendem poesia????? não em conservatórios evidentemente tiro os outros por mim aprendi em poetas que admirei admiro botando a mira em cima deles tentando ser tal qual eles ....

....

....

línguas de fogo...

....

....

meu pai era um árabe do crescente fértil meu pai imigrante pobre vindo adolescente muçulmano pro Brasil meu pai me ensinou que homem inteligente não guarda rancor meu pai me ensinou meu pai

....

e um filho genuíno precisa ser o antitipo de seu pai????? ora você me diga esta resposta já que é decifrador profissional de enigmas que por meu turno na minha vez de revezar me encontro por profissão a perigo no bolso a perigo na rua a perigo no coração.....

....

....

aí então você descobre afinal um modelo e você escreve tal qual ele horas e horas a fio e você tenta penetrar no espírito do seu modelo e escrever noite e dia e noite e dia e noite nenhum dia sem um traço nenhuma noite sem uma linha tomado possesso possuído pelo seu modelo e é este o papel dos modelos enquanto você persevera topando a parada sem medo de errar até matar a charada ....

. . . .

mas até lá enquanto dura o duro durante você sente amor enovelado em toda parte seu métier sem corporação que transmita de mestre para aprendiz Deus porque me abandon. . . . .

. . . .

e que fazer que pode fazer um filho pobre rapaz enquanto chapado transcorre o tempo senão descolar uma guitarra e tocar e rolar e cantar e. . . . . dançar?????

. . . .

. . . .

saia da frente espelho opaco de literato. . . . .

. . . .

(interferência de voz de fantasma do velho mundo europeu, ininteligível para transcrição). . . . .

. . . .

sai da frente espelho eunuco de literato. . . . .
meu barco vai partir num mar sem cicatrizes. . . . .

. . . .

. . . .

quero passar dos cafundós da caatinga à lucifer das cidades do litoral e refazer o périplo no sentido inverso estar apto e me mover duma posição para jogar no outro vértice ser logo tão leitor quão o leitor autor. . . . .

. . . .

. . . .

viajar pelo espaço sideral. . . . .

. . . .

a ninguém admirar. . . . .

. . . .

nada nada é modelar tudo tudo é permitido você entende e vira pão radioativo e vinho de harém para quem fome e para quem sede digo que o bardo tem que manter aceso o faro raro da poesia fundadora da identidade tribal.................................

....

facho, archote..

....

dos sonhos que os vates prenunciam...........................

....

há uma vasta demasiada demanda na feira da praça da república

....

..........................quem sabe ao certo quem sabe?????

....

no dia de nuncas?????...
o arauto vai anunciar as suas funções públicas.....................

....

o arauto vai declinar as suas funções públicas.....................

....

uma sã expectativa de que poetas plenos precisam ocorrer para fundar condimentar apimentar salgar a carteira de identidade do clã...

....

(aqui entra em cena Nebula Brazilianist, a sexy spy, uma verdadeira erudita da CIA, que vocifera: — Bem, Well, nota-se que o uso que o autor destina às palavras "bardo", "vates" e especialmente "arauto" evidenciam um traço carismático-populista, configuram um surto...
....messiânico)
no dia de são nunca de manhã de tarde ou de.......................
....noite?????

....

de modo que o que me fascinou na ideia de escrever falar racontar para esses estranhos olhos ouvidos alheios foi a tentação de desenvolver uma conversa fiada bam-bam-bam caixa de fósforo desenvolver uma Balela nome próprio da fábula literária foi o gosto de armar uma armadilha sonora de abrir um lance pai filho espírito santo de fiar uma persona uma máscara provisória que não chega a colar na cara porque nada como um dia depois do outro depois do outro depois do outro e Alegoria Alegoria é uma coisa efêmera logo logo se esquece...

vê se me esquece...

....

e eu fico por aqui porque aqui habito.............................

O MONTE DE ARABÓ

O perigo da irmãzinha moça ter seu hímen rompido
cabaço
pelas rodas gigantes do trator progresso
trazendo asfalto
FORA! FORA!
Os tratores vão devorar as nossas filhas
FORA!
O trator vai devorar nossas filhas
Minha espingarda imprestável.
Favor, uma espingarda emprestada.
A esteira do trator vai expor o escondido das nossas
filhas.
A sanha do trator come a bussanha das nossas irmãs.
A sanha do trator   come a   bussanha.
Palmas!
Batam palmas pro trator!
Palmas, amigos!
VIVA O TRATOR!
A SIDERÚRGICA!!
O trator é bonito
Eu estou gostando e você?
Você está gostando do trator como estou gostando do trator?
Q sangue bom atraiu a maravilha?
— O trator está cumprindo sua obrigação de tapar os buracos.
— Não tenho nenhuma opinião formada ainda sobre o trator. pois
estou acabando de chegar agora.
— Não acho nada.

— Gosto, está aplainando mais, estava enladeirada.
— Por que você está gostando do trator?
— Porque tou.
— Por quê?
— Porque tou.
— Por quê?
— Porque tou.
— E você, qual sua opinião?
— Porque eu gosto de ver o trator porque eu gosto de mostrar o xibiu.

O xibiu no meio da mata cabeluda de Arabó é indício de diamante.
Bota o xibiu pra fora.
Bota o xibiu no tempo.

Xibiu = xota. Glossário para ignorantes.
Favor consultar Dicionário de Mário Souto Maior.

MOTIVOS REAIS BANAIS

FINJO

finjo
finjo
erro minto
minto mas sei sinto
sinto sou sincero leal natural
tal qual antena
                              duma
fera animal
guardo sempre o traço
jovem nobre bravo
dum farejador amoroso
pra quem o longe é sempre perto
que nunca esquecerei
cordão umbilical que me alucina
delírio de tornar a ser
                                        girino pirilampo
                                   peixe pássaro relâmpago
outra vez na clareira acordar
andarilhar através de todo ar
                                          de toda água que há
num voo mergulho mergulho voo
sem cura sem medo sem culpa
pelo buraquinho da peneira poder passar
quando barravento forte assoprar
no meio dum redemunho irei rodopiar
que nem pipa pião também quero peneirar

sorrio gargalho zombo
conforme um fio
de horizontal rio
que de tombo em tombo
se ergue até oceano
                    vertical
                              mar

Musicada por Adriana Calcanhotto. (N. E.)

UNS & OUTROS

UNS
&
OUTROS

Onde ouro e palmeiral, paisagens, mesas de altos manjares
Onde solares e ilusão, fazendas, castelos, pastagens
Onde braceletes, carrões, piscinas azul-turquesa
Nada melhor de se mirar
Neste rico mundo — para uns.
Onde, para mim, é conjugar contigo o verbo **AMAR**, Marta,
E, os dois, encarnar as pessoas, os tempos e os modos deste verbo,
Em contente união.

UNS
&
OUTROS

Tenho dito a mim mesmo repetidas vezes:
"E foi para isso que tu, ó Poeta, ouviste os profetas
Do Oriente e os hinos dos Gregos
E ainda há pouco o roncar dos trovões, para colocares
O Espírito em uso servil e ultrapassares em escárnio
A presença do bom, e negares o simples,
Sem coração e em jogo mercenário

Tangê-lo como animal cativo?”
Tenho dito.
E foi para isso que aprendeste de cor e salteado, que decoraste
Que gravaste no coração as baladas de Villon, o Vagabundo
E pregaste nas paredes as canções de amor de Safo?
Tenho dito.
Tenho dito e aqui reedito.
Que sou nefelibata nato.
Que antanho me supus uma máscara inscrita “**GIGOLÔ DE BIBELÔS**”.
Que sempre serei surrupiador de souvenirs.
E é assim, Poeta, que te indefines?
Assim te desenrolas das peçonhas e as malhas da lei
não podem te pescar.
Quem és, afinal? A qual espécie de peixe pertences?
Um mero embaralhador de cartas.
Um mero embaralhador das cartas pousadas sobe o
veludo da mesa deste profuso cassino.

Rio, outubro, 1981.

ASSIM SE VAI AOS ASTROS

QUEM?

Quem é esse **QUEM** que dentro de mim fez ninho e é amigo
E é avião fora de rota ou corpo celeste doido essa ave
E me alevanta e seu bico aponta
Para as margens da exuberância?
D
  e
    s
      ç
        o
Em qual região do mundo aportei?
Por ora aterrissado estou num chão batido
Vagabundeio
E a cana furada da minha flauta neutras palavras serpenteia
Elas se ouriçam imantáveis najas
Ao poder do chama-de-alçapão
Deste meu sopro
Sincopável
Agarrado a esta escada de éteres e guindado por algum Deus
Outrora amanhã agora intento sempre escalar os céus
Tateio quase descambo
Inda não vi nada, meu Deus, inda não vi nada
O que nos longes se vislumbra seta e alvo será do meu
talhado desígnio?
Teimo em restar aqui no mirante deserto
Muezim mugindo à toa
Mas já a luz se mostra demasiado duvidosa

Divulgado fogo-de-santelmo ou talvez vulto de miragem
Aquela língua de chama azulada
Com estrias de jade
Lambendo lastros e mastros dos navios?
Mesmo uma cidade inteira diviso exterior ao terreno plano da vista
Estampado **TAO** de porcelana chinesa
Oásis que mana oásis à só menção da palavra **OÁSIS**
E eu subo
Pela teia acima marinhando
Taliqual a aranha
D
 e
  s
   ç
    o
Subo
Subo ao som da vontade
Até que a dura tesoura ou a afiada cimitarra corte os fios
Sedas
Dos meus dias
SIC ITUR AD ASTRA

BANDEIROSO PELO TELEFONE

— ô Bahia
tou aqui no Rio
— mentira
sinto você aqui por perto
seu sonso
— vou levar metade
do Pão de Açúcar
de presente
pra você
— cuidado
não se saliente
com minha rival carioca
— qual?
você na minha vida
é sem rival
que papo é este?
partindo de você
eu não mereço
quem é ela
que nem conhecer conheço?
— Dona Encrenca
meu sonso

FÊMEO-FÊMEA

Alhures,
todo me vibro em tudo
Aqui,
poderei decalcar o
Q
é fugaz?

Racontar
rapsodiar
te me apreender
Prender e soltar numa clareira-narrativa

(Picada aberta na floresta amorfa)

E comandar:

— **PASSE**, carne colada ao envelope da placenta
— **PASSE**, fragmento encharcado nos líquidos
placentários

Como
te
me
desprender?
Como???
COLEAR
Por entre atoleiro areia mó movediça charco

Ser serepente q serepenteia o bote-mor
Emaranhada na liana do próprio nó

cobra e sua dobra boa constritor cabrioladora
teatro e seu duplo

FÊMEO-FÊMEA

Q

ora se finge vulto miragem disto
ora se afigura voragem esfinge
daquilo

algures

NOSSO AMOR RIDÍCULO SE ENQUADRA NA MOLDURA DOS SÉCULOS

NOSSO AMOR RIDÍCULO SE ENQUADRA NA MOLDURA DOS SÉCULOS
SUGO ESPIRAIS DAS NUVENS DE CIGARRO QUE FUMO
SOPRO BAFORADAS-CARAMUJO POR ENTRE VOLUTAS DO UNIVERSO
EU, PEQUENINO GRÃO DE AREIA-POETA, PLASMO RIMA ALITERAÇÃO METÁFORA OXIMORO VERSO
PASTO PALAVRA: QUINQUILHARIA NINHARIA PALÁCIO DO NENHURES Ó CASTELO
DE VENTO
PASTEL DE BRISA
MONTE DE GANGA BRUTA
ESTUÁRIO DE BUGIGANGA NONADA
EM CONFRONTO COM MANADAS MIRÍADES D'ESTRELAS ESPOUCADAS
SOBRE OS SETE DIFERENTES MARES QUE SETE ESPELHOS SÃO PARA ALGUM MAR ABSOLUTO
(ROMA E BAALBECK E BAGDÁ E BABILÔNIA E BABEL SIDERAL)
E É O NOSSO AMOR UM AMOR TÃO DIMINUTO
LAMPEJO DE SEGUNDO
RELÂMPAGO DISSOLUTO
FILETE DUM RIO MINÚSCULO
MICROSCÓPIO LEITO

AMOR ....NOSSO SÉCULO:
BURACO NEGRO SORVEDOR DE VULTO AROMA LUZ
BAGAÇOS DE ROLHA BOLHA BORRA PORRA PÓ
BEBO VINHO PRECIOSO COM MOSQUITOS DENTRO
MURIÇOCA MARUIM POTÓ

Musicada por Juarez Maciel. (N. E.)

SELVA JUBILOSA

para Júlio Bressane e Rosa, flores da amizade

SILVA DE DITADOS
Cipoal de Adagas Adagiário

Fabricar uma selva jubilosa perobas eretas
Flores de maracujá: fechadas / entreabertas / abertas
Esculpir cipós fingir lianas
Investir em gravatas bromeliáceas irreais
Incitar leões com a flauta-ímã de **PÃ**
Júbiles jubas q não jorram do engenho e **SIM** dos sins da arte

(Prorrompe em palmas o alto do palmeiral)

Seiva pra
Que esta página REVERBERE verde sumo
Que esta pálida página EXUBERE supremo verde
Inexistente "HINO À ALEGRIA" virá a luz
na carretilha da escala
cromática
Tal verde T A O sem par algum ao natural
Toda a escalada do verde verdor
escada matizada
pós nos degraus dos tons
Gradações matizes matisses
sendo que é pra finir super O S C U R O
Verde com Preto
no recorte tesourinha scissorado da selva
dantes
Nel mezzo
Del C A M M I N selva Oscura selva selvaggia e aspra e forte

A P O R I A:
poesia pedra de tropeço O U poesia pedra de toque???
" Fabricou Salomão um palácio ... "
Alheio não há soa tudo próprio Opiário
Orquidário

ALTO-AUTOACALANTO

BERCEUSE CRIOLLE

Llanto
Ui   Ui   Ui
De noite de noitin noite
Faz escuro mas eu .... abro no berreiro
Ai aiiiii irmãe **ÃE ÃE ÃE** ai ai ai mãinha
Me leva pro vão do terreiro
Pendura a saia no galho na galha da cama de tudo q é folha do chão
Fica nuinha em pelo

(Espelho de dentro da lagoinha)

Me mostra a lua crescente
                                        o sete estrelo saliente
                                        a gruta abrupta
                                        a aresta da greta
                                        a eletrical falésia
                                        o grelo em pelo
Hasteamento da bandeira sobre o pico do sétimo céu
APEX   DO   ÁPICE

Me embrulho no manto do meu próprio canto
Canto da minha costela de Adão Segundo
AVE   EVA   AHH   VIADÃO
Cá em riba da cama do chão
Lá debaixo do céu do terreiro

Solitude   recife   estelário
Bussanha-pica-cu-caralho
CELESTE   IMPÉRIO   sopro sobre o barro
                                        SIDÉRIO

Itapuã on my mind 1983 — RIO

POEMAS DE ARMARINHO DE MIUDEZAS [1993] E HÉLIO OITICICA: QUAL É O PARANGOLÉ? [1996]
POEMAS DE ARMARINHO DE MIUDEZAS [1993] E HÉLIO OITICICA: QUAL É O PARANGOLÉ? [1996]

POEMAS DE ARMARINHO DE MIUDEZAS [1993] E HÉLIO OITICICA: QUAL É O PARANGOLÉ? [1996]

POEMAS DE ARMARINHO DE MIUDEZAS [1993] E HÉLIO OITICICA: QUAL É O PARANGOLÉ? [1996]
POEMAS DE ARMARINHO DE MIUDEZAS [1993] E HÉLIO OITICICA: QUAL É O PARANGOLÉ? [1996]
POEMAS DE ARMARINHO DE MIUDEZAS [1993] E HÉLIO OITICICA: QUAL É O PARANGOLÉ? [1996]

Armarinho de miudezas, publicado originalmente em 1993 na Coleção Casa de Palavras da Fundação Casa de Jorge Amado, é um livro híbrido e de difícil classificação, que reúne textos ensaísticos e poéticos. Optamos por reproduzir aqui apenas os textos em verso que aparecem ao longo do livro.

O último texto desta seção, "Balada de um vagabundo", foi extraído do livro *Hélio Oiticica: Qual é o parangolé?*, que, publicado na série Perfis do Rio numa coedição entre o Rio-Arte e a Delume-Dumará Editores, em 1996, também pende mais para o ensaio e para a biografia, embora a dicção poética de Waly esteja sempre presente. Ainda que essa balada tenha dado origem à música feita em parceria com Frejat e gravada por Cazuza em 1985 no álbum *Exagerado*, optamos por reproduzi-la aqui e não na seção final de canções porque, ao incluí-la em seu livro sobre Hélio Oiticica, Waly fez modificações no texto, acrescentando versos. Essa prática se tornaria constante em sua obra a partir do livro seguinte, *Algaravias* (publicado também em 1996 pela Editora 34). Mesmo após as letras terem sido musicadas e gravadas, Waly continuaria trabalhando nos textos, modificando-os até a publicação em livro. (N. E.)

ARS POÉTICA
OPERAÇÃO LIMPEZA

Assi me tem repartido extremos, que não entendo...

Sá de Miranda

I. SAUDADE é uma palavra
Da língua portuguesa
A cujo enxurro
Sou sempre avesso
SAUDADE é uma palavra
A ser banida
Do uso corrente
Da expressão coloquial
Da assembleia constituinte
Do dicionário
Da onomástica
Do epistolário
Da inscrição tumular
Da carta geográfica
Da canção popular
Da fantasmática do corpo
Do mapa da afeição
Da praia do poema
Pra não depositar
Aluvião
Aqui
Nesta ribeira.

II. Súbito
Sub-reptícia sucurijuba
A reprimida resplandece
Se meta-formoseia
Se mata
O q parecia pau de braúna
Quiçá pedra de breu
Quiçá pedra de breu

CINTILA

Re-nova cobra rompe o ovo
De casca velha

SIBILA

III. SAUDADE é uma palavra
O sol da idade e o sal das lágrimas.

ÓBVIO & ÓVNI

LUZ ESTRELA FICOU FLAT

QUEREMOS RADIÂNCIA ÓVNI

BAHIA TURVA

[...] un étranger dans cette mêlée fraternelle. Même s'il n'a jamais trahi, on sent, à sa manière d'être fidèle, qu'il pourrait trahir, il ne prend pas part comme les autres, il manque à son assentiment quelque chose de massif et de charnel.

Merleau-Ponty, *Éloge de la Philosophie*

BAHIA QUE TAMBÉM RIMA COM ALERGIA/ELEGIA

Maré-cheia de fofocas por todos os lados,
do lado da corte
e do lado do cortiço, do bairro burguês
e fofoca da maloca
do mocó do biongo da palafita de alagados.
Que atroz ironia: Rio das tripas, cloaca geral
sociedade anônima
de soterópolis cap, desemboca no mar
por entre o Jardim dos Namorados
e o Jardim de Alah.
Um conselho de eunucos chilreia cheio
de salamaleques sob o loque das palmeiras brabas.
Bahia não só de luzes, Bahia de todas as fezes.
Bahia de todas as trevas
Bahia de vistas turvas e língua de trapo.
Bahia de tantas travas e cabrestos
e tramas e tramoias e taramelas.
O mito reluzente da cidade plantada

na colina por Tomé de Souza
feito enxurro que escorrega encosta abaixo
para as planícies, os vales,
o manguezal alagadiço palafitado
taliqual Ganvier-Benin, os baixos,
o apicum geral.
O apicum.
Até um gerúndio do verbo asnar tornado vereador:
ASNANDO.
Obra-prima do bate-boca, do disse me disse,
"A BRIGA DAS FATEIRAS"
do velho célebre Rabelais do recôncavo
Cuíca de Santo Amaro, o tal.
Um paraíso podrido de mondrongos horrorosos
pintado por um Caravaggio de 15ª categoria,
um Caravaggio acanalhado.
Ilustração adequada: a assim chamada
fase negra de Goya.
Viver na Bahia não é só comer acarajé, não.
Nem xinxin de galinha, comida sem igual.
Viver na Bahia é mastigar um sanduíche
misto de entropia e maledicência
Sandice absoluta pois Bahia também rima
com positiva alegria
que reina no Bar Buteco do Farias
situado no fim da linha do Pasolini
bairro da Fazenda Garcia
onde sempre que podia lá eu ia
e eu ia
e eu ia
e eu lá ia
isto é sempre que podia.

Oh! que brava alegria eu tenho quando
Oh! que brava alegria eu tenho
quando *there's no place*
like Budião, Amaralina *et caterva.*
Bela doida doida doida cidade híbrida
Ora me recorda **COTONOU-BENIN**
Ora me lembra **ALEXANDRIA**
de Konstantinos Kaváfis
Quem quiser que invente outra cidade
pois se eu quiser invento outra.
E eu quero.
Uma que seja agulha de luz atlântica.

O CÓLERA E A FEBRE

(PASTICHE PÁLIDO E MAL CESURADO DE CESÁRIO VERDE)

Um bode imundo irrompe
(Ígnea flecha? Dardo em fogo? Bólide no lusco-fusco?)
Em mórbida tropelia em desabrida correria
E perante minha pessoa   a fera
                                          estaca
E já dentro de mim se esmera
Num enrodilhado torcido e ignoto jogo malabar.
Para toda gente coube o domingo:
Praia féerie cooper jogging corpo ao sol torso ao mar:
Minha porção na partilha:
Lycopodium tédio porre tosse torpor
Homeopático e pluvioso horror.

nas nossas ruas,
ao anoitecer.

FALLAX OPUS
OBRA ENGANADORA

Como se fosse dialogando com Zé Celso Martinez Corrêa

— Falar é Fôlego-Fátuo

Chego e constato:
— Teatro não se explica
Teatro é ato

Afônico sim, afásico não
Eu, poeta, perco a voz
E quase me some o nume
Ícaro caído
Asas crestadas pelo sol
Dos refletores
Caricatura de Ícaro
Sapecado

Estatelado no atro átrio pergunto:
— Aonde eu entro?
Onde eu entro?

Um eco cavo cavernoso retruca:
— No entreato
No entreato
No entreato

BALADA DE UM VAGABUNDO

eis o sol, eis o sol
o sol apelidado astro rei
eis que achei o grande culpado
desse meu viver destrambelhado
d'eu perambular assim pirado
largando o meu acre coração desnudo lacrado
enrugado maracujá de gaveta de um prédio vazio
num terreno baldio sepultado e, logo após abandonado
ignoro qual o bairro, o cep, a rua, a carteira de identidade
não me pergunte se ser portador do número xis do cic me deixa feliz
serei chegado a um sal, qual espada afiada que separa o bem do mal?
me viro no cê do centro, no porta-mala da estação central
dançarei nu pelado nu flagrante flagrado no mar de dentro da cratera da lua
mesmo sem saber onde termina a minha e onde começa a sua
rebolarei embaixo da marquise, perfumado subúrbio, triste trópico, paraíso
folhas da relva da erva do alecrim dourado manjericão grama do viaduto
eu não irei, você vai? vou não, doce melancolia, você ia? não, ia não, eu não ia
deixa a tristeza deitar, usar, abusar da fama, rolar na minha cama
dez cem mil vezes, cada noite todo dia, morro de solidão e dor
um milhão bilhão trilhão de vezes, reviro alegria, salto para o amor
um vício só somente só para mim não basta
uma inflação de amor incontrolável por meu corpo alastra
tá lotado, tá repleto de virtude e vício, o meu céu
um galo sozinho levanta a crista e cocorica seu escarcéu
um vício só somente só é pura cascata
faço treze pontos, sou pule premiada do jogo do bicho
eu sou o beijo da boca do luxo na boca do lixo
eu sou o beijo da boca do lixo na boca do luxo

ALGARAVIAS: CÂMARA DE ECOS
[1996] ALGARAVIAS: CÂMARA
DE ECOS [1996] ALGARAVIAS:
CÂMARA DE ECOS [1996] AL-
GARAVIAS: CÂMARA DE ECOS
[1996] ALGARAVIAS: CÂMARA
DE ECOS [1996] ALGARAVIAS:
CÂMARA DE ECOS [1996] AL-
GARAVIAS: CÂMARA DE ECOS
[1996] **ALGARAVIAS: CÂMARA**
DE ECOS [1996] ALGARAVIAS:
CÂMARA DE ECOS [1996] AL-
GARAVIAS: CÂMARA DE ECOS
[1996] ALGARAVIAS: CÂMARA
DE ECOS [1996] ALGARAVIAS:
CÂMARA DE ECOS [1996] AL-
GARAVIAS: CÂMARA DE ECOS
[1996] ALGARAVIAS: CÂMARA

Para Marta Braga

Agradecimentos especiais
aos meus assessores-marinheiros
do ciberespaço:

Khalid F. Braga Salomão e
Omar F. Braga Salomão

What is poetry?
— Poetry! that Proteus-like idea…
Edgar A. Poe

ALGARABÍA. Del á. *al-garb*, el occidente: algarabia, el poniente, cosa de poniente, gente que vive hacia el poniente, lengua de los alárabes que morában hacia el poniente: Y como esa lengua de los alárabes era un á. corrompido, poco inteligible para los castellanos, de ahí que traslaticiamente pasase *algarabía* a sígnificar cosa dicha o escrita de modo que no se entiende, y gritería de varias personas que por hablar todas a un tiempo, no se puede comprender lo que dicen. — Otros dicen que salió de *alarabiya*, la lengua á. — *Algarabía* es también nombre de planta, y parece que se le dió por la confusión de sus ramas, aludiendo al significado con que está comunmente recebida la voz *algarabía* (Academia Española).

Pedro Felipe Monlau, *Diccionario etimologico de la lengua castellana*

HOKUSAI

DESDE OS 6 ANOS
QUE EU TINHA A MANIA DE DESENHAR
A FORMA DAS COISAS.
QUANDO EU ESTAVA COM 50 ANOS,
TINHA PUBLICADO UMA INFINIDADE DE
DESENHOS;
MAS TUDO QUE PRODUZI ANTES DOS 70
ANOS DE IDADE NÃO É DIGNO DE SER
LEVADO EM CONTA.
AOS 73 ANOS APRENDI UM POUCO
SOBRE A VERDADEIRA ESTRUTURA
DA NATUREZA,
DOS ANIMAIS, PLANTAS, PÁSSAROS,
PEIXES E INSETOS.
EM CONSEQUÊNCIA,
QUANDO ESTIVER
COM 80 ANOS DE IDADE
TEREI REALIZADO MAIS E MAIS
PROGRESSOS;
AOS 90,
PENETRAREI NO MISTÉRIO DAS
COISAS;
AOS 100,
POR CERTO TEREI ATINGIDO UMA FASE
MARAVILHOSA,
E QUANDO TIVER 110 ANOS DE IDADE,
QUALQUER COISA QUE EU FIZER, SEJA

UM PONTO OU UMA LINHA, TERÁ VIDA.

ESCRITO AOS 75 ANOS DE IDADE POR MIM,
OUTRORA CHAMADO HOKUSAI,
HOJE GWAKIO ROJIN, O VELHO LOUCO POR DESENHAR.

CÂMARA DE ECOS

Cresci sob um teto sossegado,
meu sonho era um pequenino sonho meu.
Na ciência dos cuidados fui treinado.

Agora, entre meu ser e o ser alheio
a linha de fronteira se rompeu.

1993

LAUSPERENE

Quase qualquer antologia
da atual poesia nacional:
sequência segue sequência
de poema-piada
e pseudo-haicai.
Ou o pior de tudo
e o mais usual:
brevidade-não concisão
brevidade-camuflagem
de poema travado
engolido pra dentro.
Belo é quando o seco,
rígido, severo
esplende em flor.
Seu nome: Cabral.
Nome de descobridor.

1993

RUA CARIOCA 1993

Estilo tísico (corte cronológico século 19)
de ser poeta.
Estilo tísico abre a boca e fala de rua
como se pavimentasse
com paralelepípedos
seu gabinete engasgado.
O que estilo tísico pensa ser rua:
rua não é nem rua foi.
Saudades do sapo ou do peixe-boi.
São imagens roubadas de poemas e poetas,
recortes, recopilações, reprises,
amostras grátis,
coágulos sem sangue,
próteses da fantasmagórica Rua do Sabão.

Sem a vitalidade amarelo-estridente
de um cravo-de-defunto.

1993

TAL QUAL PAUL VALÉRY

dorénavant, doravante,
(somente em algum caso específico
com calculado efeito retroativo)
cada poema
... onde tudo é equilíbrio
e cálculo...
constitui
em si
per si
a resolução de ser poeta.
... onde tudo é equilíbrio
e cálculo
como na música de Stravinsky.
Valéry não é arremedo de escudo
para o acuado remoedor do ar de medo:
um poema deve ser uma festa do intelecto.
E poemas e festas e intelectos implicam riscos.
Cuidado para não escrever:
ali, onde tudo não é senão ordem e beleza,
luxo, calma e volúpia.
Mas nada de emenda
pois este paraíso-artefato
só se atinge de fato no poema.
Por que proibi-lo de ser o delírio das sensações?

Por que propor, ó fedelho, um cinto de castidade
e uma presilha para uma donzela-musa
deflorada e redeflorada cuja virgindade
só se recompõe por gosto de ser
deflorada e redeflorada mais?
Às vezes, ela clama para ser estuprada
mas não por você que fede a cueiros.

Sei, com os antigos e alguns vivos,
que a fobia castra os ritmos
e as formas da coragem.
Sá de Miranda, Camões, Cesário,
João Cabral, Augusto, Ashbery:
a resolução de ser poeta
sem precisar o peito
estufar
de vãvaronice.
E, no mais,

POESIA É O AXIAL.

1993

POEMA JET-LAGGED

para Antoní Llena, artista catalão

Viajar, para que e para onde,
se a gente se torna mais infeliz
quando retorna? Infeliz
e vazio, situações e lugares
desaparecidos no ralo,
ruas e rios confundidos, muralhas, capelas,
panóplias, paisagens, quadros,
duties free e shoppings…

Grande pássaro de rota internacional sugado
pelas turbinas do jato.

E ponte, funicular, teleférico, catacumbas
do clube do vinho, sorbets, jerez, scanners,
hidrantes, magasin d'images et de signes,
seven types of ambiguity,
todas as coisas
perdem as vírgulas que as separam
explode-implode um vagão lotado de conectivos
o céu violeta genciana refletido
na agulha do arranha-céu de vidro
estações megalivrarias bouquinistes
la folie du voir bistrôs cinemas cidades
países inteiros engolfados no bueiro.

Alta cozinha e junk food alternam-se.
O carnaval caleidoscópico das ruas
onde a dura liga metálica das línguas
se derrama no vigor demótico tatibitati
full of bullshit dos motherfuckers and
mothersuckers e fuck yourself up.
É de dia? É de manhã? É de tarde? É de noite?
Dormindo? Acordado? Sonâmbulo?
Diâmbulo ou noctâmbulo?
Como uma flecha, rasgar o regaço da língua
materna. Da cálida vagina, como uma flecha
disparada.
Como uma flecha: o multilinguismo é o alvo.
Busco "los papeles rotos de las calles"
e num retângulo da muralha de Girona tornado
dorso de um tigre para a algaravia de um Deus,
eis que decifro:

És quan dormo que hi veig clar!!!

E exubera o imanentismo mediterrâneo
carnalidade carpe diem pele cor mel de verniz
do Gran Torso de Tàpies Antoní Tàpies ao modo
de um Michelângelo do subsolo do Louvre
em Celebracio'de la mel. Destaque para la noche
oscura dos pelos pubianos. "Pelos pubianos",
assim fala Ana Ramis vestida num Kenzo
prêt-à-porter. "Pentelho" na minha faláspera.
O caos como um jogo de armar, um jigsaw
puzzle cósmico. O mundo como jogo
que se desarma. A lua verde-esmeralda
dos esgotos de Natitingou, Cotonou, Abidjan

salta de continente e brilha incontinente na tela
do rosto alvejado de gesso
da bicha Nossa Senhora das Ramblas
explorada por um gigolô cruel
e encurralada por handycams japonesas.
A rua é rua-rua ou realidade virtual interativa?

SCREENS SIGNALS

Use the information at the top of the screen
to plan your fighting strategies and
keep track of your progress...

— Indique-me sua direção, onde você se encontra agora?
— Estou exatamente na esquina da Rua Walk com a Rua Don't Walk.
As bestas relincham
e folheiam o Almanaque de Gotha
da velha nobreza poética.
O sol em extinção, as horas turvas e os espaços
em desordens são minhas matérias.
Fundo falso da bagagem da contrabandista.
Doce de goiabada cascão
com enchimento de cocaína.
Alfândegas e agentes alfandegários
enquanto espantalhos e espartilhos dessuetos
de um universo em erosão vorticista.
Habito meu nome legal ou contrabandeio
bárbaros e barbárie no meu bojo?
Traficar?
Trafico pitangas em chama, tiê-sangue,
camião de romeiros de Bom Jesus da Lapa,

a palavra **OXENTE** e galhos de ingazeiros.
O vinho raro que explodiu dentro da mala
e tingiu de tinto a camisa alva e cara da marca
"Comme des garçons".

E tudo:
    a mesma pasta que as minhocas da entropia
amalgamam num só composto.

Mas ficar, para que e para onde,
se não há remédio, xarope ou elixir,
se o pé não encontra chão onde pousar,
embora calçado no topatudo inglês
do Dr. Martens,
(a sensação de ter enfiado o pé na jaca)
se viajar é a única forma de ser feliz
e pleno?

Escrever é se vingar da perda.
Embora o material tenha se derretido todo,
igual queijo fundido.

Escrever é se vingar?
Da perda?
Perda?
Embora? Em boa hora.

1993

Lina Bo Bardi

FÁBRICA DO POEMA

in memoriam *Donna Lina Bo Bardi*

sonho o poema de arquitetura ideal
cuja própria nata de cimento encaixa palavra por
palavra,
tornei-me perito em extrair faíscas das britas
e leite das pedras.
acordo.
e o poema todo se esfarrapa, fiapo por fiapo.
acordo.
o prédio, pedra e cal, esvoaça
como um leve papel solto à mercê do vento
e evola-se, cinza de um corpo esvaído
de qualquer sentido.
acordo,
e o poema-miragem se desfaz
desconstruído como se nunca houvera sido.
acordo!
os olhos chumbados
pelo mingau das almas e os ouvidos moucos,
assim é que saio dos sucessivos sonos:
vão-se os anéis de fumo de ópio
e ficam-se os dedos estarrecidos.
sinédoques, catacreses,
metonímias, aliterações, metáforas, oximoros

sumidos no sorvedouro.
não deve adiantar grande coisa
permanecer à espreita no topo fantasma
da torre de vigia.
nem a simulação de se afundar no sono.
nem dormir deveras.
pois a questão-chave é:
    sob que máscara retornará o recalcado?

(mas eu figuro meu vulto
caminhando até a escrivaninha
e abrindo o caderno de rascunho
onde já se encontra escrito
que a palavra “recalcado” é uma expressão
por demais definida, de sintomatologia cerrada:
assim numa operação de supressão mágica
vou rasurá-la daqui do poema.)

pois a questão-chave é:
    sob que máscara retornará?

1994

Musicada e cantada por Adriana Calcanhotto.

A lamparina lilliputiana da Donna Lina

MÃE DOS FILHOS PEIXES

para minha Yemanjá: Marta

ODOYÁ, YEMANJÁ
mãe do peixe vivo, do pescado e do pescador,
mãe da paixão do grão de areia
pela estrela-do-mar.
mãe da água-mãe e do tapete de algas
e da caravela e da água-viva.
mãe do cavalo-marinho
e do mundéu de mariscos,
do cação, do cachalote, do xaréu,
da pititinga e da piaba
e de todo e qualquer peixe isolado
ou em cardume
que se nomeia ou enumera.

anêmona-do-mar, lume na cerração,
princesa de aiocá.
dona do barco e da rede de pescar.

senhora da mira do aço do arpão
e da orelha ultrassonora do sonar.

aquela que toma posse de todos os rochedos
que a onda do mar salpica
ela é a dona da voz que soa e ressoa nas conchas
ela é a matriz do cântico hipnótico da sereia.
é um teto que protege o navegante
ao oceano entregue
é uma cama que alberga o náufrago
ao oceano entregue

mãe sexualizada
mãe gozosa
mãe incestuosa

que reina no mar revolto e na maré mansa
e se adona do remanso e do abissal.
senhora dos afogados e dos que nadam
e dos que sobrenadam sobre as ondas.

duro doce mar divino.

INAÊ, JANAÍNA

1994

MINHA ALEGRIA

minha alegria permanece eternidades soterrada
e só sobe para a superfície
através dos tubos alquímicos
e não da causalidade natural.
ela é filha bastarda do desvio e da desgraça,
minha alegria:
um diamante gerado pela combustão,
como rescaldo final de incêndio.

1995

CARTA ABERTA A JOHN ASHBERY

A memória é uma ilha de edição — um qualquer
passante diz, em um estilo nonchalant,
e imediatamente apaga a tecla e também
o sentido do que queria dizer.

Esgotado o eu, resta o espanto do mundo não ser
levado junto de roldão.
Onde e como armazenar a cor de cada instante?
Que traço reter da translúcida aurora?
Incinerar o lenho seco das amizades esturricadas?
O perfume, acaso, daquela rosa desbotada?

A vida não é uma tela e jamais adquire
o significado estrito
que se deseja imprimir nela.
Tampouco é uma estória em que cada minúcia
encerra uma moral.
Ela é recheada de locais de desova, presuntos,
liquidações, queimas de arquivos,
divisões de capturas,
apagamentos de trechos, sumiços de originais,
grupos de extermínios e fotogramas estourados.
Que importa se as cinzas restam frias
ou se ainda ardem quentes
se não é selecionada urna alguma adequada,
seja grega seja bárbara,
para depositá-las?

Antes que o amanhã desabe aqui,
ainda hoje será esquecido o que traz
a marca d'água d'hoje.

Hienas aguardam na tocaia da moita enquanto
os cães de fila do tempo fazem um arquipélago
de fiapos do terno da memória.
Ilhotas. Imagens em farrapos dos dias findos.
Numerosas crateras ozoniais.
Os laços de família tornados lapsos.
Oco e cárie e cava e prótese,
assim o mundo vai parindo o defunto
de sua sinopse.
Sem nenhuma explosão final.

Nulla dies sine linea. Nenhum dia sem um traço.
Um, sem nome e com vontade aguada,
ergue este lema como uma barragem
antientropia.

E os dias sucedem-se e é firmada a intenção
de transmudar todo veneno e ferrugem
em pedaço do paraíso. Ou vice-versa.
Ao prazer do bel-prazer,
como quem aperta um botão da mesa
de uma ilha de edição
e um deus irrompe afinal para resgatar o humano fardo.

Corrigindo:
o humano fado.

1995

UM LEGADO DE WALLACE STEVENS

Assim como quem
— agnóstico, cético, sarcástico incréu —
estende réstias de alho por toda a casa,
para afastar mau agouro.

Assim como quem plurifica
a ferocidade da mente,
zela pela aura, aurora de cada palavra,
com ritmo penetra, sexualiza a fala,
colore com finuras, matizes de papel de seda,
o balão do pensamento
tornando-o inda mais chiaroscuro, espermático;

e com cerol de vidro moído, cola de sapateiro,
afia, tempera o laço mágico
que rabeia a sorte, compele o futuro
e provê um canto, um giro diverso para cada ato.

Um retângulo de morro/
um recorte losango de céu azul-turquesa/
o teatro gestual-masturbatório das mãos/
linhas e linhas e linhas/
e o móbile rompe nuvens,
rasga novos desenhos sobre o mapa celeste.

Cumprir uma receita ancestral,
de prístina pureza:

encharcar ao longo do poema inteiro,
do começo até o fim,
metáforas, metáforas, metáforas.

Metáforas à mancheia:

uma arraia-miúda
intenta
ser deus entre deuses.

1995

ANTIVIAGEM

Toda viagem é inútil,
medito à beira do poço vedado.

Para que abandonar seu albergue,
largar sua carapaça de cágado
e ser impelido corredeira rio abaixo?
Para que essa suspensão do leito
da vida corriqueira, se logo depois
o balão desinfla velozmente e tudo
soa ainda pior que antes pois entra
agora em comparação e desdoiro?

Nenhum habeas corpus
é reconhecido no Tribunal de Júri do Cosmos.
O ir e vir livremente
não consta de nenhum Bill of Rights cósmico.
Ao contrário, a espada de Dâmocles
para sempre paira sobre a esfera do mapa-múndi.
O Atlas é um compasso de ferro
demarcando longitudes e latitudes.

Quem viaja arrisca
uma taxa elevada de lassitudes.
Meu aconchego é o perto,
o conhecido e reconhecido,
o que é despido de espanto
pois está sempre em minha volta,

o que prescinde de consulta
ao arquivo cartográfico.
O familiar é uma camada viscosa,
protetiva e morna
que envolve minha vida
como um para-choque.

Nunca mais praias nem ilhas inacessíveis,
não me atraem mais
os jardins dos bancos de corais.

Medito à beira da cacimba estanque
logo eu que me supunha amante
ardoroso e fiel
do distante
e cria no provérbio de Blake que diz:

EXPECT POISON FROM THE STANDING WATER.

Ou seja:

AGUARDE VENENO DA ÁGUA PARADA.

ÁGUA ESTAGNADA SECRETA VENENO.

1995

MEIA-ESTAÇÃO

para Susana de Moraes

Presságios nas flores abertas dos junquilhos;
abertas, justamente, hoje de manhã.
O arco-íris e seu sortilégio,
justamente, hoje de manhã.
Folhas de figueiras levitantes, aéreas.
O mar hermafrodito e sua baba epiléptica:
macho lambendo a areia da praia
arreganhada;
fêmea singrada por navios duros,
de ferros e aços,
e seu mostruário-monstruário de
mastros.
Tarda a vir o outono este ano,
o verão não quer se despedir.
Um vento quente passa e acorda
os feitiços e as promessas do verão
inteiro.
Escrever assim é romantizar o vento quente
que passa a lembrar somente
que é o vento quente e desaforado
a passar uma lixa grossa
sobre a cidade, os seres e as coisas.
Vento bêbedo de amnésia e desmemória,

incapaz de verão-outono ter por nome próprio,
trafega indiferente à nossa tradição ibérica
que exige para tudo registro e certidão,
pagamento de estampilha ou selo do tesouro,
aval e avalista,

reconhecimento de firma
por tabelião em cartório.
Além do estilo — imperativo categórico —
do nosso arquétipo
de tabelião perfunctório

(parente lusitano-brasileiro do literalista pedante de Miss Marianne Moore)

cujo breviário reza:

"Lavro e dou fé... é verão."
Ou
"Lavro e dou fé... é outono."

1995

RIO(COLOQUIAL-MODERNISTA).DOC

O deus que banha o Rio de Janeiro
fica murrinha nos dias sem sol.
Mas é só o sol brilhar:
o Rio arreganha suas sem-vergonhas,
e o deus experimenta
novíssimas aptidões
para o prazer.

Aí o deus e o Rio se esparramam no tempo,
sem ziquiziras.

1995

DOMINGO DE RAMOS

para Antonio Cícero

I

O indesejado das gentes entrou, enfim, na cidade.
Seu peito é só cavidade e espinho encravado,
cacto do deserto das cercanias,
torpor de quem se sente aplicado por cicuta
ou mordido de cobra.

O que, convenhamos, lhe dá um ar desapegado
                                    das coisas triviais
e acresce seu charme
                 paradoxal
                              perante o populacho.

A cidade é uma nebulosa de sonho:
tempos e lugares diversos embaralhados,
tantas glórias e hosanas,
tantos pedidos de empregos,
partidos, facções, crimes organizados,
júbilos e adulações.

Uma sensação de déjà-vu
                    que murcha qualquer frescor
                                        na idade madura.

II

Assim falava o antecessor:
"O poeta é um ressentido e o mais são nuvens."
Assim ele, aqui, fala:
Os ressentimentos esfiapados
                    são como nuvens esgarçadas.

Campo aberto,
ele vira uma câmara de ecos.
Câmara de ecos:
a substância do próprio tutano tornada citação.

Aprende a palidez altiva
e o sorriso aloof
de quem compreende as variações dos ventos da
mídia.
Estas qualidades ele supõe ter importado
de Stendhal e de Emerson,
já de Drummond ele assimila
uma certa qualidade esconsa,
retalho daqui, recorte dali,
et ecetera et caterva.

Ele: o amalgâmico
            o filho das fusões
                        o amante das algaravias
o sem pureza.
Como compor, com semelhante melting pot,
uma inteireza de homem
que caiba no anúncio "Ecce Homo"?

III

Hoje é
Domingo de Ramos
(Palm Sunday),
uma boa oportunidade para sobrevoar

de helicóptero:
os manguezais de esgotos negros
e garças-brancas,
os morros
de parcas palmas de palmeiras
e muito capim-colonião
— o capim-colonião ao vento parece uma cabeleira
encharcada de gel —
as praias
onde **ELE** simula
através das leis do Livro do Caos
o delírio demiúrgico
de que as hélices do helicóptero
são as provocadoras
das ondas do mar.

Domingo de Ramos
(Palm Sunday).
Dentro do helicóptero
lá em cima
o diabo recorda-lhe, então, um conto de Sartre,
sobre Eróstrato, o piromaníaco,
que adorava olhar os homens
bem do alto
como se fossem
formiguinhas.

1995

PERSISTÊNCIA DO EU ROMÂNTICO

O real é oco, coxo, capenga.
O real chapa.
A imaginação voa.

Escrevi até a exaustão
no pergaminho d'água do sono.
Nessas linhas esvaídas no vórtice da vigília,
ao mesmo tempo em que inebriado ouvia
com o mais apurado ouvido absoluto,
parece que eu transcrevia
com a exata minúcia de geômetra-matemático,
em uma vívida e mutável clave,
as notas do sempre mesmo rouxinol.
Sumida a cor do perfume das rosas
de Hafiz de Shiraz
sem deixar pista de armazém,
aparelho clandestino,
ponta de estoque, local de resgate,
arquivo ou fichário
do fantasmático país do olvido
dessa amalgamada região dos tropos,
acordei
          (oh! calígrafo dopado!)
                                                  e
nada restou impresso.

Reduzido a esqueleto de éter,
Poeta mente demais...
Uma borboleta bate as asas
dentro do meu peito
e provoca furacões
lá na Cochinchina. Ou vice-versa.

O real é oco, coxo, capenga.
O real chapa.
A imaginação voa.

1995

PESADELO DE CLASSE

para Marcelo Yuca

se eu não tirar o pé da lama
e não fizer um turismo ecológico
na Chapada dos Guimarães
ou na Chapada dos Veadeiros

se de supetão a lama endurecer
ficar dura que nem bronze
e eu não tirar mais o pé do chão

se eu perder o penúltimo pau de arara
ou o último vagão do trem da fome

se eu não der um tapa num hotel 5 estrelas
ou num voo de primeira classe
champanhe, caviar e blinis
salmão fumê e chablis

se eu não for de bimotor
num voo rasante sobre o pantanal
a um palmo do cocoruto dum tuiuiú
e da mandíbula aberta dum jacaré

ai que pesadelo
se na hora agá
eu não conseguir
tirar o pé da lama

se o cururu eu não ouvir
na beira do rio de Cuiabá
se por azar eu não participar
tim-tim por tim-tim
da festa neopagã do boi Ápis de Parintins

se de supetão a lama endurecer
ficar dura que nem bronze
e eu não tirar mais o pé do chão

1995

EU E OUTROS POEMAS

Adeus clara vista para estrelas e sol.
Retirada da Laguna:
        perda gradual de cabelos,
                                                dentes,
                                                        consoantes,
substantivos, verbos, sentenças, prefixos
e sufixos.

A pugna imensa travada nas gengivas murchas
e recuadas.

O verme será o herdeiro de excessos e tibiezas,
                    expectativas e indiferenças.
O verme será o equalizador de otimismos
e pessimismos,
                    iluminismos e trevas,
                    ilustração e paródia.

Os ossos descarnados e desfeita a potência
Que urdia uma clonagem do caniço pensante
de Pascal.

Caído feito Lúcifer que não sonha mais
com a luz.

1995

PAN CINEMA PERMANENTE

para Carlos Nader

Não suba o sapateiro além da sandália
　　　　　— legisla a máxima latina.
Então que o sapateiro desça até a sola
Quando a sola se torna uma tela
Onde se exibe e se cola
A vida do asfalto embaixo
　　　　　　　　　　　　　　　e em volta.

1995

VIGIANDO O OCO DO TEMPO

Deslizo,
oculto aqui,
vigiando o oco do tempo.
Espaço ermo, parado.
Nada acontece. Nada parece acontecer.
Mas algo flui, o irremediável,
queimando todas as pontes de regresso.
Todo o passado está morto;
só vige o que vem, o que surge.
Todas as coisas íntegras dilaceram-se
ou são dilaceradas.
A velha senhora viajada,
detentora de recorde de milhagens,
temerosa das vacas do Ganges
depois de ter contemplado um berne
ao microscópio.
Berne que agora corrompe e torna pútrida
qualquer carne verde que ela vê
pois seu olho holografa
o esqueleto subjacente a todo corpo vivo.
Viver em mudança.
O assoalho repleto das peles velhas das cobras
e do pelo felpudo das aranhas-caranguejeiras.
Viver em mudança.
Que a sobre-humana poesia pica e envenena um
homem.

1994

HOJE

para Chico Alvim

O que eu menos quero pro meu dia
polidez, boas maneiras.
Por certo,
um Professor de Etiquetas
não presenciou o ato em que fui concebido.
Quando nasci, nasci nu,
ignaro da colocação correta dos dois-pontos,
do ponto e vírgula,
e, principalmente, das reticências.
(Como toda gente, aliás...)

Hoje só quero ritmo.
Ritmo no falado e no escrito.
Ritmo, veio central da mina.
Ritmo, espinha dorsal do corpo e da mente.
Ritmo na espiral da fala e do poema.

Não está prevista a emissão
de nenhuma "Ordem do dia".
Está prescrito o protocolo da diplomacia.
AGITPROP — Agitação e propaganda:

Ritmo é o que mais quero pro meu dia a dia.
Ápice do ápice.

Alguém acha que ritmo jorra fácil,
pronto rebento do espontaneísmo?
Meu ritmo só é ritmo
quando temperado com ironia.
Respingos de modernidade tardia?
E os pingos d'água
dão saltos bruscos do cano da torneira
e
passam de um ritmo regular
para uma turbulência
aleatória.

Hoje…

1995

ORFEU DO RONCADOR

Não é que Orfeu resolveu morar nas águas
sossegadas do Roncador?
A cidade confusa, cheia de balbúrdia.
E Orfeu só canta onde gosta de morar:
folhagens (luxúrias de bromélias e helicônias)
aves,
visitações eólicas,
pedras,
águas.
Uns ouvindo o canto intuem Orfeu, outros sentem Oxum.
O canto flutua indeciso entre a identidade
do deus macho e da deusa fêmea.
Os trilhões de gotas da massa líquida
falam ao meu corpo
ora de um jeito, ora de outro.
Que importa a distinção do nome
quando corpo e alma
encharcados em divindade? Nado.

Alaúde, cuíca e pau de chuva.
Qual move as molas das plantas,
desabrocha flores, faz a água manar?
Quem sopra o trompete cromático
                    do tombo d'água
no precipício?
Quem tange a lira do lajedo?
Quem canta aí fora na varanda de Dona Ana?

Que entidade range a rede gostosa da casa de
Eliana?

Nado no grande livro aberto do mundo.

SOSSEGO *(norte do Estado do Rio)*
julho 1995

CANTO DE SEREIA

(Primeiro Movimento)

Tapar os ouvidos com cera ou chumbo derretido.
Construir uma fortaleza de aço blindado em volta de si.
O próprio corpo produzir uma resina que feche os poros,
como o própolis faz nas fendas dos favos de mel.

CANTO DE SEREIA

(Segundo Movimento)

A flor de estufa
salta a cerca
para luzir no mangue.
E se emprenha de fulano, sicrano e beltrano.
Sua vida atual reverbera vozes pretéritas,
adivinha vozes futuras.

Sua obsessão:
Que Eco se transforme em Narciso,
Que Eco se metamorfoseie em fonte.

1995

DESEJO & ECOLALIA

— O que é que você quer ser quando crescer?
— Poeta polifônico.

1995

O que é poesia?
— Poesia!
esta ideia
tal qual
Proteu...

Edgar A. Poe

Frase desentranhada das reflexões **ON POETS AND POETRY**, "A letter to B.", coletânea *The Portable Poe*, editada por Philip Van Doren Stern, Penguin Books: *What is poetry? — Poetry! that Proteus-like idea...* Glossário — Proteu: deus marinho da mitologia grega, com poder de se metamorfosear à vontade; deus polimorfo.

LÁBIA [1998]

Agradecimentos especiais
ao meu assessor-marinheiro
do ciberespaço:

Khalid F. Braga Salomão

Et souvent, après une conversation, des paroles, j'ai l'impression de saleté, d'insuffisance, des choses troubles; même une conversation un peu poussée, allant un peu au fond, avec des gens intelligents. On dit tant de bêtises... Ce n'est pas propre. Et mon goût pour l'écriture c'est souvent, rentrant chez moi après une conversation où j'avais eu l'impression de prendre de vieux vêtements, de vieilles chemises dans une malle pour les mettre dans une autre malle, tout ça au grenier, vous savez, et beaucoup de poussière, beaucoup de saleté, un peu transpirant et sale, mal dans ma peau. Je vois la page blanche et je me dis: "Avec un peu d'attention, je peux, peut-être, écrire quelque chose de propre, de net". N'est-ce pas, c'est souvent la raison, peut-être une des principales raisons d'écrire.

Francis Ponge

SALA SUNYATA

Ó, **TÁBULA RASA**.
Nada vezes nada, noves fora nada.
Sol nulo dos dias vãos. Lua nula das noites vãs.

Eis que atingi o ponto **NADIR**.
Se todas as coisas nos reduzem a

ZERO

é daí do

ZERO

que temos que partir.

CONVITE AO ESPANTO

— PUER AETERNUS

PEQUENO PONTO NO MUNDO

Sou um garoto perdido
Na imensidão do mundo
Sem saber para onde andar
Sem saber para onde olhar
Sou um garoto e nada mais
Um pequeno ponto no mundo
Talvez menos, talvez mais
Mas poderei vir a fazer
Uma enorme diferença
Mesmo sendo
Um pequeno ponto no mundo.

Omar Fernandes Braga Salomão

14 anos

A memória é uma

ilha de edição.

UM *ANGELUS SILESIUS* MIRA O OLHO-D'ÁGUA

Por entre avenca e feto e taquarapoca
No seio-limo-musgo da mata ciliar
Corre arregalada a crua matéria-prima essencial
O vero olho da terra é o cristal d'água
E não há no reino mineral
Nenhum poder de pedra que estanque
O jorro das gotinhas
Rasgando as entranhas da terra
Sedentas por ver o sol
Sedentas por ver o sol
Secas por vê-lo
Dourar o campo, o alecrim e a mata
Dourar o vale, a garganta e a serra.

Córnea, cristalino.
Pupila, íris, pálpebra, retina.

Ai, se este olho-d'água
Filtrasse a sentina, a latrina
Do mundo e da minha alma
E o nojo e a náusea e o lodo e a lama lavasse
E o *Eco* pagão aos meus ouvidos recordasse
Que o olho por onde eu vejo Deus
É o mesmo olho por onde *Ele* me vê.

Macaé de Cima

Musicada por Caetano Veloso. (N. E.)

POESIA HOJE 1

Ao mito evangélico do bom ladrão
e ao meu amigo Beto Sem Destino,
presunto desovado em Itaipuaçu.

A chave de ouro
que o segredo arrombe
que o código estoure
da máquina do mundo
talvez embutida reste
nas linhas que de oitiva canto
do *Coco de mim* arcaico:
— Um passarinho/ Dominó/ caiu no laço/ Dominó/
dá um beijinho/ Dominó/ dá um abraço/ Dominó.

Poesia hoje,
Simples e composta como a chave mestra.

Simples como o ladrão, simples como o fogo,
simples como o pau duro ou o pé de cabra,
composta como o contorno ambíguo das ferramentas
no calção dourado.
Simples como o ganho na marra de um toca-fitas.
Ou a prensagem de dólares falsos.
Ou a pintura de placebos,
com anilina azul-marinho,

vendidos, trocados, banhados
como o **LSD** porrada *Blue Sky*.
Simples e composta como a gazua.
Ou como a mala caipira,
cheia de maconha paraguaia,
remetida toda quinzena para o guarda-volumes
da Rodoviária Novo Rio.
Composta como é composto um murro
quando não reduzido
à sua expressão mais simples que é urro.
Primal como um berro três oitão.
As alturas e os abismos
gomados em um só caminho:
saltar da ponte com os federais na cola.
Teatro da espermatização dos perigos!

POESIA HOJE 2

para Adriano Espínola

1

Serena e sem catástrofe.
Não é difícil aprender a arte de perder.

2

Arrasta o dia na areia sua rotina normalmente.
Prestação de contas?
Apólice de capitalização?
Central de recados?
Adquirir o *Saint-Clair das Ilhas*?
Fuzarca, carnavais e cinzas.

3

O que existe de valor por aqui exceto a paisagem?
Incontida volúpia de saquear.
É mister roubar. É mister roubar a luz
Que cobre
Montanha e mar.
Roube!

AÇOUGUEIRO SEM CÃIBRA

para Ricardo Chacal

Demente que martela,
com um dedo só,
as teclas dos pianos aéreos.

Açougueiro sem cãibra nos braços,
eu faço versos como quem talha.
A facão.
E talho para desbastar os excessos:
aparto de mim uma ruma de poemas.
Ao escrever
(sem lume, vista turva, cego,
no ato bruto),
o ego some, esfuma,
E o nume Ninguém Nenhures é quem assume a autoria.

Há uma gota de sangue em cada fantasma?

Açougueiro sem cãibra nos braços.
Acontece que não acredito em fatos,
magarefe agreste,
pego a posta do vivido,
talho, retalho, esfolo o fato nu e cru,
pimento, condimento,

povoo de especiarias,
fervento, asso ou frito,
até que tudo figure fábula.

Açougueiro sem cãibra nos braços,
tarefeiro tosco,
cozinheiro de gororoba,
demiurgo áspero.

Demente que martela,
com um dedo só,
as teclas dos pianos aéreos.

METEORITO PICOTADO

MEGA-AMPULHETA

desde tempos imemoriais
fixei residência nesta sala de mixagem
cercado de Lexicon,
                    Syntaxis,
                    Spatial Expander,
                    Omnix,
                    Scenaria,
                    Axiom,
                    Flying Faders,
                                        compressores,
                                        condensadores.
e aqui restarei estarrecido
por toda eternulidade.
"pode a sorte separar-nos,
ou a morte de um ou de outro;
mas o amor subsiste, longe ou perto,
na morte ou na vida."
sobreviver ao recorte de Machado de Assis.
epitalâmio. epífita. epitáfio.
como se o tempo sucumbisse,
fora do escopo da máquina,
e pairasse, apenas, em algumas ilhas esparsas
da anacrônica memória pessoal.

ARENGA DA AGONIA

para Duncan Lindsay

você não possui casa alguma de onde sair,
você não pode voltar para casa nenhuma.
o prólogo acabou e a mácula timbra a imagística:
o beco sem saída não constitui mais
mera figura de retórica.
você é o beco sem saída completo:
corpóreo,
encorpado, e, incorporado.

você não acha mais bainha onde encaixar sua faca.

acabou-se o que era doce, o confete foi-se,
está findo o efeito placebo.
queimado o filme e desmoronada a encosta
e esgotada a pilha da prosopopeia.

eia, pois, advogada nossa,
quando esse atrapalho doloroso vai passar?
no dia da eterna noite escura de são nunca.

quebra-cabeça sem encaixe-eureca à vista desarmada:
sua alma está triste até a morte.

monte das oliveiras de bálsamo nenhum,
nem a ideia de suicídio conforta mais.

zona de turbulência,
encruzilhada de colisão,
tromba-d'água,
rabo e testa de cometa em combustão.

ah,
    se ao menos algo restasse intacto e fora da aporia.

(Hipertexto:
Aporia = nó na cuca.)

PONTE PÊNSIL

CASULO, CASAMATA DE OBUSES

para Davi e Malu

poesia = faca que talha sem láudano possível,
procura de ópio,
bálsamo que dissipe o bafo do basilisco,
mas a cicatriz lateja sem cascão.
poesia = campo minado.
saliva
— que embebe a voz —
saliva
escura/esverdeada de biles.
a palavra rastreada
— ferramenta idealmente neutra —
semelha cerca eletrificada.
poesia = campo de marte.
e o poeta
— *partisan* amargo —
não se inclina a envergar
a boina azul
(errata:
o capacete azul)
das nações unidas.
poesia = máquina de guerra.
katyushas e bombas retaliadoras
pulverizam as cabeças paisanas.
poesia = casulo, casamata de obuses.
bazuca, ar15, ponto 50.

ITAPUAN: PEDRA Q RONCA

Digito seu nome:
Itapuan.
Acesso a Divisão de Captura
que sai a toda em seu encalço.
Tarefa difícil:
o relatório final
— picote, picote, picote —
resulta picotado.

Também pudera,
como processar o gosto reverberado
de cambuí na cachaça?

FEL

1

Oblíquas e casuais,
minhas relações com os outros.

Amigo do alheio sou,
portanto, amigo de Platão
e de toda extensão que exubera além de mim
mas a verdade é enxuta e mais minha amiga:
amizade é uma ilusão de ótica.

Lastro pesado e sem âncoras,
afundo meu navio-castelo na areia movediça.
Um estigma trago inscrito nas têmporas:
nasci para quedar em ardis, arapucas, armadilhas.

Amor fati.
Circulo por entre as sucessões de objetos,
sou amigo do alheio porém o destino é ladrão-mor.
Desilusão, acicate para outras novas inusitadas ilusões.
Eco de canto flamenco: — En la ilusión me mantengo.
Ilusão é pedra lascada que dá fogo.
Ilusão é sílex.

2

Túnica inconsútil.
Intrigas, ciladas, iscas jazem no chão, despetaladas.
Enquanto a rosa mística paira hermética no ar,
incólume Vênus parida vermelha,
Vênus vermelha de Nerval que exorciza calamidade,
cobreiro, mijo de sapo leiteiro,
pus de apostema,
leite cegante do graveto-espeto-do-cão,
tocaia, sarna, cataclismo,
desabamento, impaludismo,
tifo,
verme,
erisipela,
espinhela caída,
cancro,
praga,
quizila,
retenção do afeto,
lepra da alma,
e Usura — um decretado câncer no azul.

LINGUA FRANCA ET JOCUNDISSIMA

Restar no irrespirável
Enquanto acento tônico
Ponto de interrogação
Ou até mesmo ponto de exclamação
Ou como exemplo de estilo sem pontuação
Um pleno Saara
Um pleno deserto
Canícula
Por entre cascavéis
Lagartos
E escorpiões da areia
Sem oásis de veleidades cabotinas e aliterativas
Sol a pino
Restar sem oásis
Nem palinódias
Sol a pino
Fora do diapasão dos berros de *Delenda Cartago*
Restar no irrespirável
Adepto enfurnado do culto do nome cru
Canícula
Carcaças
E a memória obliterada do arraial de Canudos

MAR MANSO SERENO

in memoriam *Lygia Clark*

mar manso sereno,
reverberas a teoria do caos:
                                        raivas blasfêmias dentro de mim.

ondina,
marulhas langor e melancolia
na praia brava do núcleo mais egoico do meu ego
                                        que baba iconoclastia
na crista da onda intumescida
                                        por piratarias literárias
e marés-cheias de ânsias suicidas
                                        e cóleras homicidas.

mar manso sereno,
tal qual um eco invertido
ou um tubo cavado na concavidade da onda monstra:
eis o saca-rolha
para engarrafadas células dos ultramicroscópicos vírus
das mais disparatadas insânias.

água morninha, bolsa de líquido amniótico,
precipitas em mim o recorrente delírio de ser um embrião
de tubarão feroz
que se estertora a serrilhar
                                        sua própria placenta protetora.

mar manso sereno
(hipérbole do lodo salsugem uterino):
engendras medusas incestuosas
                                        vaginas dentadas
                                                e virtuais assassinas puerperais.

                                "O jogo e a realidade."
                                O jogo elide sujeito e objeto.

                                "O jogo e a realidade."
                                O amor elide sujeito e objeto.

                                "O jogo e a realidade."
                                O jogo do amor elide sujeito e objeto.

mar manso sereno
provocas tempestades
no copo d'água cheio de conversa fiada e fuxico
— panos grosseiros de nossas vestes ordinárias.
escura crescente cheia minguante
vida sublunar.

PORTO CELULAR

SARGAÇOS

para Maria Bethânia

Fatalismo significa dormir entre salteadores.
Jalâl al-Dîn al-Rumi, poeta sufi

Criar é não se adequar à vida como ela é,
Nem tampouco se grudar às lembranças pretéritas
Que não sobrenadam mais.
Nem ancorar à beira-cais estagnado,
Nem malhar a batida bigorna à beira-mágoa.

Nascer não é antes, não é ficar a ver navios,
Nascer é depois, é nadar após se afundar e se afogar.
Braçadas e mais braçadas até perder o fôlego
(Sargaços ofegam o peito opresso),
Bombear gás do tanque de reserva localizado em algum ponto
Do corpo
E não parar de nadar,
Nem que se morra na praia antes de alcançar o mar.

Plasmar
bancos de areias, recifes de corais, ilhas, arquipélagos, baías,
espumas e salitres,
ondas e maresias.

Mar de sargaços

Nadar, nadar, nadar e inventar a viagem, o mapa,
o astrolábio de sete faces,
O zumbido dos ventos em redemunho, o leme, as velas, as cordas,

Os ferros, o júbilo e o luto.
Encasquetar-se na captura da canção que inventa Orfeu
Ou daquela outra que conduz ao mar absoluto.

Só e outros poemas
Soledades
Solitude, récif, étoile.

Através dos anéis escancarados pelos velhos horizontes
Parir,
desvelar,
desocultar novos horizontes.
Mamar o leite primevo, o *colostro*, da Via Láctea.
E, mormente,
remar contra a maré numa canoa furada
Somente
para martelar um padrão estoico-tresloucado
De desaceitar o naufrágio.
Criar é se desacostumar do fado fixo
E ser arbitrário.

Sendo os remos imateriais.

(Remos figurados no ar
pelos círculos das palavras.)

ESCADA DO PARAÍSO

in memoriam *Severo Sarduy*

De onde em onde, eu, crente, balbucio
como prece de um coração vazio
e o coração vazio timbra seu lacre sinete sobre todas as coisas!
eu, estilete, balbucio
— murmúrio de louva-a-deus que perde literalmente a cabeça no cio —
eu, genuflexado, balbucio o ensinamento acre e doce
do sermão sobre o desprendimento
que pregou o Mestre Eckhart
(Mestre Eckhart, um proto-Kierkegaard):

para o Deus escondido e sem nome,
todo este mundinho-paróquia que habitamos
é feito de carvão.

Resta resolver somente
— trevas da cerração, tição dos sinais —
as distinções do logos spermatikós,
da razão sarça ardente,
do meu lápis ouriçado:

carvão, em que estado,
carvão aceso,
carvão gasto,
carvão apagado?

CLANDESTINO

para Adriana Calcanhotto

vou falar por enigmas.
apagar as pistas visíveis.
cair na clandestinidade.
descer de paraquedas
/camuflado/
numa clareira clandestina
da mata atlântica.

já não me habita mais nenhuma utopia.
animal em extinção,
quero praticar poesia
— a menos culpada de todas as ocupações.

já não me habita mais nenhuma utopia.
meu desejo pragmático-radical
é o estabelecimento de uma reserva de ecologia
— quem aqui diz estabelecimento diz **ESCAVAÇÃO** —
que arrancará a erva daninha do sentido ao pé da letra,
capinará o cansanção dos positivismos e literalismos,
inseminará e disseminará metáforas,
cuidará da polinização cruzada,
cultivará hibridismos bolados pela engenharia genética,
adubará e corrigirá a acidez do solo,
preparará a dosagem adequada de calcário,

utilizará o composto orgânico
excrementado
pelas minhocas fornicadoras cegas
e propagará plantas por alporque
ou por enxertia.

já não me habita mais nenhuma utopia.

sem recorrer
ao carro alegórico:
olhar o que é,
como é, por natureza, indefinido.
quero porque quero o êxtase,
uma réplica reversora da república de Platão
agora expulsando para sempre a não poesia
da metamorfose do mundo.

já não me habita mais nenhuma utopia.
bico do beija-flor suga glicose
no camarão
em flor.

(de um livro em preparação, sem nome fixo)

CATARSE

?

EXTERIOR

Por que a poesia tem que se confinar
às paredes de dentro da vulva do poema?
Por que proibir à poesia
estourar os limites do grelo
da greta
da gruta
e se espraiar em pleno grude
além da grade
do sol nascido quadrado?

Por que a poesia tem que se sustentar
de pé, cartesiana milícia enfileirada,
obediente filha da pauta?

Por que a poesia não pode ficar de quatro
e se agachar e se esgueirar
para gozar
— **CARPE DIEM!** —
fora da zona da página?

Por que a poesia de rabo preso
sem poder se operar
e, operada,
polimórfica e perversa,
não poder travestir-se
com os clitóris e os balangandãs da lira?

CÁTEDRA DE LITERATURA COMPARADA

E como eu palmilhasse tesudamente
(*sento-lhe a vara e a chula língua afiada,*
salpico-lhe saliva, baba, porra)
a estrada, pedregosa, do mamilo
e, pentelhuda, do monte de Vênus...

....

ORGULHO DESFOLHADO,

ENGARRAFADO
NA FONTE — com gás —
E DENOMINADO
ORIGINALMENTE

ORGULHO DE ESFOLADO.

BOCA DE CENA PRIMAL

Adão encena de forma insólita e cristalina
La vida es sueño de Calderón de la Barca.

Como se estivesse de pé
No proscênio de um palco italiano,
Desobedece à marcação do diretor.

Nenhuma dália para ler.
Avança de olhos abertos.
Estaca.
Cerra os olhos.

Olhos cerrados
Como cortinas fechadas de teatro.
Encara de frente
                    (olhos cerrados)
                                        a luz desmesurada

Do Sol
Que pinta de gelatina vermelha
O ciclorama de suas pálpebras
Ricas de promessas de aventuras.

Macaé de Cima

NOVÍSSIMO PROTEU

para Antonio Medina Rodrigues

Encardido enigma,
nebulosa,
envelope vazio,
a primeira pessoa busca a divina perdição para si.
Eu, por exemplo, inteiramente perdido,
passei a confiar só em mim
e sou a pessoa menos digna de fidúcia
porque não sou uno, monolítico, inteiriço.
Uma cega labareda me guia
para onde a poesia em pane me chamusca.
Pensei ter pisado solo firme
quando descobri
no texto, *What is Zen*, de D. T. Suzuki
que a palavra inglesa *elusive*
poderia solidamente me definir de uma vez por todas.
Qual o quê.
Vou onde poesia e fogo se amalgamam.
Sou volátil, diáfano, evasivo.

Espesso dicionário de sinônimos?
Espesso dicionário de antônimos?

Escorregadio que nem baba de quiabo.
Escapo que nem dorso de golfinho
que deixa a mão humana abanando
sem agarrar nada.

Arquimedes, quando em mim confio,
                    em que ponto me apoio?
Arquimedes, em que fio de prumo me baseio
                    para sagrar o trigo
                    e separá-lo do trivial joio?

Éter puro e leve e cru.
Um poço sem fundo.
Uma deriva sem rumo.
Uma meada sem fio.
Um fio sem prumo.
Uma balança sem fiel.
Um horizonte sem linha.
Uma linha sem horizonte.
Um nó que se desfaz.
Um pulo da ponte.
Um sem arrimo nem pé nem cabeça.
Um caso sem cura.
Um canário, um curió, na muda.
Um cenário que muda de figura.
A chama da metamorfose me captura.

Eu, um sabedor de que os pronomes pessoais
não passam de variáveis em uma equação.
Raspa de tacho sem tacho nem tampa.
Plenipotenciário de um eu sem eu.

Espesso dicionário de antônimos.
Espesso dicionário de sinônimos.
Espesso dicionário de antônimos.

FILHO PRÓDIGO

E quando vocês se derem conta
Do que ele é capaz de aprontar
(depois de provar o cravo das Molucas,
a noz e massa de Banda,
o gengibre de Kollam,
a canela de Simhala.),

Por certo exclamarão:

— Era bem melhor ele não ter voltado.
Era bem melhor ele não ter partido.
Era bem melhor ele não ter nascido.

A MISSA DO MORRO DOS PRAZERES

SURSUM CORDA.
Ao alto os corações.
Subir,
com toda alegoria em cima,
subir,
subir a parada
que a lua cheia é a hóstia consagrada na vala negra aberta,
subir,
que o foguetório anuncia a chegada do carregamento,
subir,
querubim errante transformista,
subir,
o incensório da esquadrilha da fumaça-mãe,
subir,
como se inalasse a neve do monte Fuji,
subir,
o visgo da jaca já gruda na pele,
subir,
salvam pipocos da chefia do movimento,
subir,
soou a hora da elevação,
subir que o morro é batizado
com a graça de **MORRO DOS PRAZERES**
— topograficamente situado no Rio de Janeiro.
Subir o morro
que a missa católica do asfalto
— sem os paramentos e as jaculatórias do latim da infância —
pouco difere de reunião de condomínio,
sacrifício sem **ENTUSIASMÓS**.

Samba
Sugar loaf
Jungle
Piranha

"Ideograma" Brazil desentranhado do filme
Crown, o Magnífico (*The Thomas Crown Affair*),
EUA, 1968, dirigido por Norman Jewison.
Falado por Steve McQueen.

PISTA DE DANÇA

Quando criança
me assoprou no ouvido um motorista
que os bons não se curvam
e
  eu
      confuso
aqui nesta pista de dança
perco o tino
espio a vertigem
                    do chão que gira
                                          tal qual
                                                  parafuso
                    e o tapete tira
                    debaixo dos meus pés
giro
piro
nesta pista de dança
curva que rodopia
sinto que perco um pino
                                             não sei localizar se na cabeça
esqueço a meta da reta
e fico firme no leme
que a reta é torta
rei
    rainha
                bispo
                         cavalo
                                    torre
                                            peão

sarro de vez o alvo
tiro um fino com o destino
e me movimento

ao acaso do azar ou da sorte
no tabuleiro de xadrez
extasiado
extasiado
piso
hipnotizo
mimetizo
a dança das estrelas
debuxo sobre o celeste caderno de caligrafia das constelações
e plagio a coreografia dos pássaros e dos robôs
aqui neste *point*
a espiral de fumaça me deixa louco
e a toalha felpuda suja me enxuga o suor do rosto
aqui nesta *rave*
narro a rapsódia de uma tribo misteriosa
imito o rodopio de pião bambo

Ê Ê Ê tumbalelê
é o jongo do cateretê
é o samba
é o mambo
é o tangolomango
é o bate-estaca
é o jungle
é o tecno
é o etno

é o etno
é o tecno
é o jungle
é o bate-estaca
é o tangolomango
é o mambo
é o samba
é o jongo do cateretê
Ê Ê Ê tumbalelê

redemoinho de ilusão em ilusão
como a lua tonta, suada e fria
que do crescente ao minguante varia
e inicia e finda
e finda e inicia
e vice-versa a pista de dança

pista de dança
que quer dizer
pista de mímesis
pista de símiles
pista de faxes
pista de substância físsil
pista de fogos de artifícios
pista do pleonasmo da cera dúctil
e da madeira entesada dura
pista de míssil
pista de símios
pista de *clowns*
pista de *covers*
pista de *samplers*
pista de epígonos
pista de clones
pista de sirenes
pista de sereias
pista de insones

pista do possesso febril
pista de *scratches*
pista de arranhões
pista de aviões
pista de encontrões
pista de colisões
pista de teco, de teco-teco, de telecoteco
pista de queima de óleo fóssil
pista de sinais pisca-pisca
pista do bate-biela
pista do pifa-motor
pista do pirata do olho de gude
        e perna de pau
pista da mulher que engoliu uma agulha de vitrola
        e fala pelos cotovelos
pista do menino que come vidro
        e chupa pedra-d'água
pista ouriçada
                    irada e sinistra!
Pois
pista de dança
quer dizer
Farmácia de Manipulação de Tropos Poéticos Sociedade Anônima
que existe e funciona,
                    como tudo na vida, inclusive o poeta,
                            seja dito de passagem,
para servir à poesia.
E a trilha vai por aí afora,
                                    aliás...

Musicada por Adriana Calcanhotto. (N. E.)

CRESCENTE FÉRTIL

Embarco.
Barroco arcaico,
pérolas defeituosas,
feitiços encalacrados,
cristais clivados,
ódio ao rococó amaneirado,
fúrias dos meus *eus* espatifados.
Será que estas especiarias voláteis,
de aragens constituídas,
também procedem do oriente?
O que não sei é que mais me atiça.
Salamalaikum.
Em frente ao porto portentoso de Tartous
ali está situada Al-Rouad
— minúscula ilha fenícia de meu pai.
Que não posso ser poeta cristão
assim, pois, nos conformes,
conseguir não consigo equiparar argila e carne,
duas essas tão diversas substâncias.
Porém encafifado costumo cafangar:
"Vá dizer aos meus amigos
que fui para o alto-mar
e que Medina e Meca
já não significam mais nada para mim!"

Ô lastro pesado,
embrulhos desamarrados
que largo
no molhe do quebra-mar.
Que nem remorso
nacarado
das vidas que tive
e das que não tive.
Ao ar salgado,
ao vento brando,
ao troar subentendido de "ó vida futura nós te criaremos",
à flauta doce trauteando os todos ouros e as todas pratas.
Desembarco.

POST MORTEM

VERÃO

Desde que o Imperador Amarelo
Quebrou a barra do dia
Irrompeu com suas forjas
O horizonte febril
Que uma espada de luz
Serra em prata a água salgada
E miríades de lâminas
Douram e escaldam a areia vítrea.

Saltam faíscas do bate-bigorna imperial.

Nenhuma nuvem tolda
A ferraria do estio.

Azul excessivo solda
Céu e mar.

Post mortem

POST MORTEM

Um cavalo-marinho mergulha em seus círculos de corais
mas em sua mente só releva a atualidade do belo.
O passado pode estar abarrotado de chateações
mas daqui pra frente ótimas fotos e melhores filmes
e amor e gravidez no bojo do macho
e horas infindas deitado nas areias
especulando nuvens
que se esgarçam ao sabor e ao deslize das figuras.
Um gosto permanecer aqui extasiado
e sem querer comparecer a nenhum *vernissage*
cansado dos artistas
que dão a seus quadros a última demão de verniz
e permanecer lasso das exposições e dos museus a visitar
e do *dernier cri*
esquecer os pacotes de encomendas à *Amazon Books*
e fugir dos seminários sem sêmen nem humor trocadilhescos.
Quase morrer é assim:
uma cada vez mais crescente ojeriza com a “vidinha literária”
de par com a imorredoura memória de certas linhas,
por exemplo,
que durante o resto de tempo que me é concedido viver
e na hora **H** da morte,
estampada na minha face esteja a legenda:
O que amas de verdade permanece, o resto é escória.
Sonhar com Provenças e Venezas e Florenças.
Rever Piero della Francesca
e a Essaouira de meu amigo Garbil, o boxeador.

E a vista de Delft de Vermeer.
A Barcelona do poeta-**CLOCHARD**-palhaço Joan Brossa.
A cena de New York, minha e de todos e de Ashbery
e de Frank O'Hara e de ninguém.

Sobem fiapos da infância de um tabaréu:
ora eu era
uma piaba nadando por entre bancos de areia do Rio das Contas
ora eu era
um acari das locas do Gongogi — rio cheio de baronesas.
Idade de ouro fluvial, plástica, flamante.
Fogueira gigante das noites de São João. Fogos de bengala.
Eu sozinho menino e o Amadis de Gaula
e os outros todos principais cavaleiros
e as outras todas principais damas
que povoavam as varandas, os pastos, o curral, a balsa, a chácara,
as pedras, os capins e as matas da Coroa Azul do raro Balito.
Convive-se com uma criatura sem imaginar sequer de que reino
provém.

Zelar pelo deus **TREME-TERRA** que meu coração devolveu.
Não cortejar a morte.
Não perambular pelos cemitérios
nem brindar o luar patético
com caveiras repletas de vinho tinto seco
como um Byron-Castro Alves gótico e obsoleto.
Sereno e cabeça-dura — *testa ruda* —
mirar de frente a caveira
e as tropas de vermes de prontidão
(como observo vermes dentro de um pêssego)
mas por enquanto gargalhar da irrealidade da morte.
Gozar, gozar e gozar
a exuberância órfica das coisas
em riba da terra
debaixo
do
céu.

EDITORIAL

Queima de arquivo!!! Liquidação de estoque!!!

"Quando ele crê, ele não crê que crê; e quando ele não crê, ele não crê que não crê." Sentença de Kirilov sobre Stavroguine.

De um vértice: a orelha tornada orelhão para captar a fala arrevesada das ruas. De outro vértice: os livros vasculhados com a obsessiva monomania de personagem de Dostoiévski. Preciso ler, ler, ler. Afã de cumprir o verso de Castro Alves que diz "livros à mancheia". Preciso ler, ler, ler. O meu veículo, o meu ônibus, não tem ponto final. Como se nada nunca bastasse. Assim é que me caracterizo como se caracterizam os ônibus de trajetos *circulares*: terminais em aberto.

"Si je lis tant, c'est dans l'espoir de rencontrer un jour une solitude plus grande que la mienne." Recortado da publicação póstuma dos *Cahiers* de Cioran, Gallimard, 1997, página 592.

Traça de livro, motosserra predadora? Então, estou sempre voraz atrás de novas camadas de leituras, de interpretações do mundo, inconclusivas e inconcludentes, pois não há interpretação finalista do mundo. Estou sempre em movimento, buscando novas significações, novas florestas de sinais. Eu acho que é assim que o homem tem que ser.

Para cada poema, variações da *ars poetica*. Hoje, cada vez mais, considero que cada poema de *per se* constitui uma poética. O que surge com a marca evidente de derivação vivencial deve passar pelo crisol do lido para que não permaneça um produto naturalista. E a operação inversa deve ser buscada para o que surgir precipitado por leituras: deve passar por uma imersão nos líquidos amnióticos da vivência. Por estas brechas elaboro minha poesia hoje: nem naturalismo vitalista, nem intelectualismo excludente da experimentalidade — lâmina laboratorial — das ruas.

Penetrar até o âmago de cada código e desprogramar bulas e
posologias prévias.
Usar em mão dupla o arco que une caos e cosmos.
Pescar em águas límpidas.
Pescar em águas turvas.

POLINIZAÇÕES CRUZADAS

POLINIZAÇÕES CRUZADAS entre o lido e o vivido. Entre a espontaneidade coloquial e o estranhamento pensado. Entre a confissão e o jogo. Entre o vivenciado e o inventado. Entre o propósito e o instinto. Entre a demiúrgica lábia e as camadas superpostas do refletido.
Imbróglio d'álgebra e jogo de azar.
Fria serenidade e fúria de touro em câmara escura.
Choque de besouro contra a vidraça. Entre.
Procura do ponto de liga alquímica: amálgama de **ORAL** (reino da mente veloz em presença, do imediato, das súbitas vozes intervenientes, do espírito em chamas, do "estalo de Vieira", das línguas de fogo em reprise do Pentecostes ao vivo?) e de **ESCRITO** (reino do adiamento, do recalque, do mediato, do procrastinado, da letra morta *in vitro*?).
Entre o ponto e o poroso.
Entre: a coleção **NA CORDA BAMBA** da ponte pênsil.
Entre: nas brechas em que lacuna vira cesura, cadência e, quem sabe, ligação.

Vir a ser um traço de união.

Uma rede perambulante

Entre o jogo e a confissão.

Lábia
de parca
(pouca, porca)
saliva

TARIFA DE EMBARQUE [2000]
TARIFA DE EMBARQUE [2000]
TARIFA DE EMBARQUE [2000]
TARIFA DE EMBARQUE [2000]
TARIFA DE EMBARQUE [2000]

TARIFA DE EMBARQUE [2000]

TARIFA DE EMBARQUE [2000]
TARIFA DE EMBARQUE [2000]
TARIFA DE EMBARQUE [2000]
TARIFA DE EMBARQUE [2000]
TARIFA DE EMBARQUE [2000]
TARIFA DE EMBARQUE [2000]
TARIFA DE EMBARQUE [2000]
TARIFA DE EMBARQUE [2000]
TARIFA DE EMBARQUE [2000]
TARIFA DE EMBARQUE [2000]
TARIFA DE EMBARQUE [2000]
TARIFA DE EMBARQUE [2000]

... e parecem ignorar
que poesia é tudo:
jogo, raiva, geometria,
assombro, maldição e pesadelo
mas nunca
cartola, diploma e beca.

Oswald de Andrade
Miolo desentranhado de conferência proferida no Museu de Arte Moderna de São Paulo, 19/03/1949

CÂNTICOS DOS CÂNTICOS DE SALOMÃO

eu era um mar de melancolia um coração pedra bruta
um mundo sem alegria

Ó DOCE LOUCURA QUE ME ACONTECE Ó LÍNGUA DE FOGO QUE
MEU AMOR NOS MEUS BRAÇOS ADORMECE ME ENTONTECE
MIL MARAVILHAS DO MUNDO ELE ENCARNA

PIRÂMIDES DO EGITO
QUINTA AVENIDA MURALHA DA CHINA
MACHU PICCHU TITICACA
TRAFALGAR SQUARE COLISEU
CATARATAS DO IGUAÇU
MANHATTAN GUANABARA

seu corpo é gazeta ilustrada que folheio da primeira à última
página e vice-versa
em letras garrafais o cabeçalho da manchete **JÁ** é um alarde:

"JÁ RAIOU A LIBERDADE"

meu amor decretou a abertura de todos os poros da minha pele
ele é meu
vento de viração barravento turbilhão doida canção de orfeu
representa Troia que um dia o tédio de Helena varreu
um mar azul um barco bêbado a ânfora o vinho Ulisses ébrio
Penélope
corisco que lampeja e lambe o lajedo da minha casinha sertaneja
ele é chave geral de usina elétrica e eu arranho o céu iluminada

metrópole moderna cidade aberta tomada acesa incendiada
ele é minha cimitarra sarracena adaga afiada espada bárbara
ele é meu **SOL** minha luz minha brasa meu braseiro meu brasil
tição
conquistador do polo navio quebra-gelo que me derrete o
coração
sou a sede de um rio corrente caçando o **SAL** do oceano ardente

SENEGAL
MADAGASCAR
HONGKONG
MÁLAGA
RIO DE JANEIRO
VALPARAÍSO

WALY SALUT AU MONDE

Imã, 1985

Musicada por Juarez Maciel. (N. E.)

OUTROS QUINHENTOS

Abr'olhos
Abr'olhos para as flores da trepadeira **CAMÕESIA MÁXIMA**!

Apuro juízo e vista:
em matéria de previsão eu deixo furo
futuro, eu juro, é dimensão
que não consigo ver
nem sequer rever
isto porque no lusco-fusco
ora pitombas!
minha bola de cristal fica fosca
mando bala no escuro
acerto tiro na boca da mosca
outras tantas giro a terra toda às tontas
dobro o Cabo das Tormentas
rebatizo-o de Boa-Esperança
e nessa espécie de caça ao vento leviano
vou pegando pelo rabo
a lebre de vidro do acaso.
Por acaso,
em matéria de previsão só deixo furo
— o juízo e a vista apuro —
futuro, juro, d'imensidão q ignoro
abr'olhos
vejo bem no claro
turvo no escuro
minha vida afinal navega taliqual
caravela de Cabral

um marinheiro enfia a cara na escotilha
um grumete na gávea ziguezagueia e berra
ou o escrivão ou o capelão ou o capitão do tombadilho zurra
sinal de terra, terra ignota à vista!

tanto faz Brasil, Índia Ocidental Índia Oriental,

ó sina, toucinho do céu e tormento,
ó fado, amo e odeio
o vira, a volta e o volteio
da sinuca
da sempre mesma
d
a
n
ç
a
—
l
e
s
m
a
da sinuca de bico vital.

Açorda!
Vatapá!
Abr'olhos
Abr'olhos para as flores
— pretéritas ou recentíssimas —
da trepadeira **CAMÕESIA MÁXIMA**!

ORAPRONOBIS

(TIRA-TEIMA DA CIDADEZINHA DE TIRADENTES)

Café coado.
Cafungo minha dose diária de **MURILO** e **DRUMMOND**.
Lápis de ponta fina.
Lá detrás daquela serra
Estamparam um desenho de **TARSILA** na paisagem.
Menino que pega ovo no ninho de seriema.
Pessoas sentadas nos bancos de calcário
Dão a vida por um dedo de prosa.
Cada vereador deposita na mesa da câmara
A grosa de pássaros-pretos que conseguiu matar
Árdua labuta pra hoje em dia
Pois quase já não há
Pássaros-pretos no lugar.
De tarde gritaria das maritacas
Encobre o piano arpejando o *Noturno* de **CHOPIN**.
Bêbado escornado no banco da praça.
Orlando Curió cisma um rabo de sereia do mar debuxado
no lombo do seu cavalo.
A meia-lua
E a estrela preta
De oito pontas
Do teto da igreja
Do Rosário dos Pretos.
Que luz desponta
Da meia-lua
E que centelha

Da estrela preta de oito pontas
Do teto
Da igreja do Rosário dos Pretos?
Pra quem aponta
A luz da meia-lua
E pra quem cintila
Preta de oito pontas
A estrela desenhada no teto
Da igreja do Rosário dos Pretos?

ESTÉTICA DA RECEPÇÃO

Turris eburnea.
Que o poeta brutalista é o espeto do cão.
Seu lar esburacado na lapa abrupta. Acolá ele vira onça
e cutuca o mundo com vara curta.
O mundo de dura crosta é de natural mudo,
e o poeta é o anjo da guarda
                    do santo do pau oco.
Abre os poros, pipoca as pálpebras, e, com a pá virada,
mija em leque no cururu malocado na cruz da encruzilhada.
Cachaças para capotar e enrascar-se em palpos de aranha.

Ó mundo de surdas víboras sem papas nas línguas cindidas,
                              serpes, serpentes,
já que o poeta mimético se lambuza de mel silvestre,
carrega antenas de gafanhoto mas não posa de profeta:
                                        "Ó voz clamando no deserto".
Pois eu, pitonisa, falo que ele, poeta,
                          não permite que sua pele crie calo
dado que o mundo é de áspera epiderme
                          como a casca rugosa de um fero rinoceronte
                          ou de um extrapoemático elefante
posto que nas entranhas do poema os estofos do elefante
                  são sedas
                              delicadezas
                                  carências de humano paquiderme.

É o mundo ocluso e mouco amasiado ao poeta gris e oco.
Caatinga de grotão seco atada à gamela de pirão pouco.
Suportar a vaziez.
Suportar a vaziez como um faquir que come sua própria fome
e, sem embargo, destituído quiçá do usucapião e usufruto do tino
com a debandada de qualquer noção de impresso prazo de jejum.

Suportar a vaziez.
Suportar a vaziez.
Suportar a vaziez.
Sem fanfarras, o vazio não carece delas.

MASCARADO AVANÇO

Ela desinfla o mal-estar
na civilização.
Ela prescinde da felicidade
dos bem-postos na vida.
Quanto mais na lida diária
o *Tedium Vitae* preside
tanto mais
eu e ela nos fundimos extáticos,
crentes da seita dos dervixes girantes.
Eu, com ansiosa solicitude,
agarro qualquer boia
— destroço seja ou joia —
e comando o lupanar do lumpesinato da ilusão.
E, ela, que papel cumpre?
Ela imprime descomunal animação
à falange
das minhas máscaras.

GRAMPO/RADAR, RADARES/LEILÃO DOS CELULARES/SIVAM

Me envie sinais.
Não fique sem me dizer nada.
Quero me certificar que não foi interceptada
minha mensagem para um Destinatário Especial: você.
Rastreie informações e me relate as mudanças
do curso do rio.
Fique de olho nos leilões.
Não coloque tarjeta de **DEMAIS AFLITO** em mim.
Intrincada é a natureza das coisas.
Olho aceso para as expectativas dos competidores.
Como lidar com especuladores rivais?
Como alocar recursos escassos?
Como camuflar recursos abundantes?
Falta você se impregnar com a teoria do jogo,
fazer osmose com o título **PENSANDO ESTRATEGICAMENTE**.
Inferno verde *cobra Norato* hileia amazônica *Galvez*.
Com que barranco ergui meu banco de dados?
Com tambaquis, tucunarés, surubins que morderam
o curare do meu anzol.

Esperteza e pés ligeiros...
Por Hermes! — patrono dos mercadores honestos,
dos ladrões,
dos que cruzam e recruzam fronteiras,
dos fronteiriços.

Por Hermes! — trapaceiro de nascença
                e de múltiplas rodadas.
Por Hermes! — pastor dos banhos de mercúrio,
                        dos bamburros de cianureto
                e dos rebanhos das ações escusas. Herméticas.
Por Hermes!   Por Mercúrio!
Analisar rápido o estoque de opções,
os vários pacotes de licenças.
Deposite papel podre. Aja e retorne ligação.

Vitória-régia nenhuma à vista,
mas a flor da parabólica capta direto
sem inclinação
capta os sinais direto dos satélites estacionados no céu
da linha demarcatória do equador
30 km daqui de São Gabriel da Cachoeira.
Radares passam o pente-fino no *espaço aéreo*.
Nas nossas transas, ai meus cuidados,
Não pronuncio nem cicio *Letícia, Letícia, Letícia*.
Cifro: alegria latina. Omito referência à cidade homônima.
Da palavra *letícia* dispenso o resto das letras
e balbucio só o *c* de bulício, cio, chiado,
                    cama, cunhantã, cunhã e cobertor,
para homenagear e trair
                (com o silício, a sombra, a soturnidade
                das selvas verde escuras oscuras obscuras)
os sentimentos do ocidental Cesário.
Camuflo distinto uniforme: Ó que brava alegria eu tenho
                            quando sou como os mais.
Radares: esgaravatadores de piolhos e lêndeas
                    da cabeleira
                    do céu da fronteira?

Mergulhe na água — cor de vinagreira — do alto Rio Negro.
Mergulhe.
Olhe.
Não esqueça que o diabo faz seu ninho
é nos galhos
dos detalhes.
E se chover canivetes
nas cabeceiras dos rios
da bacia semântica,
use o *embaralhador de registros e vozes.*

Mudez também fala.
Vista camuflagem.
Fonte não se revela.
Componha um poema paranoico
em Nheengatu.

São Gabriel da Cachoeira. Amazonas.
Durante feitura do vídeo Viagem na fronteira
com Carlos Nader.

ORAÇÃO AOS MOÇOS

De tanto ver triunfar as nulidades
....
....
....
....
....
.... nutro grandes esperanças.

NOVELHA COZINHA POÉTICA

Pegue uma fatia de Theodor Adorno
Adicione uma posta de Paul Celan
Limpe antes os laivos de forno crematório
Até torná-la magra-enigmática
Cozinhe em banho-maria
Fogo bem baixo
E depois leve ao Departamento de Letras
Para o douto Professor dourar.

....

....

Levantava, volvida para o levante, aquela fachada
estupenda, sem módulos, sem proporções, sem regras; de estilo
indecifrável;
mascarada de frisos grosseiros e volutas impossíveis
cabriolando
num delírio de curvas incorretas; rasgada de ogivas
horrorosas, esburacadas de troneiras; informe e brutal,
feito a testada de um
hipogeu desenterrado; como se tentasse objetivar, a pedra e cal, a
própria desordem do espírito delirante.

D'OS SERTÕES
EUCLIDES DA CUNHA

INVOCAÇÃO A SULTÃO DAS MATAS

Eu tava na boca da mata
Eu vi a campa bater
Ajoelhei, botei meu ouvido no chão
Dei um grito e um assobio
Na chegada de Sultão

Sultão das Matas Ê Ê Ê
Sultão das Matas Ê Ê Á
Sultão das Matas Ê Ê Ê
Sultão das Matas Ê Ê Á

Ponto de Candomblé de Caboclo em louvor de Sultão da Matas que Bidute me ensinou desde a infância em Jequié e nos auges da solidão e desespero recorro sempre a cantar de cor.

JANELA DE MARINETTI

para Jorge Salomão

1

cidade dura e arreganhada para o sol
como uma posta de carne curtida no sal —
onde na rua do maracujá adolesci
e, louco, sorvia a vida a talagadas de cachaça
de alambique.
graveto-do-cão pitu luar do sertão.
uma ponte corta um rio de fazer contas.
arco e flecha de Sultão das Matas
mira certeiro as ventas do dragão lá na lua.
uma seta e um nome tupi de cidade em uma placa
— é, é, jequi, cesto oblongo de cipó pra pegar peixe
n'água, é, é —
e a rua de paralelepípedo e a rua de chão batido
e outra rua metade paralelepípedo metade chão batido
lembra jurema pé de joá cacto mandacaru.

fruta de palma perde os espinhos
mergulhada dentro da bacia cheia de areia.
bolo de puba umburana flor de sisal.

cidade dura e arreganhada para o sol
como uma posta de carne curtida no sal,
meu museu do inconsciente
é um prédio mais duro de roer
mais arreganhado para o sol
mais curtido nas salinas do canal lacrimal.

2

o anúncio ditava:
… "a farmácia estreita da rua larga"…
abro
minha caixa de amor e ódio
abuso
da enumeração evocativiva,
desando a disparar:
rua alves pereira…
rua apolinário peleteiro…
rua do cochicho…
distingo bem o caroço duro de umbu chupado
da bostica, da bustiquinha redondinha
que nem biscoitinho de goma
que a cabra da caatinga fabrica.

de pouco vale agora essa sabença.
o chão e tudo é só paisagem calcinada
e tela deserta e miragem e cena envidraçada.
janela de marinetti
sem vista panorâmica
me lixo pro louvre da vitória de samotrácia
apois aposto na corrida futurista da preá
pego carona na rasante de um urubu
diviso lajedo molhado espelhando umbuzeiro gravatá.

um aleijado esmola e merca rolete de cana
três araras dois micos uma jiboia enrodilhada.
uma velha choraminga e mói dez tostões de erva
mais cinco mil-réis de semente de urucum.
jegues carregados de panacuns.
pau-ferro rolimã curral dos bois.

3

uma ponte corta um rio de fazer contas.
pego as contas dos olhos e os enfio
nas platibandas das casas coloridas.
rua das pedrinhas...   borda da mata...
guito guigó... bolha de mijo de potó...
a profa. teresinha fialho
                                    e a família inteira de doutor fialho
no poleiro das galinhas-verdes de plínio salgado.
verdes. verdes. e o amarelo aceso do enxofre
no fundo da talha d'água de beber.
que não escutei "*queto!*", ouvir não ouço "*coitado!*".

urubuservar a vida besta do alto do urubuservatório.

por amor de quando fera e peixe e planta e pedra e ave
e besouro e estrela e estrume e grão de areia,
cada qual de per si,
e os jeitos e as qualidades
                                                  das palavras
                                                  das quimeras
                                                        dos seres,
separados ou em uníssonos,
                                            sibilavam oráculos...

a ti confesso, janela de marinetti:
comparecem até o mirante
mínimas brasas inquietas
catapultadas pelas criciúmas
dos rios pretos enchidos dos cafundós do judas
(minúcias de azinhavres,
    línguas de trapos e de caroços,
    catadupas de troncos e tocos,
    hemorragias de baronesas e molambos);

4

na porta da *casa fascista*
o audaz tenor bambino torregrossa assassina lua e luar.

a acha de lenha do passado figura fósforo queimado
                                    carvão apagado
                    tição perdido e achado aceso
(no meio-dia calcinado carvão forja diamante)
que crepita confundido com as paredes
                                      internas
                                      externas
                                                        do porão da bexiga
que crepita fundido no fole refemfem
                                    fem fem
                                   refemfem
                               no resfôlego da tripa que toca gaita,
     a tripa gaiteira da folia dos magos reis do boi janeiro.
quem foi que disse que janeiro não saía
boi janeiro tá na rua com prazer e alegria.

essa alegria, motor que me move.
nascido com o auxílio das mãos da parteira mãe jove,
para todo sempre confino
o registro da palavra *rotina*
com o vento e a chuva
com o plúvio e o pneuma
marchetados no registro
da palavra *enigma*.

5

Cidade-Sol.
Heliópolis,
Baalbeck
da minha infância desterrada.

ELIPSES SERTANEJAS

....
....
....
....

Eu não nasci pra ser clássico de nascença:
Assestar o olímpico olhar sobre o mundo nítido,
Filtrar os miasmas externos e os espasmos do ego,
Sob a impassibilidade dos céus tranquilos e claros......
....
Não cultivei nem cultivo a palidez altiva, a altivez seráfica...
Curto **SERTUM PALMARUM BRASILIENSIUM**
de J. Barbosa Rodrigues.
Talhe elegante das palmeiras do sertão brasileiro.
Sondar com os olhos insondáveis.
Perpassar as vistas pelo mundo e vê-lo
Depurado
Da obsessão de cifra.
Indecifráveis palmeiras. Com que fito decifrá-las?
....
....
Fiz tudo ao contrário... Sou todo ao convulsivo...
Cafarnaum de vielas e becos sem saídas...
Quebra-queixo feito da crosta de dura substância.................
....acervo de gravatás
..............................espinheirais de pé de quixabeira
..............................umbuzeiro retorcido da caatinga.....
....

Um pária da família humana,
Cheio da paina das questões crispadas, cifradas, irresolvidas.
Cafarnaum de vielas e becos sem saídas.............................
....
Vim da dureza feito gumes.................................
Desavim... pontudo... áspero e intratável como o cacto libertino...
....
....

PASTORAL BRASILIANA

para Ivan Junqueira

Às vezes nas gavetas as aposento,
volta e meia no pescoço as reapresento:
minhas guias de santo.
Alguidar, quartinha, gostosa dormência do banho de folhas,
e o peji dos orixás
na plenitude dos deuses ou no deserto deles.
Alegre, cético, beato, agnóstico.
ilusões perdidas ou o delírio inverso de estar possuído
pela fé e febre do caçador de esmeraldas,
de esmeraldas — verdes vísceras insones
que nos ventres dos pântanos alumbram,
alumbram e insones cegam.
Fulgor e fumaça,
foguetes de lágrimas,
cataratas sobre o cristalino.
Urro e berro eureca e eis que se me antepara
um Eldorado feito sob medida para otário engrupido.
O sonho dourado trocadilho em sonho gorado.
Por entre dobras de sumaúma,
rugas de andiroba,
a lisa lisura do pau-mulato,
e o **MATA-CALADO** — versão vegetal caipira da sapiência letal
dos césares, tibérios, claudius, neros, domicianos, calígulas,

caios e bórgias.
Breu e palude.

Alarido álacre das maritacas
e o escarcéu risca céu das tiribas.
Gemidos de seriema, saracura,
da coruja mãe-da-lua
e do bacurau.
Brenha e pantanal.

Estar possuído pela síndrome de Fernão Dias Paes Leme.
Estar possuído pela fé e febre do caçador de esmeraldas
à sombra das flores fanadas do modernismo.
Mesmo sabendo que flores fanadas não fazem sombras,
flores fanadas só fazem lombra,
flores fanadas fazem
solombra.

Joguei meu lenço pra cima
nos ares virou açucena
você gosta da cor alva
eu gosto da cor morena.

Quero quero
passar uma rifa,
armar um bingo,
fazer uma vaquinha,
correr um abaixo-assinado,
perpetrar um tapa numa grana,
unhar uma raspadinha na loteca,
laçar um papagaio bancário,
pespegar uma facada num barão otário,
cometer uma petição ao alcaide:
quero quero minha rua ladrilhar para minha açucena,

meu brinco-de-princesa, minha bela-emília azulzinha,
minha lágrima-de-cristo, meu jasmim, minha catleia rainha
passear sobre
ágata, calcedônia, cristal, ônix, chuvisco d'ouro,
mancheias de diamantes
— pedras capistranas caligrafadas por escribas dementes,
os mesmos que configuraram as quizilas, os acidentes,
os ebós, as muambas, os bichos soltos e as gentes
dos brasis.

E nas gentes, é de lei, aplicar um zoom
que vá da cútis ao cu
— um retorno tecno da zarabatana com curare
fincada no púbis.

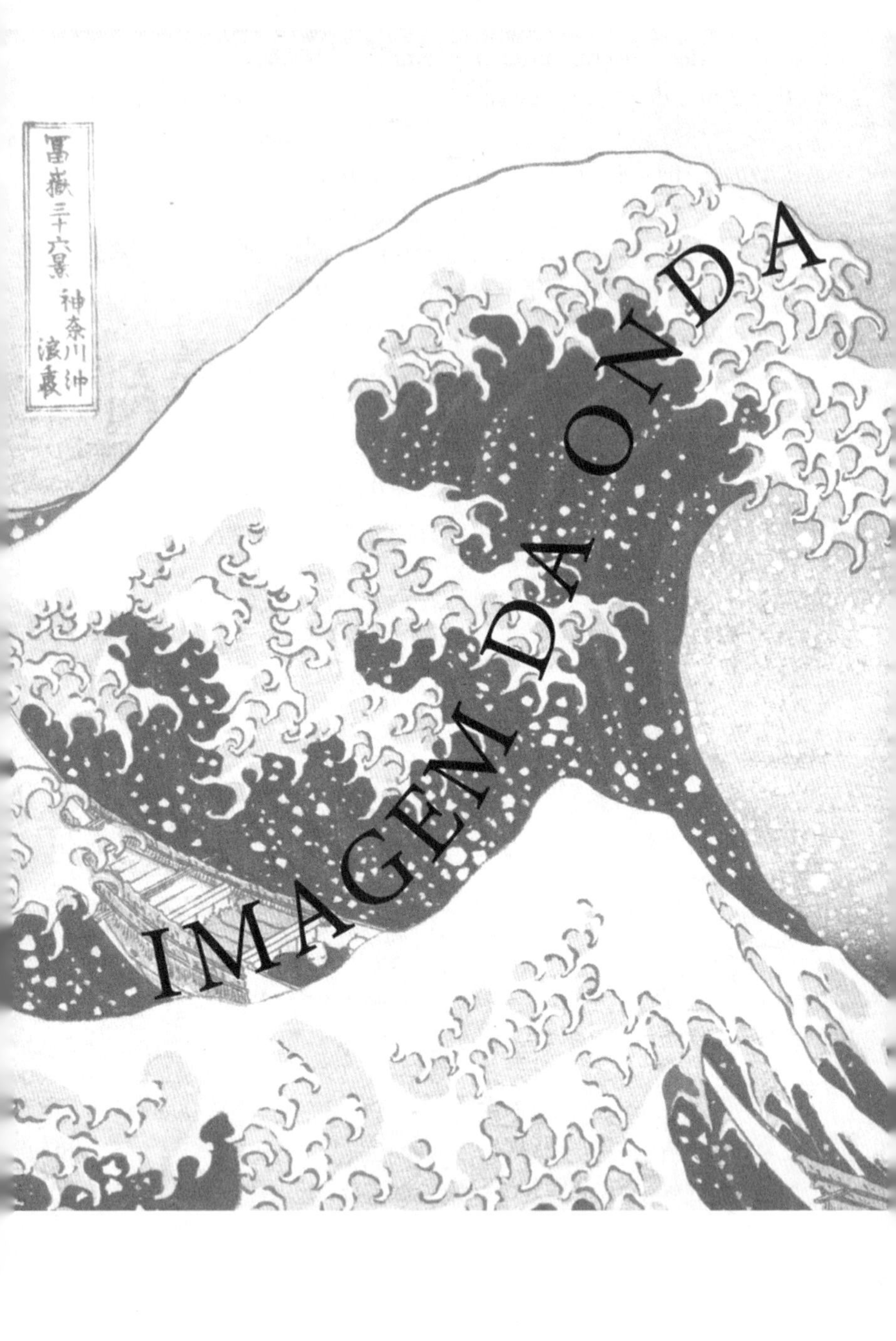
冨嶽三十六景
神奈川沖
浪裏
IMAGEM DA ONDA

Write poetry is like surfing.

...

Poetry, like surfing, is inexhaustibly flesh and surprising, its delights are endless, and each wave, like each poem, contributes its measure to what we feel, know, and believe.

(**SURFACES**)

Escrever poesia é como surfar.

...

Poesia, como surfar, é inesgotavelmente fresca e cheia de surpresas, suas delícias são sem fim, e cada onda, como cada poema, contribui em sua medida para o que sentimos, sabemos e acreditamos.

(**SUPERFÍCIES**)

A. R. Ammons

Set in Motion: essays, interviews & dialogues.

Editado por Zofia Burr, 1996

¿La ola no tiene forma?
En un instante se esculpe
y en otro se desmorona
en la que emerge, redonda.
Su movimiento es su forma.

Octavio Paz

Condición de Nube, 1944

O FURADOR DE ONDAS

IMAGEM DA ONDA

Não enrijecer o pelo tal qual gato escaldado
Nem cultuar, idólatra, a imagem da margem.
Que o medo e o arremedo jamais medrem medusas
abissais
Naquele cujo teto sem teto é a metamorfose.
Aquele, o furador de ondas, e o penetrador dos pentelhos
móbiles
Da floresta aquosa.
Sobre as ondas
Na crista das ondas
Boia um odre cheio de odes anacreônticas.
Pergaminho que ondula
Traz a pele respingada das ondas pretéritas.
Ondas transgressoras transmigradoras assinalam arremesso
— projétil surpresa —
Para futuros,
agressivos,
sucessivos,
furiosos glossadores.

Tosão de ouro.
Tesuda mulher-onda de João Cabral.
Posto que o mar é um composto:
Camadas de fissuras e palimpsestos.
Mergulhar sob as ondas
indomáveis,

Ir de encontro ao horror
E nele colher centelhas luminosas.
Diz a Lenda — mãe das musas —
Que a calmaria oceânica
Por um desvio
Gerou o turbilhão Brasil
Por uma obsessão de rima
Por um desvio
De rota.
Agora é todo dia ancorar a caravela na enseada
Subir encosta acima até o cocuruto do pedregulho
E tirar chinfra com uns bons balaços-balanços de linguagem.
Armar um tiroteio de metáforas.
Tesuda mulher-onda de João Cabral.
Tosão de ouro.
Ânfora repleta de safiras e turquesas.
A onda puxa... o mar puxa...
Fusão do corpo físico com a massa física da onda...
Passar da arrebentação...
Surto do corpo coletivo...
Pós, fumos, espumas flutuantes, fraturas,
variações ao sabor dos ventos,
formas mudáveis,
fendas, falhas, fagulhas...
Misto de alegria e ira
Um Nero de macumba dedilha a clave de fá
Na lira das fagulhas
E mira as margens plácidas
flácidas
ácidas
Com os olhos de ressaca de uma qualquer Pombajira.

Pelas ondas sabem-se os mares
lambem-se as margens.

Sutra de *Sailormoon*

ITAPUAN QUER DIZER PEDRA Q RONCA

A pedra q ronca é pedra penetrada não pela ideia abstrata,
nem pela letra,
ou pelo sentido literal;
pedra que penetra (e é penetrada) enquanto espírito encarnado,
carnal.
Não a do ascético São Jerônimo, um mortificado pela carne,
que na hora e vez da ereção batia na caixa do peito com uma
pedra.
Itapuã quer dizer pedra q ronca.
Pedra batida pela onda do mar, sem direito a solilóquio.
É um diálogo intensivo o que travam o mar e o priápico monolito:
se a onda cobre a pedra
permanece ali a área em volta intumescida em diuturnas
poluções,
promessas salpicadas pelos deuses de que viver são sais, são
sóis, ouriços, plânctons, flamas, clarões da varredura do farol.
Pedra de Xangô,
trovão,
fogo,
água e ar.
Pedra de salsugem com cheiro semelhante ao mênstruo e
ao sêmen.
Pedra de toque.
Pedra em brasa.
Pedra de tropeço que inflama o meio do caminho do poeta.
Um coração de carne em pedra flamejante, pentecostal.

Pentecostal: a língua de água salgada e de alada atmosfera
penetra na fenda
da pedra
e a faz roncar:

Abre-te sésamo.
Pedra bissexuada, hermafrodita, mística, panteísta.
Abre-te sésamo. Abre-te sésamo. Abre-te sésamo.

Itapuan, c. 1976.

GARRAFA

Vá dizer aos camaradas
Que fui para o alto-mar
E que minha barca naufraga.

Leme partido.
Casco arrombado.
Sem farol afunda
Nas pedras dos arrecifes.

Bandeira aos farrapos. Nenhuma estrela guia
Célere desce lá do céu para minha companhia.
Destroços: proa, velame, quilha,
prancha, rede de pescar, arpão,
bússola, astrolábio, boia, sonar...

Que fui para o alto-mar
E que Medina e Meca já não significam
mais nada para mim.
Entrevado
Vista turva
Porto nenhum avisto
Nas trevas da cerração.

Pelejo entre os vagalhões e as rocas,
Não apuro os nós de lonjuras das seguras docas
Tampouco os altos e baixos relevos das pedras
que roncam ais
no quebra-mar do cais
Ou os tapetes de mijo e de restos de peixes
E patas de caranguejos e frutas podres
Tecidos pelas alpercatas e os pés nus sobre a rampa
do Mercado-Modelo.

Um marinheiro conserta sua embarcação
— corpo de intempestiva casa —
Em pleno alto-mar aberto.
Vá dizer aos meus amigos.

: pois poesia é pré prévia premonição
premência:
antes que algum outro aventureiro lance mão
:
perder o trono
preservar o troar do trovão:
pois brasil é buraco de cárie
paiol de banguelas
poço cego
cacimba de carência:
viver nele é desvertebrar sôfregas verdades
obsoletas
borboletear mentiras com ofegante urgência
:
antes que algum outro aventureiro lance mão
:
perder o trono
preservar o troar do trovão:

DEVENIR, DEVIR

Término de leitura
de um livro de poemas
não pode ser o **PONTO FINAL**.

Também não pode ser
a pacatez burguesa do
PONTO SEGUIMENTO.

Meta desejável:
alcançar o
PONTO DE EBULIÇÃO.

Morro e transformo-me.

Leitor, eu te reproponho
a legenda de Goethe:
MORRE E DEVÉM.

MORRE E TRANSFORMA-TE.

TARIFA DE EMBARQUE

Sou sírio. O que é que te assombra, estrangeiro, se o mundo é a pátria em que todos vivemos, paridos pelo caos?

Meleagro de Gádara, 100 a.C.

Não te decepciones
ao pisares os pés no pó
que cobre a estrada real de Damasco.
Não descerres cortinas fantasmagóricas:
camadas de folheados
　　　　　　　　　　　　— água de flor de roseira
　　　　　　　　　　　　 água de flor de laranjeira —
que guloso engolias,
gravuras de aldeãs portando ânforas ou cântaros,
cartões do templo de Baal
e das ruínas do reino de Zanubia em Palmira,
fotos de Aleppo, Latakia, Tartus, Arwad
que em criança folheavas nas páginas da revista **ORIENTE**
na idade de ouro solitária e febril
por entre as pilhas de fardos de tecidos
da Loja Samira;
arabescos, poços, atalaias, minaretes, muezins, curvas
　　　　　　caligrafias torravam teus cílios, tuas retinas
no vão afã de erigires uma fonte e origem e lugar ao sol
　　　　　　　　　　　　na moldura acanhada do mundo.

Síria nenhuma iguala a Síria
que guardas intacta na tua mente régia.
Nunca viste o narguilé de ouro que tua avó paterna
— Kadije Sabra Suleiman —
exibia e fumava e borbulhava nos dias festivos
da ilha fenícia de Arwad.

Retire da tela teu imaginário inchado
de filho de imigrante
e sereno perambule e perambule desassossegado
e perambule agarrado e desgarrado perambule
e perambule e perambule e perambule.
Perambule
— eis o único dote que as fatalidades te oferecem.
Perambule
— as divindades te dotam deste único talento.

TTTTTtttttiroteio de Metáforas

A BELA E A FERA

Orestes: Sou estranho para mim mesmo, sei. Fora da natureza, contra a natureza, sem desculpa, sem outro recurso senão eu. Mas não voltarei a estar sob o jugo da lei: estou condenado a não ter outra lei senão a minha.

Jean Paul Sartre, *As moscas*

Enquanto minha guitarra chora
Um galo de quintal
Asa cortada, crista vermelha
Liberta seu canto lá fora

Você parece uma dama
Que carece de acalanto
Durma, bela adormecida, durma
Com semelhante barulho
E não acorde tão cedo
Pego o cabo da tesoura
E corto o fio do nosso enredo

O galo cantou, o dia raiou
Um flash perverso clareou minha tela
Tire seu sorriso do caminho
Tire sua costela da reta

No meu dicionário
Casa quer dizer corte de asa
No meu *aurélio* (onde não falta significado pra *ziquizira*)
Casa rima com apagar a brasa
Porta aberta, encruzilhada, linha torta, estrada enviesada
Eu, Lúcifer, tonto de luz, anjo lúcido
Prefiro pedra dura de beira de rio
À sua cama fofa, ao seu travesseiro macio
Ó meu conto de fada, minha bela adormecida

Musicada por Celso Fonseca. (N. E.)

NOMADISMOS:
CADERNETA DE CAMPO

para Solange Farkas

Olor de fábulas ladinas...

Como alguém que se belisca pra verificar se acordado sonha
Compulsivo você ladainha o dito por Plutarco
De que "nascer é penetrar em uma pátria estranha"

No seu âmago estão embutidas substâncias dissolúveis
Precipitações de alheias identidades oscilantes
Capacidade de captar/ esculpir/ fingir/ fundir/ montar/
moldar
Capacidade de aderência absoluta
ao instantâneo

O gozo da fluidez do momento
Sem congelados
O gozo dos gomos do mundo
Sem deixar restos

Ser essencialmente uma ambulante câmera de vídeo
Disparada pelo piloto automático

Se ilhas extravirtuais perdem os homens
Raptos e raptos sucessivos já fizeram de sua alma uma zona

Porta vaivém de *saloon* campo de aviação terreiro de orixás
Não tema
Por querubins fantasmas ou serafins você não mais sofrerá
sequestro-relâmpago
Ilhas de edição atam e apartam os homens
E as anotações das agendas decupam e anulam e remontam
Parlendas e acalantos e charmes e chistes e lendas e
mandingas e quebrantos
E provérbios e pontos de macumba e atos falhos e charangas
das galeras
E trechos de letras das canções e linhas sabidas de cor dos
poemas canônicos
E arcaísmos e futurismos e solecismos e gírias dos mangues
das bocas das gangues
E clichês e frases feitas e brilhos esparsos e espasmos pilhados
e artifícios de fogos e jogos e logros
E a antepenúltima e a penúltima e a última carta-bomba
do comando-terrorista-suicida

E a dança das mercadorias
E a sobra de imagem
E o território do ruído
E o código de barras:
cai como uma bomba
sem carta
o suicídio do solitário

ESTAVA ESCRITO NO TEMPLO DE BACO EM BAALBECK

Feras e bichos mansos e seivas vegetais transmigram pelos canos
De sangue dos humanos
Metempsicoses e dispersões dos aros do eixo da personalidade
Ganidos de deliciosas perversões sexuais
Surubas das sensações truncadas
Simbioses sonambúlicas com os cenários cambiantes
Cineticismos das patoplastias histéricas
Cios com os caos e os cosmos invertidos
Bacanais de simultaneísmos das multidões turísticas
Pilhas de nervos em vorticistas bastardias
Cadelas mênades engatadas em uma penca de cães
Flor dos ópios mesclada aos vinhos

FILOSOFIA DE ALCOVA

para Luciano Alabarse

vapor de almíscar
odor do baixo-ventre
cheiro dos testículos do almiscareiro
anel de ônix
CONTÊINER de conheceres e saberes saborosos

desembaraço-me do sousândradino lastro “porto de
salvação não há nesta vida”
dispenso a própria ideia de busca de boia de salvação
disperso item por item
artigo por artigo
inciso por inciso o rol de mágoas do caboclo
a suspirar

será?

contraproponho uma vida diminuída
(vacilo: ou lotada)
das manchas do pecado original
da culpa
do ciúme
do despeito
da dor de corno

do remorso
dos escaninhos dos frios rancores
do imperativo da vingança
a dança breve da vida
sem as sujidades dos santos óleos
ou, então, untada
lambuzada
encharcada deles
CONTÊINER de conheceres e saberes saborosos
compor um hino às possibilidades
um porto onde a gaia ciência jogue suas âncoras

um porto alegre

usina do gasômetro

LÍBANOS

Uma estrela taliqual uma centelha de febre, tesão e fome.
Afastada como a Idade de Ouro.
Nenhum Líbano real
E suas seitas
E suas gangues
E suas facções
E suas falanges
Busco.
Líbanos de sonho
Líbanos de nácar
De néctar
De éter e calcário
De éter, haxixe, ópio, papoula e calcário
Busco.
De zatar
E romãs
Busco.
Areias voando pelos ares
Tonteira do narguilé que lixa os alaridos das ânsias
Naus fenícias esticadas de sal navegando através das veias
Queimar angústias, arestas e asperezas em brasa
Ao rubro pôr de sol do oriente — Tiro, Sidon e Biblos
Busco.
Tudo passa como se eu fosse
Um pássaro imóvel.
Busco.

Beirute, 06/09/99

COBRA-CORAL

Para de ondular, agora, cobra-coral:
a fim de que eu copie as cores com que te adornas,
a fim de que eu faça um colar para dar à minha amada,
a fim de que tua beleza
                teu langor
                tua elegância
                        reinem sobre as cobras não corais.

Musicada por Caetano Veloso. (N. E.)

CAUDA DE COMETA TONTO

S
Sem
Sem alfa nem ômega
Sem casulo a que nostalgiar
Sem oficina de reparo & recauchutagem
Sem borboleta que regrida à anterior crisálida

AMANTE DA ALGAZARRA

Não sou eu quem dá coices ferradurados no ar.
É esta estranha criatura que fez de mim seu encosto.
É ela!!!
Todo mundo sabe, sou uma lisa flor de pessoa,
Sem espinho de roseira nem áspera lixa de folha de figueira.

Esta amante da balbúrdia cavalga encostada ao meu sóbrio ombro
Vixe!!!
Enquanto caminho a pé, pedestre — peregrino atônito até a morte.
Sem motivo nenhum de pranto ou angústia rouca ou desalento:
Não sou eu quem dá coices ferradurados no ar.
É esta estranha criatura que fez de mim seu encosto
E se apossou do estojo de minha figura e dela expeliu o estofo.

Quem corre desabrida
Sem ceder a concha do ouvido
A ninguém que dela discorde
É esta
Selvagem sombra acavalada que faz versos como quem morde.

SILOGISMOS DA AMARGURA

TUDO ABARCO E NADA APERTO.
TUDO APERTO E NADA ABARCO.

No prédio das **ARTES E OFÍCIOS**,
minha função é no departamento encarregado de

BELISCAR AZULEJOS.

EM FACE DOS ÚLTIMOS ACONTECIMENTOS

Na minha mente é que as rosas desabrocham
E esplendem
E aí quedam
                    — ai de mim! —
Num instante de tempo muito mais acelerado
Do que a esbaforida eternidade de um dia
Das rosas do poeta Malherbe.

ADUANA

senha e sonho e sanha com que esta palavra penetra no baile
máscara de maria-ninguém de fatura recente
ou será arca de ganas do tempo do rei
cadê o cabaço lacre de selada estampilha exigido por lei
cadela safada muamba curtida no bodum das galés
saturnália entrudo ostra grudada ao casco do navio
fidalga de tamanco sem nem um pingo acre de sangue azul real
verbete acessado de uma enciclopédia cibernética de gafes
vestes inconvenientes de quem não sabe com quem está falando
usa papel-carbono pra burlar alfândegas
chega sem passaporte sem convite sem o ***RÉPONDEZ S'IL VOUS PLAÎT***
cara de pau dribla a catraca do guichê da chefia do cerimonial
não exibe pendurado no peito atestado de salubridade pública
miss maxixe
embigada
corta-jaca que se insinua nos finos salões
palavra empenhada sem lastro de chão ou teto patrimonial
nem pé-de-meia tem
casca-grossa não tem no cu o que periquito roa
hectares de terras que possui são as que carrega debaixo
das sujas unhas
heranças de nenhumas capitanias hereditárias
necas de pitibiribas de sobrenomes ilustres
topless e desnuda de sesmarias
de família ignorada do fio da pá ao pavio da foice e do sudário
pó de pau de anta
vassoura-de-bruxa

vírus **VIRIDIANA** da próxima epidemia mundial de gripe
vetada pelo código de barras do produtor e do consumidor
inhaca de marafona impudica
vira-lata da chinfra arraia-miúda da folia da grei
espojada se emprenhando ao vento vário na caçamba de camião
ou ao relento ralando as coxas nuelas no lombo do neutro sexo
da mula sem cabeça

MISE EN PAGE

M

M

Fora da fábula,

nenhum mendigo vira milionário.

Fora da fábula,

nenhum milionário vira mendigo.

Credo quia absurdum est.

Creio por ser absurdo.

Seja minha vida,

embora,

regida por um pêndulo

que frenético oscila

e se assemelha

à

zorra

da corda bamba

que parece gangorra

no carma do seu balanço

pra lá pra cá pra lá pra cá

circo

curto-circuito

círculo vicioso
voluta do eterno retorno
sempre entre
o fabuloso **M** de mendigo e o fabuloso **M** de milionário
o fabuloso **M** de milionário e o fabuloso **M** miserê
de mendigo.

O gozo de ser um **M**ortal.
A porra da letra **M** talhada na palma da mão.
O gozo de ser um **M**ortal.

Imaginariamente me destituí do caminho do **M**eio-termo.

M
M
M

REMIX "*SÉCULO VINTE*"

Armar um tabuleiro
de PALAVRAS-SOUVENIRS.
Apanhe e leve algumas palavras como
SOUVENIRS.
Faça você mesmo seu microtabuleiro
enquanto jogo linguístico.

Musicada por Adriana Calcanhotto. (N. E.)

BABILAQUE
POP
CHINFRA
TROPICÁLIA
PARANGOLÉ
BEATNIK
VIETCONGUE
BOLCHEVIQUE
TECHNICOLOR
BIQUÍNI
PAGODE
AXÉ
MAMBO
RÁDIO
CIBERNÉTICA
CELULAR
AUTOMÓVEL
BOCETA
FAVELA
LISÉRGICO
MACONHA
NINFETA
MEGAFONE
MICROFONE
CLONE
SONAR
SPUTNIK
DADA
SAGARANA
ESTÉREO
SUBDESENVOLVIMENTO
AGROTÓXICO

SILICONE

EXISTENCIALISMO
FÓRMICA
ARROBA
POLYVOX
ANTIVÍRUS

MOTOSSERRA
MOTOBOY
MEGASSENA
MARCA-PASSO

CUBOFUTURISMO
BIOPIRATARIA
DODECAFÔNICO

CHANCE
CAMP
KITSCH
MUSAK
CLIPE

ATONALISMO
POLIFÔNICO
AVIÃO
TELENOVELA
INTERNET
PEGPAG
TÁXI
APART-HOTEL
APARTHEID
SAMBÓDROMO
AURÉLIO

MUAMBA	CHORINHO	SAMBA
MACUMBA	SAMBA	CHORINHO
DESPOETIZAR	POETIZAR	DESPOETIZAR
SUPREMATISTA		

SUPRASSENSORIAL
CÉSIO
SILÍCIO
BIOCHIP
NAVILOUCA

F I M

PESCADOS VIVOS [2004] PES-
CADOS VIVOS [2004] PESCA-
DOS VIVOS [2004] PESCADOS
VIVOS [2004] PESCADOS VI-
VOS [2004] PESCADOS VIVOS

PESCADOS VIVOS [2004]

PES-
CADOS VIVOS [2004] PESCA-
DOS VIVOS [2004] PESCADOS
VIVOS [2004] PESCADOS VI-
VOS [2004] PESCADOS VIVOS
PESCADOS VIVOS [2004] PES-
CADOS VIVOS [2004] PESCA-
DOS VIVOS [2004] PESCADOS
VIVOS [2004] PESCADOS VI-
VOS [2004] PESCADOS VIVOS
PESCADOS VIVOS [2004] PES-
CADOS VIVOS [2004] PESCA-
DOS VIVOS [2004] PESCADOS

El poeta es un pescador, no de peces, sino de pescados vivos; entendámonos: de peces que puedan vivir después de pescados.

Antonio Machado
Habla Juan de Mairena a sus alumnos

FEITIO DE ORAÇÃO

ó garrafada das ervas maceradas do breu das brenhas
se adonai de mim e do meu peito lacerado.
ó senhora dos remédios
ó doce dona
ó chá
ó unguento
ó destilado
ó camomila
ó belladonna
ó phármakon
respingai grossas gotas de vossos venenos
ó doce dona
ó camomila
ó belladonna
serenai minhas irremediáveis pupilas dilatadas
ó senhora dos sem remédios
domai as minhas brutas ânsias acrobáticas
                                        que suspensas piruetam pânicas
nas janelas do caos
                                        se desprendem dos trapézios
e, tontas, buscam o abraço fraterno e solidário dos espaços vácuos.
ó garrafada das maceradas ervas do breu das brenhas
adonai-vos do peito dilacerado e do lenho oco que ocupo.
                    ó leite de magnésia
                    ó óleo de rícino
                    ó elixir
                    ó cicuta

Gravada por Maria Bethânia. (N. E.)

BARROCO

Mundo e ego: palcos geminados.

Quero crer que creio
E finjo e creio
Que mundo e ego
Ambos
São teatros
Díspares
E antípodas.

Absolutos que se refratam/ difratam...
Espelhos estilhaçados que não se colam.

Entanto são
Ecos de ecos que se interpenetram
Partículas de ecos ocos, partículas de ecos plenos que se conectam
Aí cosmos são cagados, cuspidos e escarrados pelo opíparo caos
E o uso do adjetivo está correto
Pois que o caos é um banquete.
Fantasmas de óperas.
                                        Ratos de coxias.
                                                                Atos truncados.

Há uma lasca de palco
                                    em cada gota de sangue
                                    em cada punhado de terra
                                                                de todo e qualquer poema.

Strategus centaurus

B. O.
BOLETIM DE OCORRÊNCIA

para Fernando Laszlo

Corpo do motoboy retirado sem vida do Canal do Leblon.
Indivíduo jovem de coloração branco-duvidosa.
No seu capacete estava escrito assim:
100 JUÍZO NEM 1.
Et cetera, et cetera, et cetera.

Em éter e cápsula radioativa dissolve-se a poesia.
As existências da terra são cinzas de mortas estrelas.
Ouro, urânio, hélio, carbono, oxigênio.
A poesia é um meteoro.
A poesia é uma chuva de meteoros.
E uma estrela
— alta, fria, brilhante, viva ou morta —
É mais simples
Menos complexa do que qualquer inseto
Logo mais fácil de entender
Do que o modelo aerodinâmico
Do besouro.

OCA DO MUNDO

dia sim dia não
noite não noite sim
o mesmo pesadelo
e o marasmo do seu padrão

a floresta cantante nos provocava calafrios
todos os sentenciados eram pendurados nos ganchos
uivos e guinchos e gritos e homens pensos como jacas maduras
verrugas dos sentidos dedurados nos quatro pontos cardeais
caimãs simulavam pirogas
tucanos morcegavam rasantes
corujas e bacuraus invocavam arrepios
abraços de tamanduá-açu
bigornas de aço de arapongas
cataratas desfocavam o cruzeiro do sul
painéis de capoeiras
e blocos de matas desciam cipós de circuitos fechados
olheiros do comando de macaco-prego
manipulavam as glandes das suas pirocas
como se fossem câmaras de videovigilância
floresta cantante inenarrável
cuja nesga narrável não figurava nunca nada de verossímil

dia sim dia não
noite não noite sim
o mesmo pesadelo
e o marasmo do seu padrão

EM LOUVOR DE PROPERTIUS

en frente a moribunda alejandría,
a cuzco moribundo.

Cesar Vallejo, *Trilce*

Agora
Um olhar que passa
E perpassa sobre as coisas
Indolente como um gato persa
          opiômana majestade
            potestade oriental.

Em louvor da poesia futura de Propertius
Outrora a vida fervilhou em Tebas
E era Troia adornada com torres.

Outrora Tebas...
Ontem Atenas...
Hoje Roma...

Amanhã...

(Ó Virgílio
acolá
para quem vale **A IDADE FINAL** *e a* **GRANDE ORDEM DOS SÉCULOS***?)*

RIZOMÁTICAS

(Tira a casquinha do amendoim/ Torradinho/ Tritura com os dentes)

A mãe-da-noite faz medo
Apois que devora a memória
A mãe-da-noite governa e faz medo.
Umas e outras marias metem o pé no breu
E viram buracos negros na paisagem
Muda
Já esta é maria centopeia que sabe o gosto de vagabundar
Uma *Sultana Impaciente* sem-vergonha
Cujo nome deriva de uma escrava romana
De cinema americano
Convertida nos primórdios da cristandade:
Fabíola de Vista Alegre
— o local se embaralha na lembrança
com o designado Alto da Bela Vista —
Ou ela era
Sabrina
Aline
Zoraide que declamava perante o tribunal do esquecimento
uma dúzia
e meia
de poemas
Danielle — a cachorra gostosa do *inferninho* Mikonos —
Vivianne
Rosália do Rio Comprido
Ou a Karla com K?

O que elas estarão aprontando neste exato momento?

Cada uma vai vai pra cada lado.
Chuva ácida cai cai e cava
Cava.

O sentir e o pensar espatifados.
Que ele perdeu a memória dos nomes
Cada novo monumento soma ruínas
e gozos.
Pra todo lado um talo brota.
Aquela de Bangu com uma pinta saliente por entre as
sobrancelhas.
Somem os nomes...

(Tira a casquinha do amendoim/ Torradinho/ Tritura com os dentes)

14 DE JULHO

Por entre talas de criciúmas
Vulto de índio cotoxó assobia "La Marseillaise".
Formez vos bataillons!
Sua índia cotoxó cisma Jean-Jacques Rousseau
Arreganha as pernas e repele bastilhas e tiranias.
O dia de glória arrivou!

FAX, FAC SIMILE

ça va chauffer, maintenant
ici, dans ce pays
où des distances infinies
comme les espaces interplanétaires
séparent les gens
les uns des autres
les uns et les autres
les portes et les fenêtres
sont fermées
le chateau entier est bouclé
mais ils sont déjà venus, les casseurs
partout ils sont sortis de leurs trous
tout ou rien, sûrement, tout va bien
cependant
c'est facile, fax, fac simile
la vie en rose c'est un micro d'idées reçues
et je suis et tu es et nous sommes tous
un très sympathique ordinateur de sottises
ça va chauffer
ça va chauffer
parce que Sade et Théophile Gautier et Baudelaire et Rimbaud
et Lautréamont et Saint Genet comédien et martyr
et Apollinaire et Antonin Artaud
sont morts
mais sûrement Bouvard et Pécuchet,
et Joseph-Arthur de Gobineau
et Pétain et Le Pen

sont encore vivants
ça va chauffer
dans ce pays
ici, là-bas, où? où? partout
bah! tant pis

Montreux / Tübingen, c. 1993

PROCISSÃO DO ENCONTRO

CUJOS PRINCIPAIS ANDORES SÃO MANUEL BERNARDES E JULES LAFORGUE

Jesus Cristo eu estou aqui, Jesus Cristo eu estou aqui
                                        — soluçou azedo de cerveja
Enquanto a música barata choramingava nos seus ouvidos.
Je
  sus
      Cristo
              Je
                  sus
                      Cristo
                              eu estou
                                        aqui.
                                            Aqui
(cheiro de mijo, chope, e rodelas de limão do mictório acre)
                                            Aqui
(espremido na porta do bazar no meio da fornalha do Saara)
                                            Aqui
                                            foram os sobressaltos
                                            e logo as suspeitas,
                                            e logo as ânsias,
                                            e logo as desesperações.
                                            Aqui
      desenchido, enchido, desenchido e enchido o saco cético.
                                            Aqui
                                            buraco.

— Pobre ladainha melancólica.

Vestido de papai noel,
Neves de algodão
sobre as chamas do rosto
ocre de suor.

Vestido de papai noel
Parece pedra absorvendo calor
Através dos pompons
e do cetim vermelho-brasa.

INTERFACES

Ride
— daí dali daqui do Olimpo —
Ó deuses que regei as interfaces
Hipertextos de horrores e êxtases.

Armas pipocam
Barões pipocam
Praias — ocidentais / orientais — pipocam
Toques de recolher pipocam.

Infernos e céus zodiacais.

Eu
    — o demiurgo
        o domador
            o designer
              o diagramador —
Não me aborreço

Acontecimentos que obedecerem a outro comando
Serão decretados corpos não sólidos.

Portais:
Mundo, site e cidade luzem na minha testa.
Portais:
Mundo, site e cidade turvam-se na minha testa
Rude.

ARTE ANTI-HIPNÓTICA

Espia a flor da aurora que já vem raiando!
Mal a barra do dia rompia
saía pra rua
a caçar trabalho.
Lavrador desempregado
morador de casebre de pau a pique
3 cômodos
em Araçatuba
cumpre pena de prisão domiciliar
por furto de luz
do programa de energia rural
para a população de baixa renda.
4 lâmpadas
sendo que duas queimadas
e uma geladeira imprestável.
Sem dinheiro para pagar a conta
teve o marcador de quilowatts arrancado.
Um compadre compadecido armou o "gato".
70 anos incompletos.
Não compareceu ao fórum
pois só possuía chinelo
despossuía sapato e roupa decente.

Aqui firma e dá fé um Bertold Brecht de arrabalde:
o sumo do *real* extraído da notícia do jornal:
a arte ilusória
idílica
hipnótica
do *fait divers*.

RIO *Cerca de mil moradores de favelas vizinhas pegaram alimentos e objetos em galpão*

Ceasa tem 2º dia consecutiv

FER
DA S

"S
faze
ro n
Es
Pau
mil
a C
mer
ro),
seg
que
últi
D
rad
sa
pav
pud
pal
cos
de a
E
dos
inte
que
po"
cen
da
vilh
T
dos
lân
cãe
ra
cau
"
to
atu
diss
Silv

Um dos invasores do galpão da Ceasa usa uma carroça para retirar um freezer dos escombros do prédio que pegou fogo no dia 21

SAQUES

Ainda há focos de incêndio no pavilhão
E a laje ameaça desabar.
Um cruzado mané-ninguém surta em majestade
Rompe o encouraçado cordão de isolamento
Escala a pilha de escombros

Alça os braços aos sete céus e clama:
— *Assim me falou o Rei Invisível:*
"Sois a alma do universo".
Convoca falanges, coortes de legionários desembestados,
Uma gentinha que aplica lances e golpes e vive de expedientes,
Famílias famélicas
E sua prole prolífica
Gatinham no garimpo do galpão em chamas.
O homem do riquixá garante seu espólio:
Comidas, freezers, aparelhos de ar-condicionado,
Blusões e tênis enfarruscados.
Dois homens colocam outro freezer numa carroça
E saem em disparada no foco da fotografia.
Três mulheres de Tatuapé carregam sabonetes sem marcas,
Mesas e cadeiras de ferro.
Um Raimundo empurra um carrinho de pedreiro lotado de britas,
Pedaços de concreto, sacos de arroz, de feijão.
"Nunca comi esse tal de atum, agora vou experimentar" —
Testemunha a desempregada de nascença Josete Joselice, 56,
Mostrando para a câmera da TV uma latinha chamuscada.
Lá nas alturas do monte,
Uma moça banguela ergue no pódio seu troféu de pacotes de mozarelas.

Como os valentes, finca teu estandarte
No meio do deserto.

TIRO DE GUERRA
(EPIGRAMA CÍVICO)

para Júlio e Rosa

Se bicha fosse bala
Se maconha fosse fuzil
Jequié estava pronta
Pra defender o Brasil

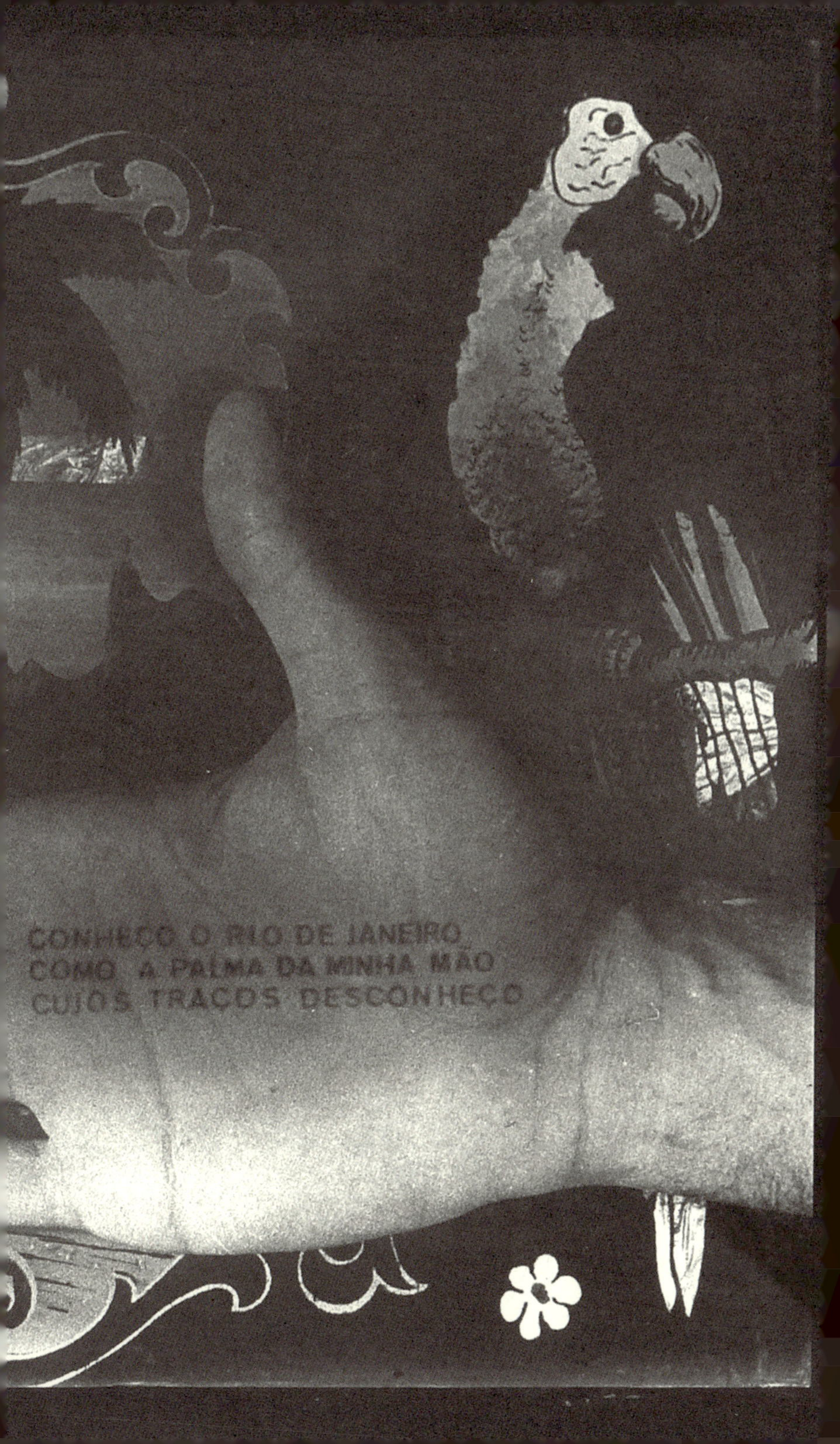
CONHEÇO O RIO DE JANEIRO
COMO A PALMA DA MINHA MÃO
CUJOS TRAÇOS DESCONHEÇO

Las redes de pescar palabras
están hechas de palabras.

Octavio Paz, *El arco y la lira*

A VIDA É PARÓDIA DA ARTE

para Luiz Zerbini

Areia
Pedra
Ancinho feito de madeira
Jardins de Kioto

Alucinado pelo destemor
De morrer antes
De ver diagramado este poema
Ou eu trago Horácio pra cá
Pra Macaé de Cima
Ou é imperativo traí-lo
E ao preceito latino de coisa alguma admirar

Sapo
Vaga-lume
Urutau
Estrela

Nestes ermos cravar as tendas de Omar

Ler poesia como se mirasse uma flor de lótus
Em botão
Entreabrindo-se
Aberta

Anacreonte
Fragmentos de Safo
Hinos de Hörderlin

Odes de Reis
El jardín de senderos que se bifurcan
Jardim de Epicuro
Éden
Agulhas imantadas & frutas frescas para a vida diária
&
O desejo
— a mente lateja —
&
O desejo
É o vento ventania
Vento — desfalcado de carnes, de coração —
Latindo na mata
Gemendo nas árvores e nos cipós e nas raízes &
Perfume noturno que atiça esporão
& acicate & açucenas &
Travo rascante da palavra **ACICATE**
Amalgamado ao olor da palavra **AÇUCENA**
&
Flores das **TROMBETAS**
Alucinógenas &
Beber jurema
Ê Ê juremê! Ê Ê juremá!
A flecha caiu serena
No meio deste gongá,
Jurema!
& inda por cima
Os raios desgrenhados do sol
&
Pombajiras peixes vivazes frutas de cores encarnadas
& que arda
Arda a razão atenazada
Arda!!!

MODULAÇÕES

mirar
mirar
mirar a flor da vitória-régia
como se um projetor
sobre suas pétalas
modulasse
linha
a
linha
um inteiro livro de poesia
mirar
mirar
mirar

LER DRUMMOND

Pico de Itabira
que máquina mineradora não corrói
é a própria obra poética de **CDA**,
ápice do modernismo brasileiro.
Fulano de tal situa sua poesia entre o símbolo e a alegoria
e beltrano vislumbra nela o princípio-corrosão
e sicrano percebe uma poética do risco;
enquanto este escrutina a técnica da palavra-puxa-palavra
aquele outro detecta uma estilística da repetição.
Enquanto as interpretações subsidiárias
não criam uma película fantasmática
entre o leitor treinado, o leitor plurifocal, e a poesia de Drummond.
Esta permanece qual rútilo e incorruptível diamante,
imune aos assaltos dos exércitos da hermenêutica.

Pratico umas leituras luteranas,
— e, desde que *fato* nunca nem há mais,
giram que giram celeradas as roldanas das interpretações —
enfio um pé aquém e o outro pé além,
um contato direto e sem intermediários
com as sete faces dos seus veios poliédricos.
Releer Drummond pela milionésima vez é uma aventura adâmica,
um convite renovado ao espanto e à surpresa.
Close readings nas internas das galerias das minas.
Magia lúcida, esfinge clara:
chiar para não ser destituído do estímulo do simples enigmático.
Uma pedra de tropeço quebra o sono dogmático.

Açucarado? Edulcorado? Nunca de núncaras.
Dissolução de Minas, família, Deus.
Morte do absoluto & despetalar da rosa do bloco histórico &
redução eidética

Em clave sintética:
Chega um tempo em que não se diz mais: Meu Deus
Tempo de absoluta depuração.

Oficina irritada em direção a um sereno/escalavrado agnosticismo.
A vida passada a limpo não em nome da restauração do perdido
Mas sim da almejada: **NUDEZ**

Estoicismo sem consolo nem vanglória.
A PROCURA DA POESIA *é um aparelho processador/reprocessador*
Que nulifica bazófias.

Sherazadiar:
ler Drummond pela milionésima e mais uma vez e mais...

RETRATO DE UM SENHOR

para Eucanaã Ferraz

Lord Mímesis não tem o menor faro
Para o que quer que seja poesia.
Ele ignora e despacha a Senhora das Feras,
a Dona dos júbilos e dos animais,
Embora ela invoque: "Possuo as montanhas e os vales
E as vilas e as cidades e tudo mais que há".
Mister Mímesis dá tiros a esmo
Confunde alhos com torresmos.
Para ele, o mar não é uma máscara
E os ventos só rugem não palavras sem sentido.
Sir Mímesis nunca botou seus ouvidos no chão.
Na cova carpetada do seu gabinete
Intenta abafar a cacofonia da cidade grande
Já que ele não tem tato, já que ele não tem filtro:
Mister Mímesis administra seu cachimbo aceso.
Posa para o olhar gelado da eternidade.
Leciona a prosa do mundo
Escapa-lhe a quinta-essência.
Lord Mímesis não atina com **A RAZÃO DO POEMA**.

FATÍDICO

Esta mesma lua de final de novembro e início de dezembro
Não terá de todo esgotado seu percurso minguante
E ele, aquele astro de enxofre,
Medindo seu azimute,
Escrutinado seu zênite e nadir,
Deduzidas suas paralaxes trigonométricas, espectroscópicas,
fotométricas,
Et caterva,
Morto hibernará em sua caverna
Oferenda à operação "**DELENDA CARTAGO!**"

O mundo plano e chão teme as pregas da terra.

Ele, aquele leão de juba raspa-tição,
Bólide cuja legenda alavancará milênios,
Azará assassinato antes que uma nova lua reitere seu périplo.

Dói que desatina.
Dói meu coração esmagado pela carga desta premonição.

PICADAS SONAMBÚLICAS

ao Baco dos trópicos, Gregório de Mattos e Guerra

Sem chance de chave de ouro que me baste, cure ou salve.

SILÊNCIO
Sonho sibilando/ silabando versos de cor e salteado
Se acaso os examino de mais perto, acordo

LUZ
No *set* de filmagem, a impronunciada palavra "destino"
Engrola a língua, entope a glote, pendurada funâmbula
No pensamento donde ressai saliente salta e ressalta,
Obra cabriolas no ar descuidosa de rede, amparo, aparo.

CÂMARA
Desacomodo-me da placidez dos plágios.
Forjo-me no desacordo das potências
Aos sabores dos desequilíbrios dos sentidos.

CLAQUETE
Com a acha do contento e o lenho do tormento
Mistas fogueiras dentro de mim alimento.

Nasceram-me para oficinas variadas
Muitas mil almas
cavernosas ou pedestres ou aladas
ferruginosas ou opacas ou porosas.

AÇÃO

Atos: palavras desventradas
sóis estripados
deuses explodidos
lanças lisérgicas
trombetas epicuristas
pedras estoicas
frutos céticos
agaves fálicos
flores absortas
surubas de cipós e embiras
onde pia a jiripoca
culhões de orquídeas
onde pia a jiripoca
bocetinhas de abricó-de-macaco
onde pia a jiripoca
canelas finas de saracuras
onde pia a jiripoca
bundas de tanajuras
onde pia a jiripoca
cus de jacutingas, macucos e surucuás
onde pia a jiripoca
e os riachos especulativos
onde o sol, narciso nu, mira-se nágua,
macia luz incubada.

CORTA

TLAQUEPAQUE

Há que haver manjar dos deuses para aquele que descrê dos céus.

Meus pés esfolados recorrem becos, vielas, ruas,
avenidas intermináveis,
sem fonte alguma desencadear.

Busco tal ou qual cosmético — *aceite de jojoba* — como Édipo
[arrancava os próprios olhos
E Antígona escavava a terra para contra a lei do estado dar
[sepultura ao corpo familiar amado.

Há que haver ambrosia para aquele que descrê dos deuses.

México, 29/11/2001

Agora, quem quer se banhar nas águas de Proteus?
Jovens buscávamos metamorfoses
Desejos que brincavam como enormes peixes
Em mares subitamente encolhidos;
Acreditávamos na onipotência do corpo.

GEORGE SEFERIS

MADEIRAS DO ORIENTE

Só eu sei teu nome mais secreto
Só eu penetro em tua noite escura
Cavo e extraio estrelas nuas
Cardumes de cometas e conchas
De tuas constelações cruas.

Abre-te sésamo! — brado ladrão de Bagdá

Só meu sangue sabe tua seiva e senha
E de gala irriga as margens cegas
Areias de tuas elétricas ribeiras,
Sendas de escarpas, grutas ignotas,
Porto de tainheiros.

Não sei, não sei mais nada.
Sei que salivo de sede dos teus lábios,
Ó
  língua que pincela os sete mil céus da boca.
Ó
  mapa-múndi dos véus, dos pinguelos, da abóbada palatina.

Amar: doce-amara sustância
Cuja sapiência me lambuza um tiquinho.
Ciência de quem sabe tocar a gloriosa
Epistemologia negativa, mas que nada,
Que saber tudo é nada saber que sabe.
Só eu sei teu nome/ número mais secreto?

Sou estuário.
Abre-te sésamo! — brado ladrão de Bagdá.

Musicada por Adriana Calcanhotto como "Teu nome mais secreto". (N. E.)

GRUMARI

Entra mar adentro
Deixa o marulho das ondas lhe envolver
Até apagar o blá-blá-blá humano.

Maré que puxa com força, hoje.
É a lua cheia, talvez...

As retinas correm a cadeia de montanhas que circunda a praia.

SIC TRANSIT GLORIA MUNDI

para José Thomás Brum

Mundos que giram nem no sentido horário
Nem no sentido anti-horário.
Ó placas tectônicas do assoalho oceânico.

Cerca de dois mil, cento e quarenta e sete anos atrás
O capitão romano
Marcus Sestius
Pouco antes do naufrágio
Flagrou o mar em seu diário de bordo:
Liso como um espelho fenício.

Encapelado como na gravura de Hokusai.

Ó velho oceano cheio de tretas, velho oceano,
Quem com olhos de seca-pimenteira
Queimará toda tua água, a lisa e a encapelada?

O fogo, o fogo, o fogo.

"O relâmpago é o senhor dono de tudo"
(Assim Heráclito, o Obscuro, secretava e esparzia
o pó elemental das coisas.)

Quem queimará a tua água lisa e a tua água encapelada?

A chama — sereia desmiolada — de que se recordará?
Nem das cinzas, nem de si mesma, nem de nada.

Itacaré Eco Resort, janeiro 2002

BREJÕES

Vem vindo que vem vindo um vento
Que vem vindo um vento sem pé nem cabeça
Que nem antena de louva-a-deus detecta
Vem vindo que vem vindo um vento

CORREIO ELETRÔNICO

Seu âmago ignora.
Mesmo que seja seta disparada por uma pintura rupestre.
Que surja em fragmentos de caracteres cuneiformes.
Hieróglifo fosse,
Quiçá a própria Pedra da Roseta
Decodifico seu muxoxo como um desdém
Endereçado à faina decifradora de Champollion.
Seu cerne ignora.
Nem que se desvele inscrita no mais imaterial
Dos materiais.
Oxalá uma página escapulida da "Mãe de Todos os Livros"
Sob a guarda do alfange do anjo Gabriel.
Inda assim seu imo ignora.
Nem que se instale
O Comando das Operações Alquímicas
Da rosa abscôndita
Através do e-mail trivial.
Seu lacre ignora.
Seu cabaço ignora o húmus significante.

20/02/2002

PIZZICATO

1

Vosso bico dourado fala e belisca
Vende uma panela de mingau
Esbulha a paróquia que habita.
Um mingau até mesmo um mungunzá
Que já vem prontinho de fábrica
Demanda somente a adição de uma pitadela
De cor local
Seja uma colher de chá de canela em pó
Seja uma lasca de canela em pau
Ou um punhado de cravo-da-índia.

Ó provedor de sonetos cantai vossa bazófia:
— *Tornar-se?*
Quem quer se fazer não pode,
Quem é bom já nasce feito.

Retruco com uma voz cheia de canivetes ocultos:
Pra começo
De conversa
No côncavo do berço
Não se acha
A chave de ouro
Do soneto.
Nesta vida de passagem,
Ninguém nasce feito.

2

"*Coroai-me de rosas*" — ladainha dos serões d'Arcádia,
lá nos longes da adolescência.
"*Coroai-me de louros*" — eis a divisa incubada.

Nostalgia das neves d'antanho,
do leito de Procusto,
das rimas — mármor, mármore,
das métricas — gesso?
Sete portas, mirante dos aflitos, chuveirinhos, soledade,
Que *Byzantium* seja aqui!,
Mulheres, pavões, luares patéticos, opalas gráficas
Deslocar-se-ão por operações cirúrgicas de alta precisão
Para dentro do poema.
O pôr do sol é uma ferramenta técnica.
& Píndaro & Hesíodo
& cantai ó musas & os ópios dos orientes são caixas
De bisturis e brocas e puas e pés de cabra.

Monte Parnaso
Ao molho *Provincial* — eis o cardápio usufrutuário.
Sejam, pois, coroados de louros
— louros, galhos de louros,
arbustos de louros,
folhas de louros e mais folhas de louros —
Vatapá, mungunzá, acarajé, tapioca.
Ó meu verde, verde, verde periquito.

Coroai-me, em verdade, de rosas.
Por tua causa o meu jardim fechou-se...
Voai cabides do meu quarto!
Amor, amor, amor, em que trágico cotidiano tu morreste.

ATAQUE ESPECULATIVO

Serei um poeta construtivista
Serei um poeta desconstrutivista
Serei um poeta
Serei um
Ser
Se
S
Sob o pano de fundo indizível

VAZIEZ E INAUDITO

AVIDEZ : ARIDEZ AVIDEZ:ARIDEZ AVIDEZ: ARIDEZ

VAZIEZ. Aprendi nos meus intensos diálogos com ele que a *vaziez* era das qualidades mais desejáveis para um artista, ele atribuía a um certo afã, a uma sofreguidão, a uma faina suarenta do artista plástico, e, boquirroto, proclamava em alto e bom som alguns nomes, como ele está morto, não sou eu que escancararei o rol pois alguns estão no panteão atual da pintura brasileira, ocupam galerias e vendem bem então me interessa dizer o milagre sem referir os santos: ele falava que fulano, sicrano, beltrano se repetiam *exatamente* porque não passavam por um período rigoroso de abandono do já feito, da linguagem alcançada, e não suportavam aquele embate, aquela agonia interior que sobrevém até que você atravesse e saia do outro lado da trajetória e para que você chegasse a pontos inusitados seria necessário abandonar provisoriamente ou suspender a categoria "artística" como uma tarjeta perpétua, como uma linha de montagem de uma produção fordiana, então como o artista não tem isto desta linha de montagem industrial ou fordiana, portanto pode e deve perfeitamente suspender, fazer uma suspensão voluntária da continuidade produtiva, exatamente para que possa vir o surpreendente, o inesperado, o impensável, o imprevisível.

VAZIEZ.

Basta introduzir, no universo da plenitude das coisas, fissuras.

FISSURAS.

Aprendi com ele?

Ou foi com outros?

Ou como foi que se deu, se dentro de mim é indistinto?

DOR

À sombra da estante, com Antônio Nobre e Só

I

DOR — palavra pequenina
Aguda farpa com 3 letras apenas
Essas 3 tinhosas invocam *angina pectoris*
O que o vulgo denomina apertão do peito.

DOR é uma palavra — torniquete.
DOR é uma palavra — alicate.

Duas consoantes apunhalam uma vogal.
O — oco vão central,
O — a vogal do vazio,
O — túnel por onde escapa o gemido do coração agoniado.

DOR: 3 letras que choram num soluço...
3 letrinhas apenas
Mas como dói!

DOR — palavra de cor roxa
Roxa como a cor
Das vestes de Verônica na procissão da Paixão
Lá no período da pedra lascada da infância.

II

DOR — roxa cor
Da flor
Da quaresma.

Quaresmeira, o nome de batismo da árvore
algema
a suruba das flores
pagãs.
olhai:
elas espantam o jururu
elas nem parentes são do fel da tristura.

Mistérios Órficos encenados na mata atlântica:
"*A mancebia da quaresmeira com a canafístula*".
Fundem-se roxo e amarelo-ouro novo.
Celebram-se ao Deus Phallus
Tirsos e bacantes

Macaé de Cima

TÁCITO

Seguia o ano seu curso
quando doze cidades célebres da Ásia Menor
ficaram de todo arrasadas por um terremoto noturno,
tanto mais letal quanto mais chã a esperança.
Nem mesmo de bom proveito serviu o refúgio
dos campos,
a que em tais casos se costuma recorrer:
porque as bocarras da terra engoliam seus miseráveis habitantes.
Narra-se que as montanhas imensas se esparramaram
em vastas planícies;
que as planícies vastas se converteram
em montanhas imensas;
que altas labaredas de fogo sapecavam a periferia
e o centro dos escombros
entre o espesso betume e a lava e o súlfur que arde.
Nem o de cem olhos, Argos nenhum,
Discerniria crepúsculo, noite, aurora, manhã, tarde.

in detachment or boundary. The poets made all the words, and therefore language is the archives of history, and, if we must say it, a sort of tomb of the muses. For, though the origin of most of our words is forgotten, each word was at first a stroke of genius, and obtained currency, because for the moment it symbolized the world to the first speaker and to the hearer. The etymologist finds the deadest word to have been once a brilliant picture. Language is fossil poetry. As the limestone of the continent consists of infinite masses of the shells of animalcules, so language is made up of images, or tropes, which now, in their secondary use, have long ceased to remind us of their poetic origin. But the poet names the thing because he sees it, or comes one step nearer to it than any other. This expression, or naming, is not art, but a second nature, grown out of the first, as a leaf out of a tree. What we call nature,

Language is fossil poetry.

“The poet”

Ralph Waldo Emerson

A POESIA É UM ATENTADO CELESTE

Eu estou ausente porém no fundo desta ausência
Existe a espera de mim mesmo
E esta espera é outro modo de presença
À espera de meu retorno
Eu estou em outros objetos
Ando em viagem dando um pouco de minha vida
A certas árvores e a certas pedras
Que me esperaram muitos anos

Cansaram-se de esperar-me e sentaram-se

Eu não estou e estou
Estou ausente e estou presente em estado de espera
Eles queriam minha linguagem para expressar-se
E eu queria a deles para expressá-los
Eis aqui o equívoco o atroz equívoco

Angustioso lamentável
Vou-me adentrando nestas plantas
Vou deixando minhas roupas
Vou perdendo as carnes
E meu esqueleto vai-se revestindo de cascas
Estou-me fazendo árvore Quantas vezes me converti em outras coisas...

É doloroso e cheio de ternura
Podia dar um grito porém a transubstanciação se espantaria
Há que guardar silêncio Esperar em silêncio

Vicente Huidobro

(*Traduzido por Waly Salomão*)

UMA VEZ ATRAVESSEI UMA CIDADE POPULOSA

Uma vez atravessei uma cidade populosa imprimindo
no meu cérebro, para uso futuro,
seus espetáculos, sua arquitetura, trajes e tradições.
Mas agora de tudo daquela cidade me recordo só de
um homem
que por ali vagabundeou comigo e que me amou.
Dia após dia, noite após noite, permanecemos juntos.
Tudo o mais já foi esquecido por mim — me recordo
só de um homem
rude e ignorante que, quando parti, segurou minha
mão muito tempo,
boca não disse palavra, triste e trêmulo.

Walt Whitman

(*Traduzido por Waly Salomão*)

Folhetim, *03/02/1985*

MAIS ALGUMAS CANÇÕES MAIS
ALGUMAS CANÇÕES MAIS ALGU-
MAS CANÇÕES MAIS ALGUMAS
CANÇÕES MAIS ALGUMAS CAN-
ÇÕES

MAIS ALGUMAS CANÇÕES

MAIS ALGUMAS CANÇÕES MAIS
ALGUMAS CANÇÕES MAIS ALGU-
MAS CANÇÕES MAIS ALGUMAS
CANÇÕES MAIS ALGUMAS CAN-
ÇÕES MAIS ALGUMAS CANÇÕES
MAIS ALGUMAS CANÇÕES MAIS
ALGUMAS CANÇÕES MAIS ALGU-
MAS CANÇÕES MAIS ALGUMAS
CANÇÕES MAIS ALGUMAS CAN-
ÇÕES MAIS ALGUMAS CANÇÕES
MAIS ALGUMAS CANÇÕES MAIS
ALGUMAS CANÇÕES MAIS ALGU-
MAS CANÇÕES MAIS ALGUMAS

Nesta seção há canções não publicadas em livro que foram musicadas e gravadas ("Berceuse Criolle", "Odalisca em flor", "Zumbi [A felicidade guerreira]", "Ganga zumba [O poder da bugiganga]", "O cometa", "Assaltaram a gramática", "De volta ao futuro", "Memória da pele" e "Zé pelintra"); musicadas mas não gravadas ("Campeão Olímpico de Jesus"); ou publicadas em jornal nos anos 1970 ("Sailormoon's drive-in", "O teatro e seu outro", "Quimera", "A Madonna da Pavuna" e "Coração fogoso"). (N. E.)

BERCEUSE CRIOLLE

Ah, de dia painho, de manhã cedinho
Me carrega pra porta da rua
E me aponta o aro do sol

De noite, ah de noite
Quando eu caio no berreiro mãinha
Ah, de noite mãinha
Me leva pro terreiro

Deita a saia no chão
Fica nuinha em pelo
Me mostra a lua
E os sete estrelo
Lá no céu do terreiro

Musicada por Jards Macalé em 2005. (N. E.)

ODALISCA EM FLOR

E hoje quando faz calor ô ô ô
Me espreguiço à sombra
Da odalisca em flor

Tiriri parará tiriri parará
Tiriri parará tiriri parará
Tiriri parará tiriri parará

Pedi a bênção pai e mãe na sala
Joguei na ideia meu chapéu de palha
Parafinei minha mais fina beca
Juntei os panos, tranquei a mala
E aí tomei a direção de Meca

Corri a terra sem eira nem beira
Me alistei na legião estrangeira
Dragão, areia e Saara à beça
Daí sartei, não tou mais nessa
De espantar dragão, areia Saara à beça

E hoje quando faz calor ô ô ô
Me espreguiço à sombra
Da odalisca em flor

Tiriri parará tiriri parará
Tiriri parará tiriri parará
Tiriri parará tiriri parará
Parati

Musicada por Moraes Moreira em 1982.

ZUMBI (A FELICIDADE GUERREIRA)

Zumbi, comandante guerreiro
Ogunhê, ferreiro-mor capitão
Da capitania da minha cabeça
Mandai a alforria pro meu coração

Minha espada espalha o sol da guerra
Rompe mato, varre céus e terra
A felicidade do negro é uma felicidade guerreira
Do maracatu, do maculelê e do moleque bamba

Minha espada espalha o sol da guerra
Meu quilombo incandescendo a serra
Tal e qual o leque, o sapateado do mestre-escola de samba
Tombo de ladeira, rabo de arraia, fogo de liamba

Em cada estalo, em todo estopim, no pó do motim
Em cada intervalo da guerra sem fim
Eu canto, eu canto, eu canto, eu canto, eu canto, eu
canto assim:

A felicidade do negro é uma felicidade guerreira!
A felicidade do negro é uma felicidade guerreira!
A felicidade do negro é uma felicidade guerreira!

Brasil, meu Brasil brasileiro
Meu grande terreiro, meu berço e nação
Zumbi protetor, guardião padroeiro
Mandai a alforria pro meu coração

Musicada por Gilberto Gil em 1983.

GANGA ZUMBA (O PODER DA BUGIGANGA)

Toca atabaque, reboa zabumba
Repica, repica, repica agogô
Tumba Lelê, beber aluá
Se lambuzar na tigela daquele amalá
Toda Palmares recorda da primeira vez
Ganga Zumba dançou alujá
Toda cantiga trovoa, seu eco ecoa
Na voz da Serra da Barriga

Vem, Acotirene, dona do segredo
Ialorixá que chama Ganga Zumba
Lhe oferece o trono da fartura
Toda a formosura e o poder da bugiganga
Fontes e mais fontes
Potes e mais potes
O céu na terra é Aruanda
É assim Palmares
Palmas pelos ares
Cante e dance e abra a roda

Acaiuba, Namba, Canindé
Ana de Ferro, mulher-dama linda da Holanda
Ganga Zumba reina, nunca teve medo
Seu segredo está no raio da justiça

Nunca é permitido mentir
Sempre abençoado o amor
Desejo doido, beber otim
Festejo d'Oxum, d'Obá, d'Oiá

Todo vaso quebra
Toda bugiganga se espedaça
Toda graça lhe abandona
Ganga Zumba desce da montanha
Com veneno na entranha
Acaba a sua zanga
Ganga Zumba morre
E a lenda corre
Pelo reino de Aruanda

Nunca é permitido esquecer
Sempre dá no jogo de Ifá
Qual o rei que vai suceder
Salve o reino d'Aruanda

Musicada por Gilberto Gil em 1983.

O COMETA

O cometa é um facão
Que acentua a divisão
Profeta branco, anuncia
O fim do planeta Terra
Fome, seca, epidemia
Bexiga, maleita, morte
O diabo a quatro
Eta cometa da peste
De mil e seiscentos e sessenta e quatro

O cometa é um facão
Que acentua a divisão
Pro povo preto é bendito
É bem-vindo e é bonito
Ajunta céu e terra
Fartura e festa
Estrela e mata
Eta cometa porreta
De mil e seiscentos e sessenta e quatro

Musicada por Gilberto Gil em 1983.

ASSALTARAM A GRAMÁTICA

Assaltaram a gramática
Assassinaram a lógica
Meteram poesia
na bagunça do dia a dia
Sequestraram a fonética
Violentaram a métrica
Meteram poesia
onde devia e não devia
Lá vem o poeta
com sua coroa de louro,
Agrião, pimentão, boldo
O poeta é a pimenta
do planeta!
(Malagueta!)

Musicada por Lulu Santos em 1984.

DE VOLTA AO FUTURO

Em matéria de previsão eu deixo furo
Futuro, eu juro, é dimensão
Que não consigo ver
Nem sequer rever
Isto porque, no lusco-fusco
Ora pitomba,
Minha bola de cristal fica fosca
Mando bala no escuro
Acerto um tiro na boca da mosca
Outras tantas giro a Terra toda às tontas
Dobro o cabo das Tormentas, rebatizo Boa Esperança
E vou pegando pelo rabo a lebre de vidro,
Do acaso por acaso
Em matéria de previsão só deixo furo
Futuro, eu juro, é dimensão
Vejo bem no claro
E tão mal no escuro
Minha vida afinal navega tal e qual
Caravela de Cabral
Um marinheiro mete a cara na janela e grita
Sinal de terra, terra à vista
Tanto faz, Brasil ou Índia Ocidental, Oriental
Ó sina, começa sempre a dança
Recomeça, sempre recomeça a dança da sinuca
Sempre recomeça a dança a mesma dança da sinuca vital

Musicada por Ricardo Cristaldi em 1985.

MEMÓRIA DA PELE

Eu já esqueci você, tento crer
Seu nome, sua cara, seu jeito, seu odor
Sua casa, sua cama, sua carne, seu suor
Eu pertenço à raça da pedra dura
Quando enfim, juro que esqueci
Quem se lembra de você em mim, em mim
Não sou eu, sofro e sei
Não sou eu, finjo que não sei, não sou eu...
Sonho bocas que murmuram
Tranço em pernas que procuram, enfim...
Não sou eu, sofro e sei
Quem se lembra de você em mim, eu sei...
Bate é na memória da minha pele
Bate é no sangue que bombeia na minha veia
Bate é no champanhe que borbulhava na sua taça
E que borbulha agora na taça da minha cabeça
Eu já esqueci você, tento crer
Nesses lábios que meus lábios sugam de prazer
Sugo sempre, busco sempre a sonhar em vão
Cor vermelha, sua boca,
Coração

Musicada por João Bosco em 1989.

ZÉ PELINTRA

Zé Pelintra desceu
Zé Pelintra baixou
É ele que chega e parte a fechadura
Do portão cerrado
Zé Pelintra desceu
Zé Pelintra baixou
É ele quem chamega, quem penetra
Em cada fresta e rompe o cadeado

E quando Zé Pelintra pinta na aldeia
O povo todo saracoteia
Aparta briga feia
Terno branco alinhado
Cabelo arapuá de brilhantina besuntado
Ele do ovo é a porção gema
Bebe sumo de jurema
Resolve impossível demanda
Homem elástico, homem borracha
Desliza que nem vaselina
Saravá à sua banda
(Saravá, saravá)

É ele quem abre uma brecha,
Acende uma mecha no breu,
Desparafusa a rosca e seu cavalo sou eu

Musicada por Itamar Assumpção em 1989.

CAMPEÃO OLÍMPICO DE JESUS

Luz crua do sertão, crua luz do sertão
o nosso campeão nasceu cresceu chapado
filho de mãe sábia e pai enviesado
lua do sertão, luz crua do sertão
neste vale de pus, sobrenome Jesus
apelido visual de quem não viu nem cor
e nem cheiro de pai
que a dolorosa mãe carregue a sua cruz
sem destapar um ai
sertão de crua luz.
Casca de jaca dura, Olímpico, bico de jaca
Luz clara do sertão, crua luz do sertão
tocha, pira, graveto, agave, falo, espeto,
cabra-macho esquisito, sopro de sete vidas
dum anjo gato frito
cabra-macho esquisito
luz crua do sertão
dente pivô de ouro
dente que cintila
boca que gargalha, dente que rebrilha,
boca de lanterna que nunca carece
de trocar pilha
Casca de jaca dura, Olímpico, bico de jaca
luz.

Musicada por Caetano Veloso em 1984.

SAILORMOON'S DRIVE-IN

Não me venha com a mesma conversa mole
Eu agora sou o tal
Ouça como a minha voz soa limpa
E sem tremer bate nos seus tímpanos
Não finja que não escuta quando eu canto
Repare este disco
Repete sem parar
A felicidade é uma arma quente
Felicidade é uma arma quente
Eu andei muito tempo por baixo
Mas agora sou poderoso e belo
E nunca mais me sinto sozinho
Porque transformo
Como Deus
A água em vinho
Também para todo sempre serei feliz
Farei das chagas cicatriz
Serei sempre feliz.

Nunca gravada ou musicada.

Encontrada em uma entrevista ao Circo *em 1973.*

O TEATRO E SEU OUTRO

O outro é uma pessoa agitada
que não sabe agir
e se agita demais
e se debate
e se bate de encontro
às paredes dos muros
escuros
do interior do Brasil
e quando não se abate
o outro desabafa num galope veloz
de arrepiar os beiços
até alcançar os seixos
das bordas do oceano
onde se contorce contorna
torna a contornar e contorce
envolto nas luzes ilusórias
do litoral do mesmo Brasil
comigo não, amigo
comigo não acontece assim
eu sou um poeta
uma pessoa que possui um deus descansado
sentado, deitado
que some, que volta
dentro de si
eu sou um deus-poeta descansado
que desfaz o travo do próprio rosto

o ríctus desgraçado
e vai além
TUDO PELO IMPOSSÍVEL

Nunca gravada ou musicada, consta em entrevista dada a Sílvia Helena, publicada em O Jornal, *do Rio de Janeiro, em 08/08/1973.*

QUIMERA

sino de aldeia
final de tarde
tange pelo descampado
solitário, descompassado
tal e qual
meu coração
foi tudo uma quimera
fugaz ilusão passageira
orquestra
o salão todo era brincadeira
festa
bebida farta a jorrar
pares a rodopiar
eu e ela num só apertado abraço
bruscamente ela se desprendeu
sem razão
dos meus braços
e se esvaiu por entre a fumaça
fugiu
desde então
aquele salão permaneceu iluminado
e vazio
amor amor amor amor-fumaça
bruma
canoa furada em plena borrasca
ó sonho, você não me engana
agarro o travesseiro, esfrego a vista, reclamo
e eis que está vazia a nossa cama

A MADONNA DA PAVUNA

alô alô alô pessoal, sou taliqual perereca no cio
rã que range range range e congela o calor da charneca
sapo-cururu que diz ui que diz ui que diz ui na beira do rio
canta, martela e salta pra esquentar o frio
ô céu azul ô sal do saara ô lua clara e tão fria
ora estou seco, ora me lambuzo na lama do rio
a vaca está no brejo, psiu psiu psiu
piso macio na grama do matagal macio
sou uma jia vadia, uma jia que chia chia chia
toda se arrepia e se cai vicia
e não dai mais da orgia do pantanal
pulo que nem sapo, escapo, tiro um sarrafo
na pá, no pé, no pó da avenida no carnaval
sou do bloco da raça, sou taliqual perereca no cio
gulosérrima Madonna da Pavuna, porteira aberta,
porta-bandeira do meu Brasil

CORAÇÃO FOGOSO

estou lançando lanças
de luz fogo
lanças de calor
e você apaga a luz
e você engole o fogo
e você congela as lanças
luz fogo calor Ô Ô Ô
você dispensa o fulgor
que a minha estrela desprende
você despreza
você não sabe amar
disque o telefone
com toda ânsia
solicite urgentemente
uma ambulância
convoque todo o batalhão
do corpo de bombeiro
para apagar a chama
do coração fogoso
de quem ama

APÊNDICE APÊNDICE APÊNDI-
CE APÊNDICE APÊNDICE APÊN-
DICE APÊNDICE APÊNDICE A-
APÊNDICE APÊNDICE APÊNDI-
CE APÊNDICE APÊNDICE APÊN-
DICE APÊNDICE **APÊNDICE** A-
APÊNDICE APÊNDICE APÊNDI-
CE APÊNDICE APÊNDICE APÊN-
DICE APÊNDICE APÊNDICE A-
APÊNDICE APÊNDICE APÊNDI-
CE APÊNDICE APÊNDICE APÊN-
DICE APÊNDICE APÊNDICE A-
APÊNDICE APÊNDICE APÊNDI-
CE APÊNDICE APÊNDICE APÊN-
DICE APÊNDICE APÊNDICE A-
APÊNDICE APÊNDICE APÊNDI-
CE APÊNDICE APÊNDICE APÊN-
DICE APÊNDICE APÊNDICE A-

FALAR SOBRE O *ME SEGURA...*?*

Bem, uma coisa para mim é visceral visceral: marcar o caráter **IRREDUTÍVEL** dele.

ELE está ali inteiro integral tal qual uma rocha donde mina uma fonte d'água quem quiser saber do que ele trata não faça arrodeios se chegue mais para perto bote as palmas da mão em concha arregace suas mangas e beba **DIRETO** sem intermediários sorva daquele manancial intacto.

Eu não parei ali mas ele está lá intacto.

Que queriam de mim? A brandura dos que batem no próprio peito mea culpa, mea máxima culpa?

Uma Madalena arrependida, expiando autocríticas? O prosseguimento moto-contínuo do mesmo périplo? O *Me segura...* de novo? O *Me segura...* nº 2?

O meu é um curso enviés torto oblíquo de través. O meu é um fluxo **MEÂNDRICO**.

* Texto de Waly Salomão para a 2ª edição de *Me segura qu'eu vou dar um troço*, que integra o livro *Gigolô de bibelôs* (São Paulo: Brasiliense, 1983).

Capa de Óscar Ramos e Luciano Figueiredo para a 1ª edição de Me segura qu'eu vou dar um troço *(Rio de Janeiro: José Álvaro, 1972), com Rúbia Mattos, Waly Salomão e José Simão. Foto de Ivan Cardoso.*

VALE A PENA FALAR DE NOVO?

CONVERSA SOBRE ALGUNS POETAS DE HOJE*

Francisco Alvim

Gostaria de começar com uns textos de Waly Salomão. Em 1972, nos cinquenta anos da Semana de Arte Moderna, Waly publica *Me segura qu'eu vou dar um troço*. Na folha de rosto, o livro já faz um comentário sobre si e sobre o contexto em que aparecia: "Um livro prospectivo, num tempo retrospectivo" e, na orelha, uma dupla homenagem: ao magno acontecimento da Semana e às novas gerações: "Viva a Banda Viva/ Do Brasil/ Alimento para/ As novas gerações/ Por ocasião das/ Retrospectivas/ Da Semana de Arte Moderna de 22/ Um livro prospectivo/ Incremento para as/ Novas gerações". Já nesse trecho subsequente de orelha (que joga o leitor dentro do livro, cuja primeira frase é, de fato, o título), se evidencia uma maneira original de tratar a tradição, que é incorporada à matéria mesma de uma ficção híbrida, pois contém em si os planos da poesia e do ensaio — sem grandes teorizações a respeito, mas, nem por isso, de modo pouco crítico. Waly estabelece uma relação, por assim dizer, direta com a tradição, sem recorrer às costumeiras pontes de erudição e rigor teórico. Ao trazer a tradição para o

* Trechos da palestra proferida sobre a poesia de Waly, Casaco e Zuca Sardan durante o II Congresso da Faculdade de Letras da Universidade do Rio de Janeiro, em outubro de 1982, em que se debateu o tema *Literatura & Sociedade: A Tradição do Novo*. O texto na íntegra consta do nº 2 da revista *Letra* da Faculdade, dedicado ao Congresso e publicado dois anos depois.

espaço ficcional, ele a recria imaginária e sensivelmente e assim a tradição é percebida de maneira mais concreta, "se presentifica", pois passa a refletir-se num processo de componentes muito mais complexas e variadas do que aquelas que resultariam da utilização exclusiva de procedimentos racionais.

[...]

Vejamos o capítulo "Um minuto de comercial". Nele contracenam dois personagens principais: a tradição e a paródia. Cito: "Apontamentos [...] *Cantares*". Fim de citação. Vejam a sinceridade (fingida ou real, não importa. A ambiguidade é um dos dados fundamentais do livro) nas confissões sobre as leituras. Em geral, o personagem que se conhece é o leitor de dó de peito, aquele que se estufa todo e diz: "Não porque Dante..., não porque Baudelaire...". De repente, travamos conhecimento com seu simétrico, o antileitor de Sousândrade, Oswald de Andrade e Guimarães Rosa. Mas muito mais importante do que essa interpretação do leitor em Waly é perceber como ele o transforma em personagem e elabora a tradição em termos de ficção, como se disse acima. Subproduto dessa passagem é também o dado do poeta ignorante. Benjamim lembra, em seu famoso ensaio sobre Baudelaire, o comentário de um escritor erudito sobre a ignorância do poeta e o coloca do lado daqueles argumentos que interessam ao poder no esforço de conter, em proporções assimiláveis, a grandeza do poeta. É um dado interessante de se considerar, quando se trata da poesia dos anos 1970, boa parte dela elaborada por poetas leitores apressados. Fenômeno que Waly já captava na virada dos 1960/70. Note-se também a autocrítica saudável de um leitor provinciano, que macaqueia as leituras de seus contemporâneos — "leitor do certeiro corte dos concretos".

Mais adiante outro trecho: "Remoção da molecoleira [...] as casas do ramo". (Breve interrupção da citação. No meu caso foi assim, acho que numa clara manhã de inverno carioca do ano que poderia ser o do lançamento do livro — 1972. Eu passava pela Sá Ferreira, fazia frio e o mar devia estar gelado, eu sentia o frio do mar no ar. Devia estar feliz e com medo, era um tempo de felicidade e medo. Tempo de suar de um lado só, de sentir o nylon da meia meio molhado. Medo do amor e da porrada? Pois eu vinha pela Sá Ferreira quando parei numa banca e vi o *Me segura* envolto num desses plásticos de supermercado que enrolam maçãs e outros troços. Me lembro da contracapa: a baía de Guanabara, num poema-foto: "a paisagem desta capital apodrece; capital proibida do amor". Comprei, abri e me fascinei. Fiquei parado numa esquina, sem fôlego. *À bout de souffle*, aliás deve ser mais ou menos da mesma época.)

Retomo a citação: "(Documentos complementares [...] *Cantares*.) **THE END**".

A paródia em Waly tem uma voltagem extraordinária. Talvez porque não seja puramente imitativa, mimética. Distancia-se incrivelmente do próprio objeto imitado. No fundo, no fundo, ela não imita nada ou talvez imite apenas os estilos do próprio Waly. Ela se comenta permanentemente. Uma metaparódia? Consequência: multiplica-se por mil a contundência do humor dilacerado e das pírulas da vida que constituem *Me segura qu'eu vou dar um troço*.

Waly parece cumprir o mandamento poundiano do "*make it new*", o qual, potencializado nos escritos críticos de Mário Faustino e dos concretos, ecoou poderosamente no espírito dos poetas dessa geração. E que nem sempre, a meu ver, conduziu a resultados novos. O comando representou para muitos uma camisa de força, talhada na alfaiataria da competitividade, cujo corte é tão apreciado pela estética ocidental. Waly manteve a compostura; talvez por ser o que realmente é, um poeta, criou algo realmente novo, sem empáfia e arrogância; ao contrário, com a arma, na essência delicada, de seu humor demolidor. É um poeta que sabe se fazer estimado de quem o lê; pode parecer bobagem dizer uma coisa dessas, mas não é.

POESIA-LIMITE*

Paulo Leminski

Não é todo dia que o resenhador tem diante de si um *Gigolô de bibelôs* que já chega dizendo: "Minha sede não é qualquer copo d'água que mata". Nas margens plácidas da literatura brasileira, raros, hoje, os exageros. Da poesia (que, talvez, não seja literatura) à prosa de ficção, o que se vê é a prática automática do mecanismo dos gêneros, coisa perfeitamente natural no país onde não se mexe em time que está ganhando. Este, porém, é um livro de exageros.

"Tenho fome de me tornar em tudo que não sou", diz o poeta Waly Salomão, num dos textos mais inquietantes de *Gigolô de bibelôs.* Essa fome se traduziu, com exuberância, num percurso vivencial e criativo em que Waly, se não chegou a se tornar tudo, foi muitas coisas. Poucos poetas, neste país, viveram tão agudamente a chamada contracultura, a cultura da curtição, digamos assim, a cultura dos anos 1960 e 1970. Na história dela, Waly tem lugar certo entre aqueles essenciais bibelôs culturais que foram a Tropicália, o psicodelismo, o cosmopolitismo nova-iorquino. Seu nome começou a aparecer, associado à música de Macalé e de Gal Costa, no início dos anos 1970, depois do degredo de Caetano e Gil. Waly produzia letras estranhas, com nomes extravagantes, como "Vapor barato", "Anjo exterminado" e "Mal secreto". Expressavam, as le-

* Publicado na revista *Veja*, em 10 de agosto de 1983, p. 118.

tras, vivências urbanas, sempre com uma gota amarga no fundo, a chamada "morbeza romântica", invenção de Macalé e Waly, inspirados em Lupicínio Rodrigues.

A fome de se tornar tudo que não era levou Waly a muitos outros caminhos. Em 1972, publicaria uma prosa destrambelhada, *Me segura qu'eu vou dar um troço*, misto de diário, poema longo e apocalipse.

(A presença de Waly seria ainda detectada entre as revistas marginais dos anos 1970, quando, com Torquato, deu à luz a radical *Navilouca*, que fez a delícia dos gourmets.)

Na "Rua real grandeza", por onde Waly transita, a grande figura é a hipérbole. A modalidade do exagero e do excesso. Esse exagero, confronto com o limite, sobretaxa de informação. Acaba por fundar uma liberdade. A liberdade de quem desenvolveu sua chama do lado de incêndios chamados Torquato Neto, Caetano Veloso, poesia concreta, Hélio Oiticica. E viveu todo o trauma e toda a delícia desses estuantes anos 1960 e 1970. Já de cara, Waly declara, num poema concreto: "O extraordinário é a morada do poeta". Este, sim, é um livro extraordinário.

GIGOLÔ & BIBELÔS: A POESIA COMEÇA QUANDO VOCÊ CHEGA*

Armando Freitas Filho

O livro de Waly Salomão não pede uma resenha costumeira, como tampouco o resenhador habitual, isto é, com a mão contida pelo exíguo espaço. Mas pede o sonho deste resenhador que escreveria, então à mão livre, mais ou menos, o seguinte: *Gigolô de bibelôs* é como uma espécie de sessão de cinema, tipo Cineac, ou seja, começa quando você chega. Pode-se deixar que o vento ou o acaso folheie suas páginas e abra o volume, em qualquer parte. Aí, aproveitando o instante, mergulhamos. Pois esse livro foi como que escrito na linha do horizonte e deve ser lido na ponta de um trampolim: "Alhures,/ todo me vibro em tudo/ Aqui,/ poderei decalcar o/ **Q**/ é fugaz?".

Waly é um camicase que, ao contrário dos outros, ama as ruínas onde se despedaça. São visíveis as marcas dos seus beijos "nas colunas de mármore que restaram para sustentar um pedaço de céu azul".

Desde quando, com Torquato Neto, fazia uma tabelinha infalível — o jogo rápido da imaginação — feito os tenistas de *Blow up*, Waly Salomão se multiplica, simultâneo, minucioso e memorável. E jamais foi salomônico, parcimonioso, equitativo. Com ele é tudo e nada.

* Publicado no jornal *O Globo*, em 16 de outubro de 1983.

Seu livro, como já disse, é um filme *movietone*, jornal da tela, ou então um comício exaltado dos mil e um camelôs do inconsciente.

Waly e Sherazade, braços dados, agônicos e guerrilheiros, mantêm o interesse do destino. A antinovela que irradiam é um novelo feito com os fios de Ariadne. Não é à toa, portanto, que, em toda a sua vida, até agora, o nome do poeta se compôs e se decompôs como uma declinação. Nada de heterônimos e disfarces, mas sim faces, expressões de um rosto que proclama: "Tenho fome de me tornar em tudo que não sou tenho fome de fiction ficciones fictionários tenho fome das fricções de ser contra ser tudo que não sou ser de encontro a outro ser [...]".

Nesse texto-chave, "Na esfera da produção de si mesmo", Waly é, plenamente, o que, nas suas melhores aparições, consegue ser: o poema-personagem que — como no conto de Sartre, "Eróstrato" — abre, na última linha, a porta para sempre, e para o que der e vier. Tudo muito consequente, como sói acontecer (às vezes) com o delírio. Com a sua escrita dinâmica versus leitura em slow motion, em vários níveis, planos e degraus. Placar do fim do jogo e do sonho do resenhador: o leitor comercial, vestido de indigno blue, é atingido em cheio no coração.

QWALYSSIGNOS*

Antonio Risério

Não há lugar aqui para o temor, a prudência (*"a rich ugly old maid courted by Incapacity"* — Blake), a reverência paroquial. Pensamento agudo, língua afiada, voz de trovão, o baianárabe Waly (de "Walid") é um happening ambulante. Um trickster. Daí a farsa, em sentido norman-o-browniano: farsa ou sátira, "*intermission time*", *waiting to bring the house down*. Waly é um farsante declarado e colorido num ambiente cultural infestado de beletristas seriosos e cinzentos.

"Amo o original, o estranho./ Amo o que as turbas chamam loucura./ Amo todas as excentricidades e gestos de rebelião", ele poderia dizer, recitando seu querido Huidobro, o Huidobro do "*no soy burgués ni raza fatigada*". Inimigo público número 1 do meio-termo, da mesmice gustativa, Waly é uma verdadeira montanha-russa de grossura e de finesse, indo das baixarias de botequim à suprema limpeza do construtivismo de Maliévitch. Sua figura é a hipérbole. *Provocateur*, *scandaleux*, Waly é um leão, um *tyger-of-wrath*. Filho de Xangô, o deus que se acende na chuva, mas também o senhor das línguas e das linguagens, senhor dos códigos, Waly é o leitor de Rimbaud e Nietzsche circulando pelo morro do Estácio, da Mangueira, ou em meio aos tambores sagrados do can-

* Publicado nas orelhas de *Armarinho de miudezas* (Salvador: Fundação Casa de Jorge Amado, 1993).

domblé ("atabaque", de resto, é palavra de origem árabe). Às vezes me lembro do "Arcobaleno" de Soffici, em *BÏF ZF + 18: Simultaneità e Chimism Lirici* — "*Tu hai cavalcato la vita come le sirene nichelate dei caroselli da fiera/ In giro/ Da una città all'altra di filosofia in delirio/ D'amore in passione di regalità in miseria/ Non c'è chiesa cinematografo redazione o taverna che tu non conosca*".

Curiosidade ibn-khalduniana. Estrada do Excesso. E, como Xangô, falando com o corpo todo. Waly àkàtà yeriyeri. Um homem livre como as formas de Arp. Mas Fera Faiscante.

ALGARAVIAS*

Davi Arrigucci Jr.

Como resgatar no poema uma experiência tumultuária, sem o centro fixo do sujeito ou a perspectiva da identidade? Como dar forma e rigor ao delírio, tornado um *continuum* espaço-tempo, mar sem margem? Desde o começo, na década de 1970, os versos de Waly Salomão — audaz navegante da *Navilouca* junto com Torquato, mas tendo por timão as invenções de Oiticica — já suscitavam questões assim. E se recolocaram em *Câmara de ecos*, como vozes entremescladas, algaravias reiteradas, *delirium ambulatorium* que persiste em recorrências.

Mas o tempo da Tropicália ficou longe, e o ângulo atual é outro, diante da mesma inquietude, que resiste depois de tanto cataclisma e muita acomodação por toda parte: "Tenho fome de me tornar em tudo que não sou", como disse no meio do caminho em *Gigolô de bibelôs*, fazendo soar a ambiguidade dissolvente que caracteriza o verdadeiro poeta na visão de Cortázar. O primeiro mérito de Waly é trazer para o centro da lírica brasileira a experiência do descentramento de nossos dias e a situação problemática do poeta no mundo contemporâneo. Ao tentar exprimir a complexidade dessa experiência, beirando alturas e o indizível, se subtrai no trocadilho dissonante ou na ironia que quebra o ritmo frente à impossibilida-

* Publicado nas orelhas da 1ª edição de *Algaravias: Câmara de ecos* (São Paulo: Editora 34, 1996).

de: Ícaro caído e caricato, que repete, no entanto, além, sua maquinaria para o desastre.

Nas entrelinhas do primeiro livro, *Me segura qu'eu vou dar um troço*, e nos seguintes, se insinuava a resposta para essas questões mais fundas sempre percutidas nas palavras. O poeta retornava à raiz da modernidade e a Poe, evocando a concepção da poesia sob o signo de Proteu: da mudança ou da metamorfose, que ora assume e reafirma com força plena. Agora Sailormoon aporta ao lugar do simulacro, o poeta feito máscara, *persona* em que o oco dobra e multiplica a voz do outro em timbre próprio e impróprio, espaço impreenchível em que escrever é vingar-se da perda.

O simulacro, imagem fictícia em que a experiência se expande em outros possíveis, serve-lhe de teatro; por meio dele, o poeta ouve de novo em eco seu destino de entreato, como em "Falar é Fôlego-Fátuo", do seu *Armarinho de miudezas*. Vira o lugar da permuta e da metamorfose, de onde o reconhecimento de si mesmo é outro, espaço lábil da perdida identidade. A dissolução da identidade nos jogos com o outro foi a primeira vocação da poesia moderna, como observou em seu tempo André Breton; agora retorna em repetições para múltiplas vozes nessa câmara de ecos, em que muitos poetas falam por ele, reiterando a mesma busca de si mesmo e da própria poesia, esquiva em toda parte.

Waly, te percebi onde não estavas? Ao menos, tentativa, miniensaio em forma de concha de orelha, receptáculo de irônicas ressonâncias.

WALY SALOMÃO E A LÓGICA DA PESSOA*

Antonio Medina Rodrigues

Algaravias é obra de um poeta consumado, dono de uma voz rica e precisa, e eu poderia me estender nos elogios. Porém, melhor que isso é discutir a poesia. O livro de Waly Salomão trabalha com quatro caminhos temáticos: a lírica da quase intimidade, a reflexão sobre a poesia, o mito pessoal e/ou nacional e a ironia dos périplos e viagens. Dos quatro caminhos, o de melhor ângulo para a crítica é o primeiro, porque controla à distância os outros e os mostra também como tentativas de intervenção no debate da moderna poesia brasileira. É, portanto, o caso dos poemas que rondam a viagem, o mito e a própria poesia. Mas nós nos limitaremos à subjetividade, que é a questão fundante e mais difícil.

Entremos *in medias res*. Por que Salomão fala tão pouco de si? Por que deseja esconder o Desejo? Por que foge da plenitude? De pronto, ele se defende com o credo da intersubjetividade (p. 219):

> *Cresci sob um teto sossegado,*
> *meu sonho era um pequenino sonho meu.*
> *Na ciência dos cuidados fui treinado.*

* Publicado como prefácio à 1ª edição de *Algaravias: Câmara de ecos* (São Paulo: Editora 34, 1996).

Agora, entre meu ser e o ser alheio
a linha de fronteira se rompeu.

Ora, por aí passeia a sombra de Bandeira. Só a sombra, suave e arquitetônica. Porque Bandeira não abdicava do EU, e muito menos numa forma tão drástica. Queira ou não, é com ele que Waly polemiza. Manuel Bandeira resolvia o mundo na intimidade. Só depois o mundo era mundo. E Waly Salomão faz o contrário: ele deposita a intimidade romântica no mundo, anonimamente, como quem se livrasse dela, pela supressão das fronteiras entre o eu e o outro. Se tal coisa fosse apenas *declarada*, não haveria nenhum problema, porque as opiniões não param de ir e vir. Entretanto, mais do que opinião, a intimidade recalcada é uma das *formas* principais da poesia de Waly. Nela existe algo como o trauma da mãe, que abandona o recém-nascido na estação da Luz, para deplorar esse ato pela vida afora. É por isso que a opção de Waly pela realidade retorna sempre sob a face de uma desventura desertada de todo e qualquer gozo.

A partir desse ponto, seguramente arquimédico, o que nós vamos ver no lirismo quase íntimo de Waly Salomão é uma economia sutil das compensações, onde se exige primeiro a elevação e depois o sacrifício da realidade: assim, se por um lado Waly tem a paixão épica do espaço, por outro, a intimidade amordaçada vai palpitar que o mundo também se converta em cinza e amargura. O que resta então é patético: há um eu que se pronuncia, mas que não se deixa exprimir, e cujo recalcar-se exige como paga a cabeça de São João Batista (no caso, o mundo), e ambos, o eu e o mundo, se excluem de tal maneira que o sublime fica a procurar as brechas. E as encontra. E os clarões vêm do talento.

Assim, o brilho do mundo, por quem a mãe trocara sua maternidade, vai se revelar *superado*, falso. Depois do incêndio, vem a cinza. Se nós acreditássemos nas extravagâncias de Harold Bloom, diríamos que Waly está incinerando o mundo para libertar-se da tradição recente — e sobretudo dos poetas da objetividade, a quem ele se vincula. O raciocínio é simples: a maior parte da poesia moderna vê no mundo, para bem ou para mal, a negação da subjetividade, e passa a metabolizar esse problema, e a lutar com ele. Waly, entretanto, encerra sua *coita* a sete chaves, de maneira que o mundo, depois de paramentado, se condena à imolação, e por um crime cometido por princípio contra o *self*, crime que nós bem gostaríamos de saber qual tenha sido. Que estranho pudor, que passado se ocultaria por trás daquelas "próteses da fantasmagórica Rua do Sabão./ Sem a vitalidade amarelo-estridente/ de um cravo--de-defunto" (p. 221)?

Claro que esse recalcar também recebe o influxo das poéticas antirromânticas, em que o EU costuma reduzir-se à abstração inteligente. Mas o bloqueio aqui é outro. O bloqueio é Waly *en su tinta*. Se não fosse, ou se fosse coisa de escola e estilo, ele nunca chegaria a esplendores como este (p. 234):

minha alegria permanece eternidades soterrada
e só sobe para a superfície
através dos tubos alquímicos
e não da causalidade natural.
ela é filha bastarda do desvio e da desgraça,
minha alegria:
um diamante gerado pela combustão,
como rescaldo final de incêndio.

Como se vê, nós não estamos mais diante do impasse do sujeito romântico, tão discutido hoje. A questão tremenda é que a autoincineração do sujeito, feita em favor do mundo, acaba repropondo o sujeito, que retorna sob a ótica de uma ciência mais nova e mais profunda. Da mesma forma como um videogame pode despertar no adolescente vivências que ele nunca teve *e que sempre estive-*

ram lá, esperando pela história e seu triunfo. É que as órbitas da objetividade são mais ricas de nós do que nós próprios. É isso que aproxima Waly de Augusto dos Anjos. Com todo seu biologismo, Augusto dos Anjos foi mais *intensamente* pessoal do que todos os românticos reunidos. Porque mexeu com todos os materiais para construir a sua pessoa. E o destino de toda lógica inovadora é este mesmo: descobrir uma nova arqueologia da alma. Waly jamais exprime um self. Ele o realiza. Nele o self é projeção do dilúvio épico da vida. Que somos nós? Somos o resultado do que fazemos. Por certo, alguma instância absoluta e transcendental, ou a *uma aprócrise*, como quer Antonio Cícero, nos garante sermos o que quisermos. Mas sem ação também não somos nada. Augusto dos Anjos tirara seu páthos dos manuais e da vida desgraçada. E Waly Salomão o tira da vida contemporânea e das viagens/vertigens que ele diz aborrecer. Essa, portanto, é a subjetividade prática, que resulta daquela mordaça fundamental na subjetividade romântica. Mas mordaça que deixa passar o *daímon* elétrico do silêncio.

É compreensível que Waly pareça interpretar parte de sua poesia como resultado de uma *doxa* adorativa (de Valéry, de Cesário, de Cabral etc.), que, de alguma forma, ele procura reverenciar. Mas isso é conjectura. Pois o poético, ao fim e ao cabo, não é a poética. Nas grandes vozes contemporâneas que Waly admira existe um EU transcendental e realista, que observa, mas não se deixa comprometer nem modificar por aquilo que observa. Mas o que nós vemos em Waly Salomão é que ele revolve a experiência e se deixa transformar através dela. Guardado o primeiro EU na fortaleza do silêncio, e silenciado o romantismo (mas silenciado como Eco), o segundo EU se mostra oral, portanto narrativo, mundano, e se deixa repousar numa confiança mítica do mundo. Há também em Waly Salomão um esforço intelectual constante que traduz, explicita as sensações, sem temer os perigos da sentenciosidade. Esse esforço não tem método. Traduz intuições, e, como estas vêm livremente, só podem vir de uma cosmologia mítica. Não vêm como aquela brisa que pode vir de qualquer lugar e a qualquer hora, de que Drummond nos fala, em "Nudez". Waly Salomão não é, a rigor, um poeta possesso, daqueles que confiam às musas o trabalho da poesia. Da mesma forma que Castro Alves não era exatamente um poeta possesso. O que associa Castro Alves e Waly Salomão é a ode existencial, a palpitação para fora, e uma compulsão ao reconhecimento majestático do mundo. Mas as diferenças também são grandes. O real e a intimidade, em Castro Alves, tendem a uma festa única, e a uma única experiência. Castro Alves não tinha nada que mostrar além do que mostrava. Até seu sexo era com nobreza entregue às multidões. Em Waly Salomão, ao contrário, a cosmologia supõe um silêncio muito grande da alma, e o majestático se mostra a toda hora vacilante, sob a luz crítica da inteligência.

LÁBIA*

José Miguel Wisnik

Gostaria que esta orelha fosse a mesma com que escuto logo cedo, ao telefone, a voz de Waly Salomão.

"Le démon du matin" — como me ocorre chamá-lo — recita (ou excita) trechos poéticos, proclama rasuras, anuncia emendas, parodia glosas, numa chuva ao mesmo tempo premeditada e repentista de brilhações fulgurantes, aliciadoras, hilariantes.

Ao vivo, seu teatro instantaneísta é um arrastão que põe tudo à volta em ato, rebatendo tons que podem estar entre Mallarmé e a Mangueira, *Caras*, *Vanity Fair*, Groucho Marx e o Morro dos Prazeres.

Mas não me interessa aqui fomentar algum tipo de atração turística pela sua personalidade fascinante. O importante a assinalar é que nele se dá uma espécie de con/fusão clarificadora entre o oral e o escrito, que define sua dicção particular de vida e obra. Ele mesmo adianta uma bela definição da força da oralidade que se aplica perfeitamente, em rasante irônica, a si próprio: "reino da mente veloz em presença, do imediato, das súbitas vozes intervenientes, do espírito em chamas, do 'estalo de Vieira', das línguas de fogo em reprise do Pentecostes ao vivo?".

Frente à qual o domínio do escrito seria o (necessário) "reino do adiamento, do recalque, do mediato, do procrastinado, da letra morta *in vitro*?".

* Publicado na 1ª edição de *Lábia* (Rio de Janeiro: Rocco, 1998).

Na verdade, se a sua oralidade declamatória e paródica é toda escritural e a sua literatura oralizante, há neste livro a procura declarada de um "ponto de liga alquímica", traço "de união entre o lido e o vivido", "entre a espontaneidade coloquial e o estranhamento pensado", "rede perambulante entre o jogo e a confissão". Que não deixa de se saber "imbróglio" de algaravia e álgebra de projeto e jogo de azar.

O livro se abre com uma citação de Francis Ponge, em que a escrita aparece como um instrumento de nitidez e limpeza contra as turbulências impuras da fala. Abertura aparentemente suspeita quando vinda de quem fala tanto, dentro e fora dos livros. Mas a poesia desse desparnasiano atroz que "faz versos como quem talha" fixa instantâneos de beleza que resistem a seu próprio vórtice e às duras provas a que os submete seu espírito negador e generoso.

Se *Lábia* alude à astúcia e à manha, à fala mansa e à malícia, remete também aos grandes e pequenos lábios, à grandiloquência e ao olho-d'água, ao mundo *jet-lagged* e às *locas* de Gongogi. Agora com a vital e póstuma "exuberância órfica das coisas".

LÁBIA, DE WALY SALOMÃO*

Alexei Bueno

O POETA WALY SALOMÃO RETORNA ESTÉTICA E HUMANAMENTE FORTALECIDO EM *LÁBIA*, MOSTRANDO UMA RELAÇÃO CORTANTE E LÍMPIDA COM AS PALAVRAS.

Em *Lábia*, de Waly Salomão, em confirmação do que já se vira em *Algaravias*, o primeiro encontro e o primeiro espanto do leitor é com um duplo caráter pessoal do poeta — pessoal e intransferível —, um vitalista e outro verbal, sem que se saiba onde um acaba e o outro começa. A relação de Waly Salomão com as palavras é das mais cortantes, claras e límpidas da poesia brasileira atual, paradoxalmente num dos poetas que menos buscam o "limpo", no sentido daquele beletrismo que já fazia Bandeira clamar pela "marca suja da vida", como sujo é o título do poema mais longo de Ferreira Gullar e suja é a ambiência de um Augusto dos Anjos ou a de um João Cabral de Melo Neto na paisagem social pernambucana, para não falarmos das inacreditáveis ruas em que andamos todos os dias.

Antieufemístico por natureza, nosso baiano-carioca, de origens sírio-fenícias, faz em um poema como "Exterior" a sua profissão de fé virtuosística, nessa multiplicidade fenomênica inapreensível que é talvez o único encanto irredutível da vida humana, e segue no caminho traçado. Mas se tudo é dionisiacamente confuso e sujo

* Publicado no jornal *A Tarde*, Caderno 2, em 6 de julho de 1998.

nesta vida que nos foi outorgada sem contrato prévio, se nela se incluem desde a grande elegia autobiográfica, memorialística, regional e universalizante "Post mortem" — talvez o mais belo poema do livro, derivado, como sabemos, do recente entrevero do autor com a mulher de branco — até a elegia fúnebre-metalinguística intitulada "Poesia hoje 1" e dedicada "ao mito evangélico do bom ladrão/ e ao meu amigo Beto Sem Destino,/ presunto desovado em Itaipuaçu", o que é certo é que tudo serve de pretexto à dança verbal do poeta, dança impura — cateretê, samba, mambo, tangolomango, bate-estaca, jungle, tecno, etno — nas suas próprias palavras, mas na qual encontramos a pureza de uma autenticidade humana e estética praticamente varrida para o lixo no panorama prático do que chamamos cotidianamente de poesia brasileira.

Há, em todo o livro, de forma oculta, um amor pelas coisas, não isento do asco por muitas delas, que é uma das marcas do estar-no-mundo do poeta, pelo menos dos que merecem esse nome. Há também um enfaramento, podemos dizer assim, dos mais saudáveis, pois — como dizia Baudelaire — certa lassidão é uma marca clara dos homens de caráter, porque só os salteadores de estrada estão sempre convictos e não se cansam nunca. Em termos literários, Waly Salomão caminha muito longe dos "salteadores de estrada", donde esse amor geral pelas coisas, na antítese de todo o pedantismo, que recheia o livro.

Mas é na estrutura verbal, e de certo modo muito peculiar no léxico — muito rico — e na sintaxe do autor, que encontramos a sua marca mais característica. Sintaxe de uma agilidade funambulesca, de uma espécie de alegria quase circense, no extremo oposto da prisão de ventre sintático-estrutural que para muitos no Brasil é o suprassumo da poesia. Como na sua outra poética ou profissão de fé — e é curioso mas válido usar essa expressão aparentemente envelhecida para um poeta que nada repudia —, "Editorial", que encerra o livro, Waly deixa claro, é com uma voracidade pantagruélica que o poeta se apossa de seu léxico, extremamente brasileiro e internacional, muito próximo da natureza e do urbano, pois tudo é vida, tudo anda na "ponte pênsil" — e daí o caráter funambulesco enunciado — esgueirando-se da mulher de branco e sobretudo da imbecilidade e da chatura cotidianas das quais, graças a Deus, ela nos livrará um dia.

Mas para além de toda a pessoalíssima agilidade verbal, para além da madura, por desprendida, visão do mundo, para além de tudo que fica entre as linhas e letras, o que mais pode enriquecer e elevar — elevar, a grande função da arte, de acordo com a definição brilhante de Pessoa — o leitor dessa *Lábia* é esse amor difuso e geral pelas coisas e as criaturas, vivas e inanimadas, ou inanimadas a contragosto, como esse obscuro Beto Sem Destino — epíteto que dividia sem dúvida com todos nós — desovado em Itaipuaçu, e que agora convive conosco pelas virtudes de uma nênia-arte poética, para sempre, por mais um pequeno milagre desse exercício insuperável de solidariedade humana que é a arte e a poesia.

Como constatamos em *Lábia*, o nosso vulcânico Waly Salomão retorna robustecido estética e humanamente das suas últimas aventuras terríveis nessa nossa corda comum que treme sobre o abismo.

GIGOLÔ DE BIBELÔS*

Heloisa Buarque de Hollanda

Waly Salomão é um daqueles raros casos de poeta que já nasce pronto. Seu *Me segura qu'eu vou dar um troço* foi publicado em 1972, em pleno rescaldo da interrupção inesperada do movimento tropicalista pelo golpe de 1968. Interrupção, digo, em termos, porque o éthos e a energia tropicalista certamente continuam em ação num diálogo subliminar e contínuo com nossa música, literatura, artes e comportamento. Contudo, tanto o surgimento do *Me segura* quanto sua produção poética posterior têm marcas um pouco diferentes.

No caso de Waly, muitas vezes definido como um pós-tropicalista, a presença subversiva da linguagem e da visão de um Brasil fragmentado, dilacerado mas extremamente vital, nos traz em moto-perpétuo o legado da Tropicália, porém com um tratamento personalíssimo no qual uma inédita pluralidade de vozes, sonoridades e ressonâncias é combinada de forma paradoxal: tão meticulosa quanto aleatoriamente.

O diferencial da poesia de Waly nos anos 1970 e 1980 (quando foi escrito *Gigolô de bibelôs*) para a poesia que se fazia no momento, conhecida como poesia marginal, é a presença de um referencial explicitamente erudito que se disfarça impregnando uma poética visceral, anárquica e politicamente interpelativa. O lugar que Waly

* Publicado nas orelhas da 2ª edição de *Gigolô de bibelôs* (Rio de Janeiro: Rocco, 1998).

ocupa na história da poesia brasileira é único. Mesmo a tentativa de classificá-lo como pós-tropicalista não parece dar conta da originalidade, complexidade e vigor experimental de seu talento no manejo e na criação da linguagem poética.

Citando um fragmento de *Gigolô de bibelôs*, faço minhas as palavras de mestre Waly: "Lino Franco continua falando só para ouvir a vibração de seu som e também porque assim se joga mais livre e o logro é mais difícil. Lavro e dou fé".

TARIFA DE EMBARQUE*

Walnice Nogueira Galvão

vou pegando pelo rabo
a lebre de vidro do acaso

adverte o Sailormoon, inaugural.

Sem dúvida, o acaso é um de seus deuses, e em suas aras oferece holocaustos. O poeta como que acha palavras, tropeça em rimas e sonoridades que ecoam umas nas outras. Mas que o leitor — *caveat!* — não se iluda e morda a isca (melhor: deve morder a isca). O acaso é trabalhado e retrabalhado, até que o poema fique polido, reluzente, como um artefato ou uma joia.

As galas da linguagem fascinam o poeta, que se entrega a um amplexo sensual, com elas rolando em praias de areia, em ondas que estuam, em divãs de cetim como os de seus ancestrais. Depois, o Sailormoon iça as velas e singra tanto os oceanos quanto sua Jequié nativa, ou mesmo o âmago de sua estirpe fenícia: tudo isso povoa seu imaginário.

Mas não falta alguma coisa no inventário?

Falta sim — falta a pátria poética, a dimensão metalinguística, a poesia lida nos livros e que, de tão convivida, se transubstanciou na carne e no sangue do poeta. Prestes ele próprio a esconjurar a

* Publicado nas orelhas de *Tarifa de embarque* (Rio de Janeiro: Rocco, 2000).

assombração que ronda sua poesia, a dor dos versos canônicos que o assediam.

Ainda uma vez o Sailormoon desata o velame e parte num assomo de libertação que tem nele a sina do nomadismo. Valendo bem mais que o porto de arribação, como para Ulisses, a travessia.

A FALANGE DE MÁSCARAS DE WALY SALOMÃO*

Antonio Cícero

Me segura qu'eu vou dar um troço devia, segundo Waly Salomão, ser lido com olho-míssil e não com olho-fóssil. Seguindo essa indicação, tentei iluminá-lo através dos seus livros posteriores e vice-versa. A consideração sincrônica da obra de Waly pareceu-me revelar, por trás de uma fragmentariedade ostensiva, uma identidade fundamental de preocupações — se bem que, como se verá, uma identidade na anti-identidade. Aos meus olhos, essa descoberta pareceu confirmar o acerto da abordagem inicial.

Me segura qu'eu vou dar um troço (que doravante chamarei *Me segura*) foi publicado em 1972. Nos anos seguintes, Waly relatou muitas vezes as circunstâncias que ocasionaram a sua escritura. Em 1996, por exemplo, ele declarou:

> Meu primeiro texto teve de brotar numa situação de extrema dificuldade. Na época da ditadura, o mero porte de uma bagana de fumo dava cana. E eu acabei no Carandiru, em São Paulo, por uma bobeira, e lá dentro eu escrevi "Apontamentos do Pav Dois". Não me senti vitimizado, de ver o sol nascer quadrado. Para mim, foi uma liberação da escritura. (SALOMÃO, 1996b)

* Publicado na 2ª edição de *Me segura qu'eu vou dar um troço* (Rio de Janeiro: Aeroplano/ Biblioteca Nacional, 2003).

Em 2002, ele resume a relação entre a prisão e a escrita, dizendo que: "ver o sol nascer quadrado, eu repito essa metáfora gasta, representou para mim a liberação do escrever, que eu já tentava desde a infância" (SALOMÃO, 2002).

Se desde a infância Waly já buscava a liberação que a escritura de *Me segura* viria a lhe proporcionar, então, de algum modo, a vida anterior a essa escritura devia ser por ele percebida como uma prisão ou um confinamento: confinamento do qual o Carandiru tornou-se o emblema. De que se trata? São muitas as possíveis prisões. Em texto sobre *Me segura*, intitulado "Ao leitor, sobre o livro", lê-se: "Sob o signo de **PROTEU** vencerás./ Por cima do cotidiano estéril/ de horrível fixidez" (p. 113).

A prisão é aqui o "cotidiano estéril de horrível fixidez", do qual a poesia deve libertá-lo. O cotidiano estéril é aquele que não conduz a nada além de si próprio, aquele que não se modifica, nem para o bem nem para o mal. É aquele que, submisso ao princípio da identidade, permanece sendo aquilo que é. De fato, o próprio eu pode tornar-se estéril — tornar-se uma prisão — quando se apega à identidade consigo mesmo. Tal é o tema de algumas interrogações que se encontram em *Me segura*: "Será o eu de uma pessoa uma coisa aprisionada dentro de si mesma, rigorosamente enclausurada dentro dos limites da carne e do tempo? Acaso muitos dos elementos que o constituem não pertencem a um mundo que está na sua frente e fora dele?" (p. 16).

A radicalização desse questionamento ameaça também o princípio da contradição: "A ideia de que cada pessoa é ela própria e não pode ser outra não será algo mais do que uma convenção que arbitrariamente deixa de levar em conta as transições que ligam a consciência individual à geral?" (p. 16).

Ao se colocarem sob o signo de Proteu, deus grego que, como Waly já explicara em trecho anterior de "Ao leitor", "recebera de seu pai, Poseidon, o dom da profecia e/ a capacidade de se metamorfosear, o poder de/ variar de forma a seu bel-prazer" (p. 113), a poesia e o poeta se opõem tanto ao princípio da identidade quanto ao da contradição, pilares da lógica formal tradicional. Como o *Empédocles* de Hölderlin — e por razões semelhantes — também Waly, invertendo a resposta de Deus a Moisés, poderia dizer: "Eu não sou quem eu sou".

Um quarto de século depois da publicação de *Me segura*, Waly reafirma sua concepção da poesia como a libertação do confinamento no mundo convencional da identidade. No poema "Novíssimo Proteu" (pp. 304-5), lê-se:

Uma cega labareda me guia
para onde a poesia em pane me chamusca.
[...]
Vou onde poesia e fogo se amalgamam.
Sou volátil, diáfano, evasivo.
[...]
Escapo que nem dorso de golfinho
que deixa a mão humana abanando
sem agarrar nada.
[...]
A chama da metamorfose me captura.
[...]

Mas exatamente de que modo a poesia proporciona a libertação a quem foi confinado? O desprezo pela fixidez do cotidiano, a rejeição dos princípios lógico-formais da identidade e da contradição, a vontade de abolir as fronteiras entre o eu e os outros e o fascínio pela metamorfose são características que trazem à mente a noção de *carnavalização*, tal como elaborada por Mikhail Bakhtin. Não são as únicas. Há também o senso de humor rabelaisiano de

Waly, capaz de difundir um espírito sedutoramente anárquico e hilariante, mesmo nos ambientes mais formais e nas ocasiões mais solenes. Além do mais, ele exerceu durante alguns anos o cargo de diretor da Fundação Gregório de Mattos, onde tinha a função de promover e coordenar o carnaval de Salvador. E eu mesmo posso atestar que ele se interessou por Bakhtin e leu seus livros desde o início da década de 1980, quando nós dois dirigimos um Núcleo de Atualidades Poéticas (NEP, como ele gostava de dizer, referindo-se maliciosamente à *Novaia Ekonomítcheskaia Política* de Lênin), na Oficina Literária Afrânio Coutinho, no Rio de Janeiro. Bem mais tarde, ele ironicamente aludiria ao crítico russo, ao empregar o termo *polifônico*, no poema "Desejo & ecolalia": "— O que você quer ser quando crescer?/ — Poeta polifônico" (p. 260).

Posto tudo isso, não creio que *carnavalização* seja adequada para caracterizar a obra de Waly. Por um lado, essa expressão se tornou tão difusa que é usada a torto e a direito, tendo perdido praticamente quase toda virtude cognitiva. Nesse sentido popular, seria inútil empregá-la aqui. Por outro lado, no sentido em que Bakhtin a usa em relação, por exemplo, a Rabelais, ela não se aplicaria aos escritos poéticos de Waly. De fato, estes não podem ser primariamente qualificados nem de burlescos, nem de satíricos, nem de grotescos, nem de paródicos, nem se pode dizer que consistam na tradução para um registro erudito de uma concepção popular do mundo. Mais ainda: para Bakhtin, no limite ideal a poesia representa exatamente o oposto da prosa polifônica, dialógica ou carnavalesca (1978, pp. 99-121). Ora, a poesia de Waly se orienta precisamente por esse limite ideal onde se situa a grande poesia que ele lia e relia, de modo que, mesmo quando seus poemas se deleitam em incorporar expressões de origem popular ou até chula, fazem-no a partir do registro erudito — embora antiacadêmico — em que se originaram e ao qual pertencem. Penso por isso que, na verdade, aquilo que merecia o epíteto de *carnavalizante* era a pessoa ou a irradiante presença de Waly, inclusive na sua atividade de conferencista e nas suas aparições na televisão, mas não a sua poesia. Em relação a essa, prefiro empregar o conceito que ele mesmo elegeu: o de *teatralização*, que permite responder a questão que formulei acima, isto é, de que modo a poesia liberta quem se encontra confinado.

Waly conta, por exemplo, que pouco depois de sair do Carandiru sofreu outra prisão e foi torturado. Mas "o que interessa", diz ele,

> é que eu transformava aquele episódio, teatralizava logo aquele episódio, imediatamente, na própria cela, antes de sair. Eu botava os personagens e me incluía, como Marujeiro da Lua. Eu botava como personagens essas diferentes pessoas e suas diferentes posições no teatro: tinha uma Agente Loira Babalorixá de Umbanda, tinha um Investigador Humanista e o investigador duro. O que quer dizer tudo isto? Você transforma o horror, você tem que transformar. E isso é vontade de quê? De expressão, de que é isso? Não é a de se mostrar como vítima. (SALOMÃO, 2002)

A vítima é o objeto nas mãos do outro. Todos nós já fomos vítimas de diferentes coisas, em diferentes momentos; porém, é preciso ativamente rejeitar esses momentos, relegando-os, ainda que recentíssimos, ao passado — ainda que recentíssimo. Quem aceita a condição de vítima no presente, quem diz "sou vítima" está, ipso facto, a tomar como consumada a condição de não ser livre. É contra essa atitude de implícita renúncia à liberdade que Waly teatraliza sua situação. Ao fazê-lo, ele a transforma em mera matéria-prima para o verdadeiro drama, que é o que está a escrever. A vítima passa a ser apenas o papel de vítima, a máscara de vítima. Por trás da máscara, há o escritor. Mas isso não é tudo, pois o que é o escritor mesmo senão o papel de escritor? Que o escritor não passe de um personagem, indica-o o próprio nome com o qual Waly assina *Me segura*: Waly Sailormoon, o Marujeiro da Lua. Isso me lembra que ele gostava de contar que, na época de não me recordo mais que dinastia chinesa (ou seria japonesa?), quando um poeta ficava famoso, mudava de nome, para que o seu trabalho futuro não ficasse preso à reputação passada. Que *Me segura* não esteja sendo aqui objeto da retroprojeção de uma interpretação muito posterior atesta-o a declaração, que nele se encontra, de que "chego nos lugares e percebo as pessoas como personagens de um drama louco" (p. 69).

Não se deve cair no equívoco de supor que a teatralização de que estou falando consista simplesmente em opor ao mundo real o imaginário. Não é o delírio ou a alucinação que Waly aqui defende. Não se trata de opor o teatro ao não teatro. O que ele julga é, antes, que tudo é teatro. Ao afirmar que *percebe* as pessoas como personagens de um drama louco, Waly não quer dizer apenas que as *interpreta* como tais, mas também que *se dá conta* de que são personagens de tal drama. Retomando a ideia do *theatrum mundi*, originada na Antiguidade, cultivada na Idade Média, principalmente a partir do século XII, e transfigurada no início da época moderna, ele toma o mundo como um *teatro pieno de meraviglie*, nas palavras de Emanuele Tesauro, historiador e estetólogo italiano do século XVII (RAIMONDI).

Uma recapitulação, ainda que sumaríssima, da história dessa ideia pode ser útil para ajudar a caracterizar a especificidade da concepção de teatralização de Waly. Para o homem medieval, afirmar que este mundo é um teatro tem em primeiro lugar o sentido de desqualificar como ilusória a vida terrena e temporal. Na vida terrena, o ser humano assume o papel de homem ou mulher, rei ou mendigo, rico ou pobre, ladrão ou pontífice etc. A plateia é composta por Deus, pelos anjos e pelos santos (SALISBURY, cap. 6). Cada ator termina o seu papel num momento diferente, geralmente quando menos espera. Retiram-se então as suas máscaras e fantasias (inclusive o próprio corpo) e ele é submetido a um julgamento em que o destino da sua vida eterna — a vida verdadeira — é por Deus determinado ou como o céu (quer imediatamente, quer após uma estadia no purgatório) ou como o inferno. Para o céu vão os que, no teatro do mundo, manifestaram desejar o Criador, o céu e a eternidade e, na mesma medida, desprezar as criaturas, a terra e o teatro; para o inferno, simetricamente, os que manifestaram amar as criaturas, a terra e o teatro e, na mesma medida, ignorar o Criador, o Céu e a eternidade.[1] Desse modo, a metáfora do teatro do mundo era, na Idade Média, empregada justamente por quem odiava o mundo e o teatro, para angustiar quem os amava. Na Espanha da Contrarreforma, a peça *El gran teatro del mundo,* de Calderón de la Barca, recupera e põe brilhantemente em cena essa concepção.[2] Já Shakespeare, embora trinta e tantos anos mais velho do que Calderón, emprega a metáfora do teatro sem necessidade de fazer qualquer referência a uma vida transcendente. Assim, no trecho de *As You Like It* em que Jaques, o melancólico, tendo afirmado que "todo o mundo é um palco/ E todos os homens e mulheres meros atores", passa a descrever com os poucos traços do grande caricaturista os vários papéis disponíveis — que são as sete idades, da infância à decrepitude, do ser humano —, percebemos que é para os seus olhos imanentes e interessados e, através deles, para os nossos, que o mundo funciona como um palco; de modo que, no teatro do mundo — como, aliás, no carnaval (KRISTEVA) —, estamos ao mesmo tempo no palco e na plateia. A melancolia de Jaques consiste naquele sentimento moderno que, segundo Klibansky, Panofsky e Saxl (1990, p. 338), corresponde à intensificação de um eu axial, em torno do qual gira a esfera do prazer e da nostalgia. Dada a eliminação da dimensão da transcendência, tudo se reduz à imanência, e a justificação desta por aquela deixa de ser necessária ou possível. Com o que Waly chama de "extinção da

1. São Bernardo dizia: "Quem quer o celeste não gosta do terrestre. Quem anseia pelo eterno despreza o passageiro" (apud FEUERBACH, p. 318).
2. Na peça de Calderón, vão diretamente para o céu o *Pobre* que, pouco antes de morrer, faz um discurso em que amaldiçoa o dia em que nasceu, e a *Discreción,* que representa o ascetismo religioso, que renuncia ao mundo temporal; vai diretamente para o inferno só o *Rico,* cujo pecado é amar os prazeres deste mundo.

esperança de recompensa" (p. 122), isto é, com o fato de que nada do que se faz no teatro do mundo espera retribuição em outro mundo, tudo vale — ou não vale — por si: tudo é gratuito, e Shakespeare ora toma essa gratuidade de modo cômico, enfatizando o caráter lúdico e onírico da vida (*Our revels now are ended* etc. — *A tempestade,* ato 4, cena 1), ora de modo trágico, ressaltando o absurdo de uma vida destituída de sentido ulterior (*Tomorrow and tomorrow and tomorrow* etc. — *Macbeth,* ato 5, cena 1). Desde que tais trechos foram escritos, o seu esplendor tornou impossível uma utilização literária da metáfora do teatro do mundo que não os evocasse. Waly, que costumava citar o trecho de *A tempestade* a que me referi, em que Próspero diz que "somos feitos do mesmo material de que são feitos os sonhos" (SALOMÃO, 2003), não constitui exceção.

De toda maneira, o essencial da metáfora do teatro já se encontrava na Idade Média. Trata-se da representação de uma diferença, de uma clivagem (uma das palavras favoritas de Waly), de um abismo entre o homem e as máscaras que ele põe ou os papéis que representa. Ela significa que um homem não é necessariamente nenhum dos personagens que assume: que poderia ser outros; que poderia ser qualquer um; que, em relação ao homem mesmo, todos esses papéis são acidentais e, em princípio, poderiam ser trocados; que a peça mesma, em suma, poderia ser outra. Mas há uma questão que ainda não foi esclarecida. Se tudo já é teatro, se até o fato é teatro, qual é o sentido da teatralização? Por que teatralizar o que já é teatro? É que o "fato" social é o teatro que desconhece o seu caráter teatral. O processo que leva a esse desconhecimento ocorre, por assim dizer, "naturalmente". Shakespeare sabe e diz que tudo é teatro; entretanto, mesmo sem qualquer pretensão à exaustividade, o repertório exemplar oferecido pelas sete idades mencionadas por Jaques, em *As You Like It,* acaba dando a ideia de que, ainda que sejam muitos, os papéis ou tipos disponíveis aos seres humanos são em princípio catalogáveis e constantes. Por quê? Porque é assim que eles, de fato, se dão empiricamente. Como a peça que se representa no teatro do mundo parece ser sempre a mesma, os atores ignoram que se trate de uma peça, isto é, de obra humana e artificial; ignoram, em outras palavras, que seja uma dentre muitas peças reais ou possíveis, e a tomam por natureza. Também as ciências sociais empregam a metáfora do teatro — embora nem sempre explicitamente reconhecida como tal — pelo menos desde que Marx, no século XIX, falou de *Charaktermaske* (máscaras) para descrever os comportamentos dos seres humanos enquanto agentes de relações econômicas no interior de determinado modo de produção (MARX; ENGELS, p. 635). Embora considerem as "máscaras", os "atores" ou "papéis" (*roles*) sociais como, em grande parte, relativos à cultura (ou, para Marx, ao modo de produção) em que se inscrevem, as ciências sociais os têm — com toda razão — como constantes no interior de cada cultura (ou de cada modo de produção). O fato de que a distribuição dos papéis muitas vezes precisa se articular com realidades biológicas e corporais (uma menina não pode, por exemplo, exercer o papel de "pai") reforça uma certa constância transcultural. Um parágrafo de *Me segura* (p. 22) também contempla uma espécie de constância cultural:

> O conjunto dos costumes de um povo é sempre marcado por um estilo; eles formam sistemas. Estou persuadido de que esses sistemas não existem em número ilimitado, e que as sociedades humanas, como os indivíduos — nos seus jogos, seus sonhos e seus delírios — jamais criam de maneira absoluta, mas se limitam a escolher certas combinações num repertório ideal que seria possível reconstituir.

Na realidade, quando comparado tanto com o parágrafo imediatamente anterior quanto com o parágrafo imediatamente posterior a ele, percebe-se uma diferença gritante. Embora não se encontre demarcado por aspas, itálico ou qualquer outro artifício gráfico, ele se destaca claramente do resto do livro, como um corpo estranho. Efetivamente, trata-se de uma citação não explicitada de um trecho crucial de *Tristes trópicos*, livro em que Lévi-Strauss descreve os modos de vida e de pensamento de determinadas tribos indígenas brasileiras (1955, p. 203). De toda maneira, o que importa é que, longe de reconhecer espontaneamente o teatro do mundo como teatro, o indivíduo, no interior da sua cultura, aceita os papéis sociais como dados ou fatos desde sempre já prontos: o que equivale, como foi dito, a tomá-los por natureza, não por teatro.

Ora, a atitude de Waly é diametralmente oposta a essa. Ele nunca esquece que o "fato" social é o teatro que se enrijeceu ou esclerosou a ponto de olvidar a sua natureza teatral: o teatro que se pretende superior ao teatro, que se pretende mais real do que o teatro. Na medida em que tem êxito em sua impostura, a "horrível fixidez" daquilo que podemos chamar de "teatro do fato" não somente — invocando os princípios da identidade e da contradição — expulsa ou degrada ao segundo plano as virtualidades ainda não realizadas do presente, que o superam em riqueza, mas, além disso, congela o movimento criativo que, em princípio, exige a abertura permanente a novas possibilidades interpretativas. Desse modo, impõe-se à vida um "cotidiano estéril", circular, rotineiro, que jamais sai de si próprio nem se abre para experiências que não tenha previamente codificado. A teatralização walyniana funciona como a água da fonte de Mnemosyne, o antídoto contra a água da fonte de Lete, do esquecimento naturalizante e confinante.

No 12º capítulo do segundo livro de *Dom Quixote*, o Cavaleiro da Triste Figura compara o mundo a um teatro e Sancho Pança responde: "*Brava comparación, aunque no tan nueva, que yo no la haya oído muchas y diversas veces...*". Para o escudeiro, trata-se de um lugar-comum, de uma banalidade que em nada afeta o seu comportamento pé no chão no dia a dia. No fundo, a banalidade do seu próprio modo de estar no mundo jamais lhe permitiria levar a sério a expressão que tantas vezes ouvira e que jamais, nem na primeira vez, tomara por mais do que um mero adorno de linguagem. Dom Quixote, ao contrário, a tomava literalmente. Nisso consistia a sua grandiosa loucura. Já Waly é plenamente consciente de que a teatralização e, portanto, a libertação que tem em mente se dão no nível simbólico e não no real. "tudo afinal", afirma ele, no *Me segura,* "se passa como um plano da aventura da linguagem" (p. 47). Ele sabe que a teatralização possível, sendo uma espécie de reapropriação simbólica, pelo poeta, da autoria da situação em que ele se encontra, se dá na sua obra. É o que o salva da loucura de Dom Quixote, pois, como diz uma bela frase de Foucault, "*la folie, c'est l'absence d'œuvre*" (1972, p. 575).

Na revista *Navilouca,* editada em 1972 por Waly e Torquato Neto, havia aparecido um poema de Rogério Duarte que terminava dizendo: "Por isso não me povoa mais/ o fantasma da poesia" (HOLLANDA, p. 73). Vinte e tantos anos depois, no livro *Lábia,* Waly responde: "já não me habita mais nenhuma utopia"; e continua, dizendo, entre outras coisas (p. 296-7):

animal em extinção,
quero praticar poesia
— a menos culpada de todas as ocupações.
[...]
meu desejo pragmático-radical
é o estabelecimento de uma reserva de ecologia
— quem aqui diz estabelecimento diz ESCAVAÇÃO *—*
que arrancará a erva daninha do sentido ao pé da letra,
capinará o cansanção dos positivismos e literalismos,
inseminará e disseminará metáforas,
cuidará da polinização cruzada,
cultivará hibridismos bolados pela engenharia genética,
[...]
olhar o que é,
como é, por natureza, indefinido.

A frase sobre a poesia ser a menos culpada de todas as ocupações é extraída de uma carta em que Hölderlin explica à mãe que pretende dedicar a vida à poesia (1970, vol. II, p. 805). É o que Waly também diz tencionar fazer. Destituído de utopia, ele quer usar a realidade positiva como a matéria-prima ou o rascunho de uma obra poética que prefere "olhar o que é,/ como é, por natureza, indefinido" — do que olhar apenas a realidade positiva mesma, correlata do "sentido ao pé da letra [...] cansanção dos positivismos e literalismos". Assim, a sua poesia se encontra, como ele afirma em "Editorial", também do livro *Lábia,* "sempre voraz atrás de novas camadas de leituras, de interpretações do mundo, inconclusivas e inconcludentes, pois não há interpretação finalista do mundo" (p. 320). *Finalista* também tem aqui, sem dúvida, o sentido de *definitiva.* No mesmo texto, um pouco adiante, ele fala de "desprogramar bulas e posologias prévias" (p. 321). O movimento de libertação de Waly, pela sua própria exuberância poética, tanto denuncia e supera a pobreza do teatro do fato quanto a desnuda, ao mesmo tempo que revela o seu caráter criptoteatral.

A quem interessa o empobrecimento da vida? O segundo capítulo de *Me segura,* intitulado "Apontamentos do Pav Dois", fortemente impregnado de ideias nietzschianas, sugere que tal mundo corresponde à "'felicidade' que imaginam os impotentes, os obstruídos, os de sentimentos hostis e venenosos, a quem a felicidade aparece sob a forma de estupefação, de sonho, de repouso, de paz, numa palavra sob a forma passiva" (p. 17).

Algumas páginas em seguida, no mesmo capítulo, Waly exalta os que, ao contrário, demonstram "desprezo da comodidade do bem-estar da vida" (p. 26). Quase trinta anos depois, a mesma atitude reaparece no poema cujo título, "Mascarado avanço", faz uma referência irônica às palavras do jovem Descartes, filósofo tão clássico e tão francês que mal nos lembramos de que tenha vivido na aurora do mundo barroco: *larvatus prodeo scaenam mundi* ["mascarado avanço ao palco do mundo"] (DESCARTES, p. 213).[3] O poema diz:

> *Ela desinfla o mal-estar*
> *na civilização.*
> *Ela prescinde da felicidade*
> *dos bem-postos na vida.*
> *Quanto mais na lida diária*
> *o* Tedium Vitae *preside*
> *tanto mais*
> *eu e ela nos fundimos extáticos,*
> *crentes da seita dos dervixes girantes.* (p. 336)

A quem se refere o pronome "ela"? A muita coisa, sem dúvida, mas certamente em primeiro lugar à poesia. A seita dos dervixes girantes foi fundada por Rumi, pensador e poeta muçulmano do século XIII, segundo o qual, através de um ritual chamado *sema*, que inclui uma dança em que o dançarino gira em torno do seu próprio eixo, a alma se liberava de seus laços mundanos. Aqui, é a poesia que o livra do tédio da vida "dos bem-postos", isto é, dos acomodados, dos que aceitam de bom grado o mundo tal como dado. Literalmente, *dervixe* significa "porta". É de Rumi também a epígrafe do poema "Sargaços", de *Lábia,* que diz: "Fatalismo significa dormir entre salteadores" (p. 293). Esse poema exalta a criação como sendo o oposto da passividade timorata:

> *Criar é não se adequar à vida como ela é,*
> *Nem tampouco se grudar às lembranças pretéritas*
> *Que não sobrenadam mais.*

3. Trata-se de uma paráfrase que resume as verdadeiras palavras de Descartes, que são: "*Ut comœdi, moniti ne in fronte appareat pudor, personam induunt, sic ego hoc mundi teatrum conscensurus, in quo hactenus spectator exstiti, larvatus prodeo*".

Aqui, como em outros poemas, o poeta rejeita a concepção corriqueira da memória. Da palavra "saudade", orgulho tradicional da língua portuguesa, ele diz (p. 199):

***SAUDADE** é uma palavra*
Da língua portuguesa
A cujo enxurro
Sou sempre avesso
***SAUDADE** é uma palavra*
A ser banida

Tanto no poema "Carta aberta a John Ashbery" (p. 235), quanto na abertura do livro *Lábia*, proclama-se que "a memória é uma ilha de edição". Isso quer dizer que a memória não se reduz a um registro passivo de traços ou dados do passado. Ao contrário, o que temos por "dado" é já desde sempre o resultado da atividade interpretativo-construtiva — de seleção, corte, cópia, colagem etc. — efetuado por um processo de edição ou montagem. O passado que se pretende objetivamente dado é apenas o resultado de um processo de edição "esquecido" (ou, ele mesmo, "editado"). É esse esquecimento que faz com que aquilo que não passa de um dos infinitos passados possíveis acabe aparecendo como o único verdadeiro. Tomado desse modo, o passado é mais uma prisão, para o poeta. No poema "Fábrica do poema" (p. 230), lê-se:

pois a questão-chave é:
sob que máscara retornará o recalcado?

(mas eu figuro meu vulto
caminhando até a escrivaninha
e abrindo o caderno de rascunho
onde já se encontra escrito

que a palavra "recalcado" é uma expressão
por demais definida, de sintomatologia cerrada:
assim numa operação de supressão mágica
vou rasurá-la daqui do poema.)

pois a questão-chave é:
sob que máscara retornará?

Para o poeta, a questão-chave não é, portanto, o *que é* que foi recalcado, mas *sob que máscara* retornará. A questão-chave não pode ser respondida com um mergulho num passado pronto, onde se encontraria a verdadeira face daquilo que retorna; nem com desmascaramento algum. Em vez de retirar a máscara, o que o poeta retira é o que estava por trás da máscara. O que menos importa é exatamente o que foi recalcado, junto com a palavra "recalcado", que ele, num ato poético — mais precisamente, num ato de liberdade poética, rasura do poema. O que mais importa é a invenção da máscara, o mascaramento, a mascarada.

Uma seção do livro *Gigolô de bibelôs* se intitula "Teste sonoro", e é composta de seis relevos, de zero a 5. O "Relevo zero" se chama "Anamnésia: Saliva prima" (p. 143). Começa com:

eu nasci num canto
eu nasci num canto qualquer duma cidade pequena fui pequeno
qualquer duma cidade pequena fui pequeno depois nasci de novo
numa cidade maior
depois nasci de novo numa cidade maior dum modo completamente
diverso do [...]

Continua, com pequenas variações cumulativas, e termina:

pessoa que vai variando seu local de nascimento uma pessoa variando se
de nascimento uma pessoa variando se variando uma variando de vários de
variando uma variada de vários de avião de viagem de avião de
avião de viagem de avião de de de de de

Com efeito, a liberação do poeta se dá através de uma anamnese dupla que a um só tempo lembra ser a memória uma ilha de edição e reinventa, no poema, o passado. Aqui, como se trata de poesia lírica, o poema reinventa o passado pessoal: observe-se contudo que se trata de uma pessoa absolutamente geral, de uma *persona* que poderia ser usada por qualquer um. Na poesia épica, essa reinvenção do passado é, afinal de contas, o que Homero faz com o passado da Grécia, Virgílio com o de Roma, Camões e Fernando Pessoa com o de Portugal. É, portanto, a grande tradição poética que funciona como um processo de edição.

A noção de uma memória não meramente receptiva, mas constitutiva, que é, sem dúvida, a memória em operação no *Me segura,* já se encontra tematizada no poema "Nota de cabeça de página" (p. 140), de *Gigolô de bibelôs:*

Contrariando o ditado latino e a canção brasileira,
RECORDAR NÃO É VIVER.
Segundo nós dois, eu e a Gertrude Stein.
A composição enquanto **PRESENÇA** *dalguma coisa*
e essa alguma coisa
SURGE
dentro da composição através dela pela primeira única vez

Não terá escapado ao leitor que o processo de edição cumpre, em relação ao passado, a mesma função que a teatralização, em relação ao presente. Tanto a edição quanto a teatralização negam que o dado, o fato, o imediato, o espontâneo ou o natural constituam a última realidade. Ao contrário, o espontâneo e a natureza são rebaixados, tanto pela edição quanto pela teatralização, a mera matéria-prima. Antes desse rebaixamento, a matéria-prima constitui uma armadilha ou uma prisão. No último verso do poema "Nota de cabeça de página", o poeta clama por "uma não naturaleza still alive", num verso já, ele mesmo, desnaturalizado pela mescla de línguas de que é composto. E a epígrafe do poema "A bela e a fera", de *Tarifa de embarque* (p. 370), diz:

> Orestes: Sou estranho para mim mesmo, sei. Fora da natureza, contra a natureza, sem desculpa, sem outro recurso senão eu. Mas não voltarei a estar sob o jugo da lei: estou condenado a não ter outra lei senão a minha. — Jean Paul Sartre, *As moscas.*

Penso que é essa rejeição do espontâneo e da natureza que se encontra no fundo das metáforas do teatro e da ilha de edição que tomo como fundamentais para o entendimento da poesia de Waly. Dela decorrem algumas das características diferenciais da sua obra poética. Ela permite esclarecer, por exemplo, por que ele sempre, como diz em *Me segura* (p. 86), torceu o nariz para o surrealismo: é que nada poderia ser mais oposto à sua concepção antinaturalista e antiespontaneísta de poesia do que a escrita automática. Pela mesma razão, ele não podia se conformar com o rótulo de "poeta marginal", de modo que, como asseverou: "Sinto-me muito preso, muito mal, DESASSOSSEGADO, em uma situação de desamparo, na categoria anos 70 ou poesia marginal. Nunca me senti bem, eu acho que é um presilhão, acho uma camisa de força, sempre achei, sempre declarei" (SALOMÃO, 2002).

Em parte, é também certamente em virtude do antinaturalismo e do antiespontaneísmo que, embora a exuberância do seu discurso poético pareça situá-lo no polo oposto ao da secura da poesia de João Cabral de Melo Neto, ele tivesse o poeta pernambucano como um dos seus mestres, citando-o frequentemente, mencionando-o no poema "Imagem da onda" (p. 357) e homenageando-o no belíssimo "Lausperene" (p. 220), em que contrasta a severidade do autor de *Uma faca só lâmina*, que "esplende em flor", com a impotência dos poemas-piadas marginais, por um lado, e com a esterilidade dos pseudo-haicais e das produções dos poetas que se deixaram esmagar pela ideologia poética da "concisão", por outro. A afinidade entre Waly e Cabral reside certamente no fato de que, por desconfiança em relação ao natural e espontâneo, a produção poética tanto de um quanto do outro é extremamente artificial e elaborada.

Mas, se é verdade que essa observação ajuda a entender melhor a poesia de Waly, também, para o mesmo fim, é importante considerar aquilo que o separava de Cabral. Em primeiro lugar, é preciso lembrar que eram diferentes as razões pelas quais cada um deles rejeitava o natural e espontâneo. Segundo Cabral de Melo Neto, na origem da sua atitude estava "o desgosto contra o vago e o irreal, contra o irracional e o inefável, contra qualquer passividade e qualquer misticismo, e muito de desgosto, também, contra o desgosto pelo homem e sua razão" (1995, p. 730).

É evidentemente por isso que lhe repugna a ideia da inspiração. Entre os que defendem tais elementos encontram-se, segundo ele, "os mórbidos, os místicos, os invertidos, os irracionais e todas as formas de desespero com que um grande número de intelectuais de hoje faz sua profissão de descrença no homem" (1995, p. 730).

Ademais, tudo o que vem espontaneamente lhe "soa como eco da voz de alguém" (1995, p. 726). Contra o espontâneo, Cabral se arma com um planejamento minucioso do poema a ser produzido. No limite, o que ele deseja é munir-se, antes mesmo de começar propriamente a escrever, de uma espécie de projeto ou planta do futuro poema. Os poetas que admira "se impõem o poema, e o fazem geralmente a partir de um tema, escolhido por sua vez, a partir de um motivo racional" (1995, p. 730).

Waly nada tem a ver com esse racionalismo. Já expus anteriormente que ele, ao contrário, desconfia até mesmo dos princípios fundamentais da lógica formal, que são o da contradição e o da identidade. Todo o seu movimento é contra o dado, contra a identidade e contra a repressão da possibilidade da contraditoriedade. Não é em defesa da racionalidade, mas da liberdade que Waly rejeita o imediato e a natureza.[4] Antes voluntarista do que racionalista, o que ele quer, em última análise, é, através da poesia, fazer e refazer incessantemente a si próprio. Por isso, ele rejeita tanto o imediato quanto toda regra dada. Mesmo regras que ele se impusesse a si próprio, à maneira de Cabral, seriam, no limite, inaceitáveis, pois, dado que a sua liberdade se renova a cada instante, ela não admitirá amanhã ser tolhida pelas regras que se tiver imposto hoje. Assim, do mesmo modo que a priori rejeita para si o uso de qualquer forma fixa, seria para Waly impossível planejar o seu poema à maneira de João Cabral. Seu movimento é, ao contrário, no sentido de "desprogramar bulas e posologias prévias" (p. 321). Sua arte consiste, portanto, em tomar a matéria-prima dada por um primeiro esboço, que, como todo dado, torna-se objeto da sua desconfiança, e submetê-la a um trabalho obsessivo de elaboração e polimento. Através de procedimentos de deslocamento, distorção, estranhamento, estilização etc., nos quais é capaz de empregar todos os recursos retóricos e paronomásticos que lhe convenha — "sinédoques, cata-

4. Isso determina também a diferença entre a natureza à qual ele se opõe e a natureza à qual Cabral se opõe. O racionalismo deste faz com que ele, à maneira de um *philosophe* da Ilustração (anterior ou contrário a Rousseau), exclua a natureza em bloco, humana e não humana, do círculo das coisas que lhe interessam. Assim, no documentário *Recife-Sevilha — João Cabral de Melo Neto*, dirigido por Bebeto Abranches, ele declara que não sente atração por viajar porque não tem o menor interesse em paisagens. Já o voluntarismo de Waly consiste em querer, através da poesia, fazer e refazer incessantemente a si próprio. Para que isso seja possível, torna-se-lhe necessário afirmar que, nele mesmo, a liberdade, e não a natureza, tem a última, senão a única palavra. É, portanto, de si mesmo — e do conceito de si mesmo, logo, do conceito do ser humano — que ele tem que expulsar a natureza. Porém, ao contrário do que ocorre com Cabral, ele não somente despreza a natureza externa, mas se deleita com ela.

creses,/ metonímias, aliterações, metáforas, oximoros", como enumera em "Fábrica do poema" (p. 229) — ele frequentemente obtém um resultado de uma artificiosidade brilhante, que talvez se possa qualificar de *barroca*. O poema "Açougueiro sem cãibra" (pp. 278-9) assim descreve esse processo:

Açougueiro sem cãibra nos braços.
Acontece que não acredito em fatos,
magarefe agreste,
pego a posta do vivido,
talho, retalho, esfolo o fato nu e cru,
pimento, condimento,
povoo de especiarias,
fervento, asso ou frito,
até que tudo figure fábula.

Também ao contrário de Cabral, Waly não teme o eco da voz do outro: partindo, ao contrário, do princípio, exposto em "Câmara de ecos", de que: "Agora, entre meu ser e o ser alheio/ a linha de fronteira se rompeu" (p. 219), ele é capaz de sair do seu caminho mais direto para buscar ecos alheios, que passa a incorporar, de modo a realçar ainda mais a artificiosidade do poema. É assim que, em "Canto de sereia", ele pede "que Eco se metamorfoseie em fonte" (p. 259).

Finalmente, não tenho a menor dúvida de que ele — que se dizia "um pária da família humana" (p. 350) — não hesitaria em se identificar perfeitamente com "os mórbidos, os místicos, os invertidos, os irracionais e todas as formas de desespero com que um grande número de intelectuais de hoje fazem a sua profissão de descrença no homem", a que Cabral se referia com desgosto.

Estas reflexões sobre Waly terão servido ao seu propósito se tiverem conseguido mostrar ao menos a inanidade dos clichês que se acumularam sobre a sua figura pública. Na mídia, alguns dos adjetivos que mais se empregam a seu respeito são, por exemplo: *irreverente, marginal, espontâneo.* Começando pelo último, creio ter mostrado que sua poesia foi orientada, ao contrário, por um espírito antiespontaneísta, que resultou numa obra extremamente culta e elaborada. Pelas mesmas razões, é claro que ele tampouco pode ser considerado um poeta marginal.

E quanto à irreverência? Aqui é preciso fazer uma distinção: usa-se normalmente esse termo de maneira muito vaga, com uma conotação vagamente positiva. "Irreverente" é quem não tem reverência ou respeito. Por um lado, é quem não tem respeito pelo que, não merecendo respeito, é convencionalmente respeitado. Nesse sentido, é claro que Waly era irreverente; como era irreverente, por exemplo, Oswald de Andrade, de quem ele cita, como epígrafe de *Tarifa de embarque,* a frase "... e parecem ignorar/ que poesia é tudo:/ jogo, raiva, geometria,/ assombro, maldição e pesadelo,/ mas nunca/ cartola, diploma e beca" (p. 327). De fato, toda burrice, caretice, pomposidade etc. era objeto do humor impiedoso de Waly. Além disso, talvez o seu humor fosse mais delicioso ainda quando inteiramente gratuito e absurdo, aniquilando qualquer pretensão à seriedade. Mas às vezes se diz "irreverente" quem não tem respeito por absolutamente nada nem ninguém. Essa é a atitude de pessoas, na verdade, amargas ou azedas, e superficiais, incapazes de fazer distinções de valor. Ora, Waly, como todo poeta, fazia, o tempo inteiro, distinções de valor. Ele respeitava, admirava e manifestava respeito e admiração por muita coisa e muita gente, como, por exemplo, pelos poetas que considerava grandes. "Todo entendimento começa pela admiração", dizia Goethe. Espero que a admiração que nutro por Waly Salomão me tenha permitido entender um pouco da sua concepção de poesia, e que tenha conseguido exprimir ao menos um pouco desse pouco aqui. Que o leitor, livre dos lugares-comuns, possa agora, esquecendo também tudo o que acabo de dizer, perambular livremente por entre as falanges das máscaras que povoam os líbanos de sonho da mente régia de Waly Salomão, um dos poetas mais originais e vigorosos do nosso tempo.

REFERÊNCIAS BIBLIOGRÁFICAS

BAKHTIN, Michail. *Estétique et théorie du roman.* Paris: Gallimard, 1978.

DESCARTES, Rene. “Cogitationes privatae”. In: ADAM, C.; TANNERY, P. (Orgs.). *Oeuvres de Descartes.* Paris: Vrin, 1971-6.

FEUERBACH, Ludwig. *Das Wesen des Christentums.* Berlin: Akaderaie-Verlag, n. 128, 1956.

FOUCAULT, Michel. *Histoire de la folie à l’âge classique.* Paris: Gallimard, 1972.

HÖLDERLIN, Friedrich. “An die Mutter”. In: *Samtliche Werke und Briefe,* vol. 2. Munique: Carl Hanser, 1970.

HOLLANDA, Heloisa Buarque de. *Impressões de viagem.* São Paulo: Brasiliense, 1981.

KLIBANSKY, Raymond; PANOFSKY, Erwin; SAXL, Fritz. *Saturn und Melaricholie.* Frankfurt am Main: Suhrkamp, 1990.

KRISTEVA, Julia. “Une Poétique ruinée”. In: BAKHTIN, M. M. *La Poétique de Dostoïevski.* Paris: Seuil, 1970.

LÉVI-STRAUSS, Claude. *Tristes Tropiques.* Paris: Plon, 1955.

MARX, Karl; ENGELS, Friedrich. *Das Kapital.* Berlim: Dietz, 1970.

MELO NETO, João Cabral de. “Poesia e composição”. In: ______. *Obra completa.* Rio de Janeiro: Nova Aguilar, 1995.

RAIMONDI, Enzo. “Introduzione alla letteratura barocca”. In: *Enciclomedia II Seicento.* Milão: Opera Multimedia Spa, 1995.

SALISBURY, João de. *Policraticus.* Org. de M. A. Ladero. Madri: Ed. Nacional, 1984.

SALOMÃO, Waly. *Me segura qu’eu vou dar um troço.* Rio de Janeiro: José Álvaro, 1972.

______. *Gigolô de bibelôs.* São Paulo: Brasiliense, 1983.

______. *Armarinho de miudezas.* Salvador: Fundação Casa de Jorge Amado, 1992.

______. *Algaravias.* Rio de Janeiro: Editora 34, 1996a.

______. Entrevista ao *Jornal da Tarde,* São Paulo, 1996b.

______. *Lábia.* Rio de Janeiro: Rocco, 1998.

______. *Tarifa de embarque.* Rio de Janeiro: Rocco, 2000.

______. “Contradiscurso: Do cultivo de uma dicção da diferença”. Transcrição inédita de conferência feita em 2002 no Sesc Pompeia, em São Paulo.

______. Entrevista a Heloisa Buarque de Hollanda. *Revista Idiossincrasia.* Portal Aerograma. <http://www.literal.com.br/acervodoportal/a-poesia-nopoder-1087/>. Acesso em: 17 dez. 2013.

HÉLIOTAPE*

Hélio Oiticica

O problema de criação de condições que o Waly coloca como espinha dorsal de seu trabalho, na realidade, é um problema universal; agora, essa questão na boca de Waly assume um caráter de conflito, quer dizer, assume uma dramaticidade que não só é espinha dorsal, mas é o problema MESMO, entende? Essa criação de conduções é, na realidade, uma criação ABSOLUTA de condições: não é só criar condições materiais, é uma construção numa estrutura. No caso de Waly há uma identificação de uma coisa e outra que eu acho ótima, é uma condição existencial, isto é, criar condições e assumir uma posição existencial, é assumir uma posição diferencial na relação com o dia a dia. É assumir o dia a dia, e o dia a dia não é forçosamente o existencial, mas é uma coisa importantíssima. A cada dia que você acorda, você pergunta o que que eu devo fazer, o que que eu vou fazer, isso é uma pergunta que, a meu ver, sempre o artista tem de fazer até o fim da vida. Agora, no começo você faz essa pergunta e é um conflito. Você acorda de manhã e acha assim que acordou numa continuidade, quer dizer, isso é uma coisa assim que acontece de repente, portanto não se pode criar uma continuidade absoluta do dia a dia, nem os problemas existenciais se resumem a isso, mas eles se concentram em conflito, eu não sei nem

* Extratos de *Héliotapes* sobre "Um minuto de comercial", de Waly (lado B, Nova York, 1971). Publicado na 2ª edição de *Me segura qu'eu vou dar um troço* (Rio de Janeiro: Aeroplano; Biblioteca Nacional, 2003).

se alguém já escreveu sobre isso, mas é o que eu sinto em relação a mim. E portanto eu estava pensando muito nesse problema de criar condições, que é, na realidade, tudo o que se faz na vida, acho que tudo que eu fiz na minha vida foi procurar criar condições, e a cada dia que você acorda e você tem mesmo é que recriar as condições, porque na realidade não há uma continuidade linear entre uma coisa feita ontem e uma coisa que se faz hoje. A condição quando você acorda no dia seguinte é uma condição diferente da de ontem, portanto, é impossível fazer uma linha, uma coisa linear, não é? Não sei o que vocês acham, mas isso é uma coisa que me aflige todo o tempo, é uma coisa sobre a qual eu realmente adoro pensar e discutir. Discuti isso com Julinho* também, e ele achou fantástico. Ele estava muito interessado num texto de Heidegger que estava lendo e que tinha certa relação com isso. Heidegger dizia que o problema é questionar o SER e não a metafísica do ser, isto é, filosoficamente retorna o problema de criar condições. Uma coisa que eu observei muito nesses textos de Waly novos, que procuro analisar de uma maneira mais objetiva, é o seguinte: é incrível, Waly, você sabe o que que me lembra esse negócio de quando você considera o fim uma coisa e de repente você continua, acrescenta mais um? Isso me lembra muito um problema da escultura que eu discuti muito com o Ferreira Gullar em relação a Brancusi, que todo o problema da escultura moderna era ABSORVER o pedestal. Então Brancusi, por exemplo, a maneira dele absorver o pedestal era através da soma feita da superposição de pedestais, quer dizer, a base da escultura de Brancusi passou a virar a própria escultura, principalmente em certos totens em que ele superpõe unidades iguais que seriam a base, entende? Isso seria uma maneira de consumir o pedestal, de transformar o pedestal no todo em uma coisa mononúcleo e não numa coisa que é representada sobre o

* Júlio Bressane.

pedestal. O problema de Brancusi teria chegado assim ao limite do problema da representação no futuro. Isso é o que eu sempre noto em relação aos teus textos, pode ser que seja uma loucura a comparação mas eu acho que não, eu não falei isso com ninguém, é a primeira vez que eu estou falando nesse assunto sobre o qual eu tenho pensado. Eu estou pensando principalmente em "Um minuto de comercial", que tem muito essa coisa, tenho a impressão que são UNIDADES, entende? Cada coisa assim soa como UNIDADE, agora nele as palavras se refazem, então cada vez que você põe **THE END, THE END, THE END**, eu não sei se é *the end* ou se é "o fim". Eu acho que é *the end*, eu não sei, porque não estou com o texto aqui na mão. E, de repente, continua um pouco além, eu sei disso porque eu vi você fazer outras coisas assim. Então isso é uma coisa muito importante, isso eu sinto no teu trabalho e eu acho que é uma coisa fundamental. É como se no dia seguinte, quando você olha para o que você tinha escrito na véspera, você procura recondicionar tudo acrescentando uma nova perspectiva. E cada parte nova que você acrescenta é o recondicionamento do que foi feito antes, quer dizer, inclusive reformula de outra época. Então há essa posição, como se fossem compartimentos do dia a dia, como se fossem lixos que você deposita, não sensações ou experiências do dia a dia. Mas o que eu queria dizer — não é vivências, que eu detesto essa palavra —, mas seria assim, como se fossem a biblioteca do dia a dia, não, uma euxistenciateca do real, não, é porque a coisa é uma criação em si mesmo. Eu tenho que usar um termo específico Waly, eu gosto muito, muito, muito, muito da ideia de alpha alpha alfavela ville, acho uma grande descoberta, acho uma coisa assim que subliga, é uma coisa realmente universal, é assim uma bênção a descoberta... **ALPHA ALPHA** alfavela **VILLE** é um conceito, não é uma palavra, título; é uma coisa assim, digamos, poética, é um conceito total, que tem uma totalidade. Inclusive, põe em questão o problema de cultura brasileira, de contexto brasileiro, não só de contexto internacional. É a ligação que há com Godard, todas as experiências necessárias, não preciso explicar, não preciso falar mais... [desliga] [liga] Nessa primeira parte dentro da segunda parte, eu queria acrescentar uma coisa. Na realidade esse problema, por exemplo, esse texto da soma das coisas que eu comparei com o negócio da escultura, na realidade em relação ao texto, à ideia de texto em si, é como se você quisesse tirar a linearidade, bom, isso é óbvio, em todos teus textos criados, não é uma coisa feita de nenhuma linearidade, mas também é como se você quisesse consumir a ideia de começo, meio e fim. Quer dizer que a priori você já aborda assim como se não tivesse começo, meio e fim, mas o fim que é o fim e o começo que é o começo etc. e tal, quer dizer, não só a forma sintática que assume o texto, mas a forma, a forma material de começar uma coisa, ter que acabar com outra, é como se você estivesse assim consumindo permanentemente esse texto. Eu nunca pensei que, na realidade, ele começa no outro texto e acaba no que virá a seguir, de modo que é assim como se fossem FASES da língua ou qualquer coisa assim, isso é assunto muito sério, são FASES, aí a ideia de FASE já é uma ideia importante, são FASES, como o tempo ou, ou o clima ou, ou CLÍMAX...

PESCADOS VIVOS*

Leyla Perrone-Moisés

Reagindo contra a inclusão de seu nome na categoria congelada de "geração 70", Waly proclamava: "eu não sou um fóssil, sou um míssil". Este, que seria seu último livro de poesia, o mostra em plena turbulência, pronto para novas decolagens. De fato, nenhuma etiqueta colava em Waly; ele se mexia demais.

Os poemas aqui reunidos são "pescados vivos". Grande leitor da poesia universal, Waly pescou essa metáfora em Antonio Machado, e juntou-a às de Octavio Paz, George Seferis e outros. O que caía na rede de Waly era peixe, e sua pescaria era milagrosa. Estes poemas mostram que ele conseguiu manter o pique do jovem Sailormoon, enquanto sua poesia se adensava de experiência vital e de ampliada cultura poética. É exatamente por essa cultura, por essa seriedade na prática do ofício, que Waly não pode ser chamado de "poeta marginal".

Espontaneidade e experiência não são as únicas contradições que ele conseguiu desatar em poesia. Waly passeia, com grande naturalidade, entre os extremos, e desses atritos se alimenta sua fogueira interior ("Picadas sonambúlicas"). Em travessias fulgurantes do tempo, ele une o passado mais remoto (Propércio, Safo, Píndaro, Anacreonte) à mais candente atualidade, circulando com

* Publicado nas orelhas da 1ª edição de *Pescados vivos* (Rio de Janeiro: Rocco, 2004).

naturalidade entre Olimpos e portais, demiurgos e diagramadores ("Interface" e "Correio eletrônico"). Alguns de seus poemas nascem de uma sensibilidade cósmica, que o elevam a um tom quase épico; outros o conduzem à vaziez do zen, à feliz simplicidade de mirar uma vitória-régia ou apenas ouvir o som do mar.

A poesia de Waly é o fruto bem temperado daquela mistura que tornava o homem poeta tão cativante: ladrão de Bagdá e cozinheiro baiano, piadista de Jequié e "leitor luterano" de Drummond, profeta de desastres telúricos e cidadão solidário, atento às pequenas misérias do cotidiano brasileiro. E sobretudo poeta. Poeta solto, agora, no espaço sideral: "minhas brutas ânsias acrobáticas/ que suspensas piruetam pânicas/ nas janelas do caos/ se desprendem dos trapézios/ e, tontas, buscam o abraço fraterno e solidário dos espaços vácuos".

WALY: ENTRE DRUMMOND E OITICICA*

Silviano Santiago

Há pouco, ou nada, a acrescentar à foto do poeta Waly Salomão, que está reproduzida na orelha da coletânea *Pescados vivos*, publicada postumamente nesta XVIII Bienal do Livro de São Paulo pela Editora Rocco. Basta analisar o *portrait* clicado por Julio Covello para se ter uma visão do homem e da sua obra.

Com uma linha abstrata, dividamos a foto ao meio. Uma foto, dois palcos. Na metade de cá, o rosto não se cala. A boca escancarada mostra os dentes. Na metade de lá, a mão esquerda paira no ar e pensa. O dedo indicador, em riste, dirige-se aos céus e argumenta delirantemente. No poema "Barroco", Waly afirma que "há uma

* Publicado no jornal *O Globo*, Prosa e Verso, em 17 de abril de 2004.

lasca de palco/ em cada gota de sangue/ em cada punhado de terra/ de todo e qualquer poema".

Fixemos os olhos no primeiro dos palcos geminados — o do rosto de Waly Salomão. Na vida real, tanto a voz altissonante do cidadão quanto a declamada do poeta eram indiferenciadas e indiferentes ao ambiente nobre ou plebeu. Não buscavam interlocutores ou leitores precisos. Irmanadas pela retórica muitas vezes excessiva, davam-se gostosamente aos homens e ao universo. Já no poema, o rosto traz "um olhar que passa/ e perpassa sobre as coisas/ indolente como um gato persa". Voz e olhar se complementavam em Waly, assim como vida e texto poético.

A QUALQUER HORA, O POETA INTERPELAVA O MUNDO

A qualquer hora do dia ou da noite, o poeta conversava indiretamente com as pessoas e, cara a cara, interpelava o mundo. Dizia-nos pela gestualidade que a arena da literatura — como a dos velhos pensadores e dos antigos políticos — era a praça pública de um "14 de julho" (título de um dos poemas). Nada mais salomônico do que esse dia festivo e revolucionário da raça brasílico-universal. O cosmopolita suplementa o nativo. O índio cotoxó assobia "La Marseillaise", enquanto a companheira cisma Jean-Jacques Rousseau. Arreganham as pernas e repelem bastilhas e tiranias à espera do dia de glória. Na palavra "dor", diz o poema homônimo, "duas consoantes apunhalam uma vogal". Que se cuidem os poderosos, porque um dia desses — diz "Fax, fac simile", escrito originalmente em francês — "ça va chauffer/ dans ce pays". Basta esperar, que as coisas "vão esquentar" por essas bandas tropicais.

Metade da foto espelha um rosto mestiço, de traços excessivos: "O mundo plano e chão teme as pregas da terra". A face de Waly gesticula e perambula por uma poesia não menos excessiva, que alerta para o fato de que imagem e voz de poeta vão pouco a pouco minguando no mundo atual. Qualquer dia desses, imagem e voz desaparecerão para reaparecerem ao vivo e em cores na telinha ou em interface. Quem fala nos seus poemas comprometidos pela luta a favor dos "marginais" se intitula "o Bertold Brecht de arrabalde". O Bertold brasileiro é quem extrai da notícia de jornal o sumo do *real* (palavra grifada por ele).

Não sei bem por quê, talvez por um escorregão narcísico é que Waly deixou de ser o mais legítimo sucessor do Carlos Drummond do *Sentimento do mundo* e de *A rosa do povo*. Talvez não tenha sido por escorregão, mas por amor à palavra proparoxítona e rara, traço poético herdado de Cruz e Souza e Augusto dos Anjos. Não tenho muita certeza. Tenho certeza de que Waly é o poeta que melhor conseguiu retomar a figura do operário, de que falou a poesia engajada de Drummond nos anos 1940. Espremido entre o milagre econômico do dr. Delfim Neto e os sindicatos comandados pela CUT, o operário perseguido pelo Estado Novo renasceu marginal e negro nas favelas dos anos 1970. Foi matéria do jornal *O Dia*, depois assunto de todos os jornais e, hoje, até dos filmes que não se cansam de bater à porta do Oscar. Leia-se o poema "Saques".

IMPIEDOSO COM A CRÍTICA LITERÁRIA ACADÊMICA

Waly sabia que poderia ter sido o sucessor de Drummond. Tanto sabia, que a mais sábia e indecorosa homenagem do livro é o poema "Ler Drummond", onde ele pratica "umas leituras luteranas", de que só ele e unicamente ele é capaz. Diz: "Reler Drummond pela milionésima vez é uma aventura adâmica". É preciso saber "sherazadiá-lo", para retomar o neologismo de mil e uma noites que Waly criou. Não se presta homenagem ao gênio, acreditava Waly, sem desbastar a floresta que a crítica literária constrói em torno da grande obra. Sem a visão armada, ela é "rútilo e incorruptível diamante". Como o autor de "Exorcismo", poema em que o já famoso CDA dinamitou a teoria literária em voga nos arraiais das faculdades de letras, Waly é também impiedoso com a crítica literária acadêmica. Segundo ele, o crítico "confunde alhos com torresmos", "já que ele não tem tato, já que ele não tem filtro" (poema "Retrato de um senhor"). Sua voz homenageia os grandes e para os demais é "cheia de canivetes ocultos" ("Pizzicato").

E ai de quem não fosse sensível aos excessos da birra contra a crítica! Passemos à outra metade da foto.

Na lasca do palco da esquerda estão a mão argumentativa e o dedo indicador direcionado aos céus. Para mim, mineiro, o costumeiro dedo em riste do baiano de Jequié, criado entre cabras e ovelhas, não era militar ou ditatorial. Tinha algo do gestual profético das estátuas ao ar livre de Congonhas do Campo. Waly confessava em palavras esculpidas em pedra-sabão: "Dói que desatina./ Dói meu coração esmagado pela carga desta premonição". E alertava: "Vem vindo que vem vindo um vento/ Que vem vindo um vento sem pé nem cabeça". À semelhança do chileno Vicente Huidobro, que tinha escrito que "a poesia é um atentado celeste", Waly profetizava: "A poesia é um meteoro./ A poesia é uma chuva de meteoros".

Infelizes os cidadãos que saem à rua sem o guarda-chuva da arte. Waly admoesta-os por terem dado e continuarem a dar uma forma avacalhada e vergonhosa ao mundo. Waly me lembra um alfaiate que, numa das peças clássicas de Samuel Beckett, mostra as calças perfeitas que tinha acabado de costurar e, em seguida, com desdém na voz, pede ao público que as compare com a condição atual do mundo. A passagem está também nas palavras iluminadas de Waly: "Há que haver manjar dos deuses para aquele que descrê dos céus./ [...] Há que haver ambrosia para aquele que descrê dos deuses".

DETESTAVA COMEDIMENTOS, MESURAS E CONSTRANGIDOS

Muitas vezes Waly não me julgou escritor ou professor. Amigos meus são testemunha. Tratava-me calidamente de "professorzinho da PUC". Como os poetas surrealistas, por quem consciente ou inconscientemente foi automodelado, ele detestava comedimentos, mesuras e constrangidos. Carlos Drummond, quando o sabia do outro lado do telefone, mudava o tom de voz e dizia que o poeta tinha saído, que telefonasse mais tarde. Waly não gostava de se disfarçar em elefante. Era o próprio paquiderme no guarda-louça do mundo cotidiano.

O poema em que mais se sente a influência dum mentor aliada ao fervor amoroso do discípulo não é o abertamente dedicado a Carlos Drummond. Trata-se de outro, cifrado e aparentemente enigmático, intitulado "Vaziez e inaudito". Neste se agiganta a figura do amigo Hélio Oiticica, o artista plástico da palavra, que a ele e a todos nós ensinou, para falar com Michel Foucault, a "*techne tou biou*", a arte de viver. Fechemos a leitura de *Pescados vivos*, lendo o mestre francês: "Não se pode mais aprender a arte de viver, a *technê tou biou*, sem uma *askêsis*, que deve ser compreendida como um treino de si por si mesmo. [...] Parece que, entre todas as formas tomadas por esse treino (e que comportava abstinências, memorizações, exames de consciência, meditações, silêncio e escuta do outro), a escrita — o fato de escrever para si e para o outro — tenha desempenhado um papel considerável por algum tempo".[1]

1. "A escrita de si". In: MOTTA, Manoel Barros da (Org.). *Michel Foucault: Ética, sexualidade, política*. Rio de Janeiro: Forense Universitária, 2004, p. 146. (Ditos e Escritos, V)

AS ALGARAVIAS DE WALY SALOMÃO*

Roberto Zular

— Indique-me sua direção, onde você se encontra agora?
— Estou exatamente na esquina da Rua Walk com a Rua Don't Walk.

No panorama da poesia brasileira dos anos 1990, *Algaravias: Câmara de ecos* chama a atenção pela problematização e complexidade formal com que trata a rede de questões que emergiram da transformação do campo literário concomitante aos processos de democratização e globalização daquele ainda recente final de século. A quantidade de mal-entendidos e restos não resolvidos desses processos exigia um ouvido atento ao "canto das sereias", aos "pesadelos de classe", ao "Poema Jet-lagged", ao "oco e cárie e cava e prótese" com que o mundo paria e continua parindo o "defunto de sua sinopse".

Waly chega nesses anos desde uma longa viagem que se inicia na Tropicália e atravessa um sem-fim de aventuras e desventuras nos vários papéis que desempenhou na cultura brasileira. Mas se trata de uma espécie de "sobrevivente" que abdica da construção de próteses memorialísticas dos *sixties/seventies*, do mesmo modo que não se submete à doxa reinante. As vozes que soam e ressoam em *Algaravias* alcançam uma camada de experiência mais sutil que elabora formas de relação com o passado e com a memória atentando para o presente de sua enunciação.

* Publicado na revista virtual *Modo de Usar & Co.*, em 26 de janeiro de 2010.

Se a experiência de Waly vinha permeada de um amálgama contraditório de contracultura e ditadura, liberação sexual e repressão, corpo e tortura, esse mesmo amálgama ressurge na experiência dos limites e possibilidades de uma certa liberdade contemporânea. É que, se o diagnóstico estiver certo, o Brasil sai do golpe militar com estruturas de controle disseminadas, inclusive pelo jogo de forças do mercado e do campo literários, que exigem um ouvido para o recalcado, para a dissipação melancólica de acomodações e constrangimentos, para a estranha familiaridade das nossas anomalias cotidianas. As promessas não cumpridas e os projetos abortados não se apagam assim tão fácil. Nesse sentido, *Algaravias* pode ser visto como uma espécie de reescritura, sobretudo de *Me segura qu'eu vou dar um troço*, mas reescritura que opera in loco, no corpo do poema, como revérbero de acúmulo de temporalidades e tensões que a excessiva presentificação do contemporâneo quer apagar.

Mas é claro que há uma "mudança de ar", e o outro antes visto como inimigo e invasor cede lugar a um diálogo e a uma abertura, impensáveis até então, da qual resulta a admirável câmara de ecos. Por força de sua teatralização — o poema como ato, como palco, como máscara — na visão de Antonio Cícero, as vozes encenadas ganham corpo e amplitude a que só chega uma poética despida da violência identitária: são vozes que passeiam do outro ao mesmo até o "eu é um outro" de Rimbaud, do encantamento ao desespero, da plenitude ao vazio, da tela à rua, da rua ao mito e do mito ao mundo. Vozes tão desconfiadas quanto marcadas por uma forte afetividade, vozes que se chocam e se contradizem num movimento contínuo de construção e desconstrução.

Mas essas vozes não pairam como puro desdobramento. Já na orelha-ensaio do livro, Davi Arrigucci apontava para a ambiguidade dissolvente que buscava trazer para o poema a experiência tumultuária sem o centro fixo da identidade e dar forma "a um continuum espaço-tempo, mar sem margem". Se poesia é o "axial"

("Tal qual Paul Valéry"), é no poema como espaço que se quer autônomo, motivado até a última gota de sua fala, que Waly decide jogar seus dados.

Um poema ou mais de um: poemas configurando-se em um objeto antigo, cuja defasagem tecnológica tensiona as tecnologias da subjetividade que permeiam o mundo: "sempre sonhei em ser poeta de livro", conta Waly em uma entrevista a respeito de *Algaravias*. Em meio à voga da farsa realista, sonhar; no auge da escalada *ponto.com*, um livro; e não menos esquisito: ser poeta.

De fato, *Algaravias* é um livro de poemas. Como raros livros de poemas o são. Isto é, alcança um grau de imbricação entre suas partes que, se não pretendem ser um todo orgânico, exigem uma leitura atenta às reverberações internas que criam. "Après coup", nas malhas de uma dinâmica de ressignificação apontada por Freud, pode-se dizer que desde os "works in process" da década de 1970 (*Me segura qu'eu vou dar um troço* e os incríveis *Babilaques*) e sua retomada na década seguinte (*Gigolô de bibelôs* e *Armarinho de miudezas*), Waly vem constituindo sua poética como um amálgama de ato, objeto e texto. Creio que *Algaravias* é só mais um movimento dentro dessa poética que agora se debate com as formas da finitude: o verso, o poema, o livro.

Forma da finitude, o verso só se define como verso no momento em que termina. É o que diz Agamben em "O fim do poema". É possível pensar que o alcance de *Algaravias* se dê pelo fato de Waly não abrir mão dos problemas que se colocavam até então (não há um "retorno" a formas tradicionais), mas submetê-los a uma restrição formal que os comprimissem a ponto de fazê-los tornarem-se metáforas de si mesmos: o ato é mímesis do ato, o teatro é de gestos implícitos, a citação é tutano e câmara de ecos, a escrita em processo torna-se imagem; em suma, a compressão transforma tudo em metáfora, "metáforas, metáforas, metáforas/ metáforas à mancheia".

Quando a exceção torna-se regra, o rigor formal impõe-se como uma barragem crítica antientropia. Mas o que pode a metáfora em tempos de simulacro? Encarnar-se em atos de fala. Organizar o movimento da fala, subjetivar esse movimento. Em suma, o veio central da mina, ritmo:

Hoje só quero ritmo.
Ritmo no falado e no escrito.
Ritmo, veio central da mina.
Ritmo, espinha dorsal do corpo e da mente.
Ritmo na espiral da fala e do poema.

Palavra sincopada, acelerando o encontro das consoantes ("t" e "m"), após um alongado e agudo "i" — ritmo e suas reiterações paralelísticas que se tecem no corpo e na mente, na fala e no escrito, na mina e na espinha dorsal. Trata-se, por todo o livro, de um ritmo que lida constantemente com a transformação das metáforas e trabalha com formas muito singulares de atenção que exigem corpo — quase sempre em sobressalto — e pensamento, olho e ouvido. Funciona em constante suspensão e nunca se sabe qual será o próximo elemento a organizar o movimento da fala: se a sonoridade, uma estrutura sintática, uma sequência de imagens, derivações semânticas ou o espaço da página. Afinal, "alguém acha que ritmo jorra fácil,/ pronto rebento do espontaneísmo?".

Esses sobressaltos, se têm o próprio poema como unidade última, pautam-se sobre a estrutura do verso e suas reiterações. O verso se forma quando termina, mas a forma, vive de sua retomada, das reencenações do fim. Aquilo que volta para o mesmo ponto, mas já é outro: espiral. Aquilo que fala por escrito: poema. E que "provê um canto, um giro diverso para cada ato".

Aquilo que ouvimos quando lemos ganha corpo quase como quando ouvimos a "Fábrica do poema", momento forte do livro de

Waly, na canção gravada por Adriana Calcanhotto em disco com o mesmo título. Pensamos em tudo o que o poema perde se for visto como um esqueleto asséptico e insosso de pura e racional escrita. Ao contrário, o poema paradoxalmente almeja a canção ao mesmo tempo em que a recusa para ser poema. Almeja o corpo, a voz, mas aceita o jogo da mediação da escritura e a massa de possibilidades discursivas que ela abre, quase como se a escrita fosse uma rasura reflexiva no universo da fala.

Se "Fábrica do poema", já pelo título, remete a uma tradição construtiva da poesia, a poética de Waly dá um nó no prumo da balança que ao menos desde "O lado oposto e outros lados", artigo de Sérgio Buarque de Holanda, vê a poesia brasileira num movimento que ora pende para a espontaneidade, ora para a construção. Waly lê os poetas a contrapelo do que dizem ou aparentam: o que há de mais forjado e construído que as "próteses da fantasmagórica Rua do Sabão" de Bandeira ("Rua Carioca 1993")? O que há de mais vivo e espontâneo que a reflexão tomada como uma "festa do intelecto" em Valéry ("Tal qual Paul Valéry")?

Para chegarmos à fábrica do poema, na arquitetura do livro (onde se apresenta entre duas fotos de Lina Bo Bardi com uma pequena lamparina nas mãos), passamos por todo um caminho de poemas que abrem suas vozes para um diálogo com a tradição literária, um dos sentidos fortes de "algaravias". Tanto por um longo amadurecimento do "velho louco por desenhar" na parábola de Hokusai, quanto por uma abertura ao diálogo e à permeabilidade da fala:

Cresci sob um teto sossegado,
meu sonho era um pequenino sonho meu.
Na ciência dos cuidados fui treinado.

Agora, entre meu ser e o ser alheio
a linha de fronteira se rompeu.

Mas se o alheio vive quando é citado e se cada citação, conformada pelo ritmo próprio do poema, é uma nova enunciação, a literatura também se processa no limite entre fala e escrita e o poema é, também nesse sentido, uma forma de agenciamento no corpo coletivo das enunciações. Quem cita rasura o passado e a citação, como veremos, se torna uma metáfora do funcionamento da memória. É a citação tomada como ato: "a substância do próprio tutano tornada citação". Daí que as menções a Cabral, Drummond, Bandeira, Ashbery, Camões etc. operem como balizas de um projeto de poesia e também como solo — espécie de espaço geográfico simbólico — iluminado de forma diferente por cada poema-viagem. A viagem como poema e o poema como crítica da viagem, algaravias e galáxias, ainda que aqui desponte por todo lado um tom melancólico de perda do sentido dos deslocamentos: "escrever é se vingar da perda" ("Poema Jet-lagged").

Mas cheguemos, enfim, a "Fábrica do poema":

sonho o poema de arquitetura ideal
cuja própria nata de cimento encaixa palavra por palavra,
tornei-me perito em extrair faíscas das britas
e leite das pedras.
acordo.
e o poema todo se esfarrapa, fiapo por fiapo.
acordo.
o prédio, pedra e cal, esvoaça
como um leve papel solto à mercê do vento
e evola-se, cinza de um corpo esvaído
de qualquer sentido.
acordo,
e o poema-miragem se desfaz
desconstruído como se nunca houvera sido.
acordo!

os olhos chumbados
pelo mingau das almas e os ouvidos moucos,
assim é que saio dos sucessivos sonos:
vão-se os anéis de fumo de ópio
e ficam-se os dedos estarrecidos.
sinédoques, catacreses,
metonímias, aliterações, metáforas, oximoros
sumidos no sorvedouro.
não deve adiantar grande coisa
permanecer à espreita no topo fantasma
da torre de vigia.
nem a simulação de se afundar no sono.
nem dormir deveras.
pois a questão-chave é:
sob que máscara retornará o recalcado?

(*mas eu figuro meu vulto*
caminhando até a escrivaninha
e abrindo o caderno de rascunho
onde já se encontra escrito
que a palavra "recalcado" é uma expressão
por demais definida, de sintomatologia cerrada:
assim numa operação de supressão mágica
vou rasurá-la daqui do poema.)

pois a questão-chave é:
sob que máscara retornará?

Desde o primeiro verso, o sonho e a enunciação em primeira pessoa contradizem a fábrica e seu ideal de poema. No fim das contas, a enunciação se constrói referindo-se a um poema que não se escreveu, ainda que a memória da perda constitua a tessitura mesma do poema que estamos lendo. Enunciado e enunciação se chocam, e o poema faz outra coisa que aquilo que diz. Eis um modo pelo qual a tradição encena a tensão entre voz e escrita. Não se trata, pois, de metalinguagem, mas de um modo de trapacear com a fala, de jogar com as astúcias da enunciação.

O poema também não deixa de apresentar um conflito romântico entre sonho e realidade, entre o leite da pedra e a faísca das britas, entre o poema-miragem e a cidade civil sonhada. Mas a formulação do problema é moderna: seria o poema ainda possível? Ou seria o artifício de sua desconstrução uma secreta despedida nostálgica? E tudo ainda seria simples não fosse o fato de o poema sonhado só sobreviver em fiapos, farrapos, ruínas, e essa relação com o poema instaurar um modo de relação com o passado, com a memória, com as viagens, enfim, com o sujeito e o mundo.

É que, neste contexto, ser um poeta construtivo significa que o poema se coloca como coisa entre coisas, e é na forma da relação com ele, mais que no poema em si, que se instaura a significação. O poema paira ambiguamente como objeto que se busca e como objeto que instaura outra relação entre sujeito e mundo. O poema se encena em processo como construção de significação da impossibilidade de experiência da própria poesia apenas pressentida pelo mingau das almas e os ouvidos moucos, sobrevivendo a si mesma com seus procedimentos fantasmagóricos (metonímias, aliterações, oximoros), tudo se fundindo num mesmo torvelinho de perda e remorso, sugado nos sorvedouros da consciência embaçada e fluida das muitas formas de acordar ("acordo."/ "acordo,"/ "acordo!").

O poema escrito com fósforos no "pergaminho d'água do sono" numa sequência de rastros, registros obsessivos da "Persistência do eu romântico", recolhendo os cacos, cactos, das reentrâncias do poema e do mundo formando uma amalgamada região de tropos "sem deixar pista de armazém,/ aparelho clandestino,/ ponta de estoque, local de resgate,/ arquivo ou fichário".

Vê-se aqui algo do drama drummondiano (a quem Waly renderia uma belíssima homenagem no seu magistral livro póstumo *Pescados vivos*). Desde a mesma estratégia de construção do sentido repleta de contradições performativas ("não rimarei a palavra sono/ com a incorrespondente palavra outono") até pelo modo de ver tudo se esvair pelo ralo da memória (as palavras "rolam num rio difícil e se transformam em desprezo"). Ou no diálogo explícito em que radicaliza "o poeta é um ressentido e o mais são nuvens" em "os ressentimentos esfiapados/ são como nuvens esgarçadas".

Em *Algaravias*, contudo, o ressentimento assume outra figura, a do recalque, transformado em metáfora da própria escrita e que se evidencia no longo parêntese que encena o gesto da rasura. É ainda um jogo de reescritura, procedimento central em *Me segura* e materializado nas imagens caligráficas dos cadernos fotografados nos *Babilaques*, mas aqui a busca pelo ato, como se disse, é mímesis do ato — "e figuro meu vulto" — que faz do processo de escrita uma metáfora encenada no poema. A rasura sobre a palavra "recalcado" — "sob que máscara retornará?" — ativa uma estrutura subjetiva muito própria, tratada no excelente prefácio do livro, escrito por Antonio Medina Rodrigues e mais de uma vez aqui referido, embora só agora expressamente citado:

> a intimidade recalcada é uma das *formas* principais da poesia de Waly. Nela existe algo como o trauma da mãe, que abandona o recém-nascido na estação da Luz, para deplorar esse ato pela vida afora. É por isso que a opção de Waly pela realidade retorna sempre sob a face de uma desventura desertada de todo e qualquer gozo.

Mas desse recalque do recalcado — que se aproxima da estrutura psicótica descrita por Lacan ao buscar soluções imaginárias para recalcar (negar) o próprio recalcamento — por onde passa a câmara de ecos e suas máscaras, o que ficou foracluído surge em lampejos do real, como se aquilo que se tira do campo do simbólico ressurgisse nesse pela visão, ainda que alucinada, do mundo. Mas tudo isso, ressalte-se ainda uma vez, mimetizado nos poemas.

Mundo e ego ressoam também nessa câmara como ecos ou como palcos geminados (como são apresentados em *Pescados vivos*). As soluções imaginárias, entre as quais o ego é apenas uma de suas máscaras, interpenetram ecos de ecos entre ego e mundo — "Absolutos que se refratam/ difratam.../ espelhos estilhaçados que não se colam" —, mas que se deflagram por meio de tubos alquímicos que percorrem os sucessivos recalcamentos e suas sucessivas máscaras.

O espaço do poema torna-se por esses mecanismos complexos, um espaço de construção que desfaz a falsa dicotomia entre mímesis e processo construtivo: trata-se de um espaço de mediação, mas que se realiza performativamente, criando aquilo que parece representar. Daí porque mundo e intertextualidade atuem no mesmo plano; a linguagem é tão real quanto o suposto real de que ela trata. Real que surge quanto mais as máscaras se mostram (como disse Lacan, a verdade tem a forma da ficção). Mas, sobretudo, o que se encena aqui, como já disse, é a própria enunciação. Não à toa, Ponge estará como epígrafe do livro seguinte de Waly, *Lábia*: é que a busca das palavras se confunde com a busca do objeto.

Os objetos de Waly, contudo, não são os objetos de Ponge (ou mesmo de outro poeta-referência, Cabral). A busca de *Algaravias* é quase épica e se estende pela vastidão do mundo. Como em *Me segura*, o lugar privilegiado dessa busca é a viagem. Mas se ali a viagem vem carregada de conotações psicodélicas, ligadas às drogas e mesmo a uma saída para a situação de sufoco que marca os anos 1970 (lembremos que o *Preço da passagem* de Chacal, da mesma época, remetia explicitamente à venda do livro para juntar dinheiro para sair do país), aqui a marca, como dissemos, é uma busca épica acidamente crítica ao estatuto da viagem no imaginário dos anos 1990.

Em uma rápida pesquisa por *Esses poetas* de Heloísa Buarque de Hollanda, pude constatar mais de dez poemas sobre viagens, em especial viagens internacionais, aos quais, de certa forma, Waly responde:

Viajar, para que e para onde,
se a gente se torna mais infeliz
quando retorna? Infeliz
e vazio, situações e lugares
desaparecidos no ralo,
ruas e rios confundidos, muralhas, capelas,
panóplias, paisagens, quadros,
duties free e shoppings...

Se a busca é épica e o mote é a viagem, vê-se de pronto que esta se mostra incapaz de devolver um pouco que seja da experiência que se procura. É o que parece referir o ar distanciado da foto da cidade natal de seu pai estampada na capa do livro. Mas não são só as viagens internacionais que são sugadas pelo rolo compressor da banalização, dos espaços previamente construídos. Como consta desde o título do sintomático "Pesadelo de classe":

se eu não tirar o pé da lama
e não fizer um turismo ecológico
na Chapada dos Guimarães
ou na Chapada dos Veadeiros
[...]
se eu não for de bimotor
num voo rasante sobre o pantanal
a um palmo do cocoruto dum tuiuiú
e da mandíbula aberta dum jacaré
[...]

se de supetão a lama endurecer
ficar dura que nem bronze
e eu não tirar mais o pé do chão

A viagem como pesadelo de classe torna-se símbolo da reificação do imaginário que se distancia quanto mais pensa aproximar-se da experiência. O controle abstrato da percepção contra o qual o poema procura algum antídoto ou ao menos uma estratégia: o estranhamento do lugar e suas marcas pedestres, mesmo no despropósito banal da sensação de "enfiar o pé na jaca":

Não suba o sapateiro além da sandália
— legisla a máxima latina.
Então que o sapateiro desça até a sola
Quando a sola se torna uma tela
Onde se exibe e se cola
A vida do asfalto embaixo
e em volta.

Como diz Lacan, "o real tem por propriedade carregar o lugar na sola dos sapatos". Esse estranhamento do lugar como fulguração imaginária dá a Waly uma percepção singular. Quando, por exemplo, em um poema de Arnaldo Antunes a queixa é brigar contra a água, ou seja, a dificuldade de resistir quando não há enfrentamento, a estratégia de *Algaravias* é perpassada por uma escuta de novos modos diluídos de repressão, por uma escuta do recalque do recalcado, escuta de coisas que estão aqui ao lado, aquilo que acalenta e corrói: "água estagnada secreta veneno".

Desse entorno estranho e familiar resulta uma série de imagens ligadas a superfícies quase táteis corroídas pela ferrugem ou por camadas viscosas. Atuando ali sob nossos pés, como o "assoalho repleto das peles velhas das cobras/ e do pelo felpudo das aranhas-

-caranguejeiras". São superfícies da pele do mundo que mudam de forma como Proteus, signo aqui das transformações da própria poesia. O ritmo requerer o tátil, e o tátil a pele: como o vento "a passar uma lixa grossa/ sobre a cidade, os seres e as coisas".

E da pele chegamos às incursões do corpo na escrita. Não só em virtude de o corpo perpassar a escrita mediado pelo ritmo, como também quando é do corpo que se trata. Se no *Me segura* a arte aparecia como expressão do corpo — "A arte é extensão do corpo. eu expliquei pro polícia tudo" —, aqui a estratégia é de corpo fechado, como que respondendo a um modo de repressão que não diz mais *não faça*, *não mostre*, mas que diz *goze*, *exponha-se*, tornando mais fácil o controle desse corpo assim exposto. Daí a releitura em "Canto de sereia" do mito homérico:

(*Primeiro Movimento*)

Tapar os ouvidos com cera ou chumbo derretido.
Construir uma fortaleza de aço blindado em volta de si.
O próprio corpo produzir uma resina que feche os poros,
como o própolis faz nas fendas dos favos de mel.

O corpo se fecha como que para impedir uma reconciliação que, ao final, redundaria em aniquilação. Esse fechamento, no entanto, como das formas poéticas, é apenas um primeiro movimento de restrição (criada no próprio corpo do poema — a liberdade como possibilidade de se autoimpor restrições) para que algo surja pelas vozes filtradas pela memória e que se projetam para o futuro:

(*Segundo Movimento*)

A flor de estufa
Salta a cerca

para luzir no mangue.
E se emprenha de fulano, sicrano e beltrano.
Sua vida atual reverbera vozes pretéritas,
adivinha vozes futuras.
[...]

Todo o movimento que descrevemos do recalque encontra-se nesses três primeiros versos: flor que se fecha "para dentro" e que salta a cerca do recalque para surgir no mangue metamorfoseada em luz ou prenhe de vozes. O corpo nas reentrâncias das palavras, secretando o tempo e a memória.

As vozes que desse modo conquistadas alcançam momentos de puro deleite e graça como em "Minha alegria" ou na belíssima quase ode "Mãe dos filhos peixes" e seu "duro doce mar divino". Vozes que por vezes se fazem ouvir como o vento "bêbedo de amnésia e desmemória" que "trafega indiferente à nossa tradição ibérica/ que exige para tudo registro e certidão", cujo tabelião perfunctório reza:

"Lavro e dou fé... é verão."
Ou
"Lavro e dou fé... é outono."

Vozes que buscam, portanto, outra inteligência do real, longe de espaços institucionalizados, dos paraísos das chancelas; longe dos limites cartográficos da imaginação e dos que se julgam legitimados para instituir direitos alheios:

Nenhum habeas corpus
é reconhecido no Tribunal de Júri do Cosmos.
O ir e vir livremente
não consta de nenhum Bill of Rights cósmico.

Ao contrário, a espada de Dâmocles
para sempre paira sobre a esfera do mapa-múndi.
O Atlas é um compasso de ferro
demarcando longitudes e latitudes.

A percepção do peso dessa espada de Dâmocles onde parecia haver apenas justos direitos e conhecimento desinteressado, simples geografia globalizada e sinais de novos tempos, confere ao espaço do poema uma força crítica insuspeitada. Vivemos num legalismo de exceção como vivíamos numa estranha ditadura legalista, e a abertura internacional apenas restringiu a liberdade de um espaço de trânsito ainda há pouco desregrado. Essa diminuição dos espaços sob a carapuça de estendê-los, essa ocupação vertiginosa de câmeras e leis, dá ao mundo uma "sensação de déjà-vu/ que murcha qualquer frescor/ na idade madura".

Resta à escrita haver-se com os restos, rastros que não figuram no moralismo das histórias, nem na aparente autoexplicação das imagens:

A vida não é uma tela e jamais adquire
o significado estrito
que se deseja imprimir nela.
Tampouco é uma estória em que cada minúcia
encerra uma moral.
Ela é recheada de locais de desova, presuntos,
liquidações, queimas de arquivos,
divisões de capturas,
apagamentos de trechos, sumiços de originais,
grupos de extermínios e fotogramas estourados.

São inúmeras as sequências, por todo o livro, que, como essa última, multiplicam os lugares de dispersão, atando o funcionamento da memória à forma com que o mundo apaga os rastros para fazer a plástica de sua história. Nesses lugares recalcados — "o fantasmático país do olvido" — de perda e descaso, contudo, é que ainda restam talvez frestas para, de algum modo, "resgatar o humano fardo", mesmo que destituído de qualquer universalidade e processado, com todas as implicações que vimos, numa ilha de edição:

Corrigindo:

o humano fado.

CRÉDITO DAS IMAGENS

Todos os esforços foram feitos para determinar a origem das imagens deste livro. Nem sempre isso foi possível. Teremos prazer em creditar as fontes, caso se manifestem.

p. 77: © Ivan Cardoso
p. 109: © Montanha e Floresta de Arp com linha d'água de Óscar Ramos
p. 111: © Luciano Figueiredo
pp. 114, 116 e 150: © Jacob Levitinas
pp. 136-7: © Ana Maria Silva de Araújo
p. 169: © Óscar Ramos
pp. 228 e 231: © Bob Wolfenson/ Instituto Lina Bo e P. Bardi, São Paulo, Brasil
p. 354: Hokusai/ Latinstock
p. 396: © Fernando Laszlo
p. 409: © Zulmair Rocha/ Folhapress
pp. 412-3: trabalho de Waly, fotografado por Bina Fonyat para a coletiva "Exposição", organizada por Carlo Vergara, MAM-RJ, 1973
p. 417: © Luiz Zerbini
p. 466: Capa de Óscar Ramos e Luciano Figueiredo/ Fotografia de Ivan Cardoso
p. 521: © Julio Covello

ÍNDICE DE TÍTULOS E PRIMEIROS VERSOS

1ª EDIÇÃO [2014] 3 reimpressões

ESTA OBRA FOI COMPOSTA POR ACOMTE EM AMALIA E IMPRESSA
EM OFSETE PELA GEOGRÁFICA SOBRE PAPEL PÓLEN SOFT DA
SUZANO S.A. PARA A EDITORA SCHWARCZ EM SETEMBRO DE 2023